Douces mélodies

Du même auteur
aux Éditions J'ai lu

À la recherche du fils caché, *J'ai lu* 6196

Douces mélodies

Traduit de l'américain
par Sophie Dalle

Titre original :

TELL ME WHY
Kensington Books, a division of Kensington
Publishing Corporation, New York

Pour Claire

Il est bon d'avoir un but vers lequel tendre,
mais l'important, en définitive,
c'est le chemin que l'on emprunte pour y parvenir.

Ursula LE GUIN

1

Le cœur de Carolee Burns battait la chamade tandis qu'elle regardait les élèves sortir de l'école de danse classique Pacific North. Elle transpirait abondamment. C'était la deuxième fois qu'elle se postait là, au coin du bâtiment, avant de se glisser dans la cour du théâtre Intiman, l'un des immeubles qui faisaient partie du Seattle Center. D'où elle se trouvait, elle voyait parfaitement l'escalier de l'école qui donnait sur Mercer Street.

Elle était prête à s'enfuir.

Elle avait pris un risque la première fois qu'elle avait cédé à la tentation, mais aujourd'hui, le danger était encore plus grand.

Elle n'avait pu s'empêcher de revenir. Elle devait surveiller les voitures qui s'arrêtaient pour prendre les danseurs. Celui qu'elle devait éviter à tout prix ne tarderait pas à arriver. Il serait au volant d'une Porsche gris métallisé et si, par malheur, il l'apercevait, ses derniers espoirs seraient anéantis.

Les spectateurs se pressaient devant les portes du théâtre. Leur présence rassurait Carolee, qui se sentait moins exposée aux regards. Elle entendait gargouiller l'eau de la fontaine qui trônait au centre de la cour, derrière elle.

Un seul visage l'intéressait : celui de Faith, qui n'allait pas tarder à surgir, son gros sac en bandoulière, un gilet noué autour de la taille.

Par groupes de deux ou trois, les élèves s'attardaient sur le trottoir, riant et discutant. Les cheveux des filles étaient coiffés en chignons serrés, ceux des garçons attachés en catogan.

Carolee fixa attentivement les véhicules qui se garaient. Kip serait bientôt là, et Faith sortirait sans doute juste à temps pour courir jusqu'à la Porsche et y grimper. Carolee n'aurait même pas le plaisir de la contempler durant les quelques précieuses secondes où elle attendait son père.

Soudain, elle apparut en haut de l'escalier. Carolee se raidit, luttant contre l'envie qu'elle avait de se précipiter vers la fillette. Contrairement à ses camarades, Faith ne portait pas le chignon de rigueur. Impossible de dompter cette cascade de boucles blondes qui lui tombaient sur les épaules. De l'endroit où elle se trouvait, Carolee ne distinguait pas ses yeux gris, mais c'était inutile. Ce regard à la fois doux et intense, elle le connaissait par cœur. Faith n'avait pas encore douze ans, et cependant, elle avait déjà ses croyances, ses principes, et cette intransigeance passionnée de la jeunesse.

Elle ébaucha un sourire, et la gorge de Carolee se noua. La main crispée sur le col de sa chemise en jean, elle s'efforçait de graver dans sa mémoire chacun des traits de cette enfant qu'elle était sur le point de perdre.

Faith était encore petite pour son âge, mais elle avait un peu grandi et perdu ses rondeurs enfantines. Sa taille s'était affinée, ses jambes promettaient d'être longues et joliment galbées. La chrysalide se transformait en papillon.

Carolee cligna des yeux. Elles se voyaient si rarement. Les droits de visite étaient limités à un week-end par mois, quatre semaines en été et quinze jours à Noël. Comment une mère pouvait-elle supporter cela ? En dépit de ce qu'on avait raconté à son sujet, et de ce que les juges avaient choisi de croire, n'avait-elle pas prouvé qu'elle était prête à tout pour que les choses changent ? Kip lui répétait d'être patiente, mais dès qu'elle lui demandait si cela signifiait qu'un jour il reviendrait sur sa décision et lui permettrait de partager de nouveau pleinement la vie de Faith, il se murait dans un silence obstiné, prétextant qu'il était encore trop tôt pour en discuter.

Elle remarqua le menton pointu de Faith… et imagina ses adorables fossettes, quand elle souriait.

L'histoire du soir avait toujours été un de leurs moments préférés. Carolee se glissait sous la couette avec Faith, et toutes deux se câlinaient en gloussant. Les récits se prolongeaient durant des semaines. Souvent, en entendant la respiration de Faith s'approfondir, Carolee marquait une pause. Aussitôt, une petite voix protestait :

— Continue, maman. Qu'est-ce qui se passe ensuite ?

Et lorsque Faith s'endormait enfin, Carolee restait un peu, savourant le bonheur de sentir le petit corps de sa fille contre le sien.

Faith se tenait sur la plus haute marche, la tête tournée dans la direction d'où viendrait Kip.

Carolee appuya un instant le front contre le mur, en goûtant la fraîcheur rugueuse. Attirée comme par un aimant, elle se rapprocha de quelques pas. Pourquoi lui interdisait-on de parler à Faith ? Pourquoi n'avait-elle pas le droit de l'embrasser ? Pourquoi lui avait-on ordonné de rester à distance ? Les enfants avaient besoin de leur mère autant que de leur père. Et une fillette en passe de devenir une jeune fille sans doute encore plus. Certes, elle avait commis des erreurs, s'était montrée insouciante, avait pris beaucoup trop de choses pour acquises. Mais la plupart des accusations qu'on avait portées contre elle étaient exagérées. Malheureusement, personne n'avait daigné l'écouter.

Et si elle courait rejoindre Faith ? Juste le temps de la prendre dans ses bras, de lui dire combien elle l'aimait, combien elle lui manquait. Carolee croisa les bras et se balança d'avant en arrière, imaginant sa fille contre elle, son haleine tiède sur sa joue.

Faith n'en parlerait pas à Kip… Non. Il ne fallait pas mêler un enfant à des mensonges d'adultes.

Malgré elle, Carolee s'était avancée. Elle distinguait

mieux le visage de la fillette, à présent. Il lui suffirait de quelques secondes pour être près d'elle. Un baiser, un sourire suffiraient à atténuer sa souffrance.

Elle ne vit la Porsche ralentir le long du trottoir que lorsque Faith dévala les marches. Trop tard. Kip était déjà sorti et empoignait le sac de sa fille pour le jeter sur la banquette arrière.

Il leva la tête.

Carolee resta clouée sur place. Elle avait l'impression d'être nue au milieu de la foule. Kip regardait droit dans sa direction. Grand, blond, vêtu d'un tee-shirt blanc moulant et d'un jean, il avait une allure juvénile. Évidemment, à trente-trois ans, il n'était pas spécialement vieux. Ils s'étaient connus au lycée. Comment leur amour avait-il pu se transformer en indifférence ?

Le mieux était de regagner la cour du théâtre. Mais alors qu'elle franchissait le portail, Carolee se rappela qu'il n'existait aucune autre issue. La dernière fois, elle avait attendu quelques minutes avant de partir. Cette fois, elle n'avait plus qu'à espérer qu'il ne l'avait pas remarquée.

Elle fit appel à toute sa volonté pour ne pas se retourner, et elle alla se réfugier près d'un mur recouvert de vigne vierge. S'il l'avait repérée, il viendrait la trouver, il la menacerait. Il prenait un malin plaisir à lui rappeler que la loi était de son côté.

Les moteurs vrombissaient dans Mercer Street, mais elle ne reconnut pas celui de la Porsche qui démarrait. Il l'avait sûrement aperçue. Il était en train de dire à Faith de l'attendre, qu'il revenait tout de suite. Dans un instant, il allait surgir pour la punir. Il essaierait peut-être d'annuler la visite de l'été. Non ! Mon Dieu, je vous en supplie ! Il ne restait plus que deux semaines avant le séjour de Faith.

Une brusque nausée lui souleva l'estomac. Elle se sentait si mal qu'elle avait l'impression d'être sur le point de s'évanouir. Elle s'efforça de respirer calmement et consulta sa montre. À cet emplacement, le stationnement était interdit, or, Kip s'y trouvait depuis déjà cinq bonnes minutes. Elle scruta les alentours, passa de nouveau le portail. Tant pis. S'il devait y avoir confrontation, il y aurait confrontation.

La Porsche avait disparu.

Carolee se mit à trembler de façon incontrôlable. Un rire nerveux lui monta à la gorge. Il ne l'avait pas vue ! Puis elle se figea. Elle n'avait pas non plus réussi à approcher sa fille, et cela lui parut plus intolérable encore que la dernière fois.

Cela ne pouvait plus durer, mais elle ne voulait pas non plus abandonner. Elle allait récupérer son enfant, coûte que coûte.

Une main s'abattit sur son épaule et elle sursauta. Un petit cri lui échappa tandis qu'elle se retournait, sûre de se trouver nez à nez avec Kip la toisant avec mépris.

Une femme d'une cinquantaine d'années, très élégante en tailleur Armani, se tenait devant elle, la dévisageant avec curiosité.

— Vous allez bien ? Je n'ai pu m'empêcher de remarquer que vous sembliez bouleversée.

— Je vais très bien, bredouilla Carolee, pressée de s'échapper et de rentrer chez elle, à Juanita. Je suis agoraphobe, c'est tout.

Imperturbable, l'inconnue insista :

— Quelque chose vous a secouée, n'est-ce pas ? Quelque chose que vous avez vu. Si vous êtes en danger, vous devriez demander de l'aide.

Au prix d'un énorme effort, Carolee parvint à sourire.

— Vous avez beaucoup d'imagination. Non, non, je ne crains rien. Je vous le répète, j'ai peur de la foule. C'est tout.

— Vous n'assistez pas au spectacle ?

— Non. Si vous voulez bien m'excuser…

La femme n'avait cessé de l'examiner avec attention.

— Il m'avait semblé vous connaître. À présent, j'en ai la certitude, bien que vous ayez un peu changé. Vous êtes cette Carolee Burns.

2

Cette Carolee Burns.

Des heures plus tard, ces paroles continuaient de la hanter, ainsi que l'expression de mépris de l'inconnue. Qui était-elle donc pour la juger ? Qui étaient-ils tous ?

Illuminée de mille feux, une embarcation traversait le lac Washington. Assise sur le ponton de sa propriété, Carolee entendit des rires par-dessus le grondement étouffé du moteur.

La nuit était paisible, l'eau clapotait doucement autour des piliers. Le fond de l'air était frais. Au loin, les lumières de Seattle scintillaient.

Immobile, elle respirait si doucement que sa poitrine se soulevait à peine. Le calme avant la tempête ? Peut-être. À moins qu'elle ne soit trop engourdie pour souffrir.

Son divorce avait été un tel choc qu'il lui avait fallu plus d'un an pour s'en remettre. Depuis, elle n'avait engagé aucune action sérieuse pour obtenir de son mari qu'il lui accorde au moins la garde alternée de Faith. Au début, elle avait paniqué et, par la suite, Kip lui avait fait clairement comprendre que, au cas où elle tenterait de transgresser le protocole établi par le juge, elle encourrait le risque de ne plus voir sa fille du tout.

Les yeux lui brûlaient, et cependant les larmes ne venaient pas – il ne lui en restait plus à verser. Kip avait assuré qu'il ne cherchait pas à la punir, qu'il agissait ainsi pour le bien de Faith, et le sien. Selon lui, Carolee avait négligé sa famille pour suivre sa propre voie. Elle les avait abandonnés. Faith en avait souffert sur le plan psychologique; quant à sa carrière de peintre à lui, elle en avait sérieusement pâti. Le tribunal s'était rangé à son point de vue.

Carolee n'avait pas su se défendre de façon convaincante, car, en apparence, les accusations de Kip n'étaient pas fausses.

Cette Carolee Burns.

Fascinés par la célèbre pianiste de jazz, les journalistes s'étaient jetés sur la nouvelle de son divorce, amplifiant à plaisir le scandale. Ils avaient transformé une querelle déjà pénible en une histoire sordide. Tous les quotidiens, toutes les revues, toutes les émissions, à la télévision comme à la radio, en avaient parlé. Et le public s'était frotté les mains en salivant devant la chute d'une célébrité.

— Carolee?

La voix rauque de son père précéda le bruit de ses pas. Elle sentit le ponton vibrer sous le lourd martèlement de ses bottes.

— Salut, Sam, lança-t-elle en levant la main sans se retourner.

Il était un peu essoufflé quand il la rejoignit. Faisant fi de son arthrose, il s'assit près d'elle.

— Tu n'es pas venue dîner. Pourtant, je m'étais surpassé, ce soir. Potage à l'oseille et à la crème fraîche saupoudré de persil frais, et saumon fondant à souhait.

— Sam!

— Je t'ai attendue le plus longtemps possible.

— Je ne t'avais pas dit que je viendrais, lui rappela-t-elle.

— Tu n'avais pas dit non plus que tu ne viendrais pas. Tu évites de t'engager. Je ne t'en veux pas.

— Pauvre Sam, murmura-t-elle en l'observant à la dérobée.

Ses épais cheveux blancs luisaient sous la lune, et son dos était voûté.

— Tu es très patient avec moi. Tu ne regrettes pas de m'avoir accueillie à la maison.

— Cette maison est la tienne. C'est à toi que ta mère l'a léguée, pas à moi. Je me contente de l'entretenir en ton absence.

Aucune amertume dans ses paroles. Lake Home appartenait à la famille d'Ella Davis depuis quatre-vingts ans, et elle avait toujours affirmé que Carolee en hériterait. Après la mort de son épouse, Sam avait émis le souhait de s'installer dans le cottage isolé de la demeure par un rideau d'arbres. Ravie, Carolee avait accepté. Cet arrangement leur convenait à tous les deux. « Tu aimes cet endroit, lui avait-elle dit. Maman serait heureuse de savoir que nous sommes ensemble. »

— Les choses sont en train de bouger, n'est-ce pas ? fit Sam à brûle-pourpoint.

Il avait la fâcheuse manie de pressentir les changements d'humeur de Carolee avant qu'elle n'en ait conscience elle-même.

— Tu as pris une décision. C'est cela ? insista-t-il.

— Ne me harcèle pas, répliqua-t-elle. Excuse-moi. Je sais que tu souffres autant que moi, et que tu voudrais que tout soit comme avant. Mon Dieu, Sam, comment est-ce possible ?

Elle ne lui avouerait pas ce qu'elle avait fait un peu plus tôt dans l'après-midi. À quoi bon l'inquiéter ?

Il s'efforça de demeurer calme – ce qui ne lui était pas facile.

— Plus que deux semaines...

Carolee se frotta les yeux. Les reflets lumineux qui dansaient sur l'eau se brouillèrent.

— Ce sera la première fois depuis quatorze mois qu'elle restera avec nous plus d'un week-end. Et si elle n'avait pas envie de venir ? Elle est tellement silencieuse, avec moi. Je n'arrive pas à savoir ce qu'elle pense. Ils ont prétendu que je n'étais pas apte à...

— Non, interrompit Sam d'un ton tranchant. Ils n'ont jamais dit cela. Ils ont dit que son père avait toujours été là pour elle, et qu'il était logique de lui confier la garde de Faith.

— Oui.

Inutile de discuter. Inutile, aussi, de lui rappeler tout le reste, les accusations répétées au monde entier.

Sam lui tapota l'épaule.

— Je vais lui louer ce poney, qu'elle adore. Celui des écuries de Woodinville. Elle pourra se promener dans le coin.

— Je ne veux pas qu'elle monte seule, s'écria aussitôt Carolee.

Elle se mordit la lèvre. Elle avait toujours été mère poule.

— Entendu. Je tâcherai de te trouver un cheval, et vous monterez ensemble.

Elle ouvrit la bouche pour lui rétorquer qu'elle n'y connaissait rien, puis se ravisa. S'il le fallait, elle apprendrait.

— Quel gâchis ! marmonna soudain Sam.

Carolee fut surprise. Il n'était pas porté à l'introspection. Il avait tendance à poser des questions abruptes et à proposer des solutions, plutôt qu'à spéculer.

— J'aurais dû t'empêcher d'épouser ce salaud.

— Tu n'aurais pas pu, répondit-elle avec douceur, en omettant volontairement de lui rappeler qu'à l'époque, il avait pris l'un de ses « congés sabbatiques », laissant sa femme et ses deux filles. D'ailleurs, si je ne m'étais pas mariée avec Kip, Faith ne serait pas là. Je ne veux même pas y penser.

Un autre bateau orné d'une guirlande lumineuse passa au loin.

— Il avait tout planifié depuis des années.

— C'est absurde ! protesta-t-elle.

— Depuis longtemps, alors.

Sam prit une poignée de galets posés sur un tonneau retourné et les laissa tomber un à un dans l'eau.

— On n'invente pas une histoire pareille en une nuit – et on ne produit pas non plus tous ces documents.

— Sam, ça suffit, s'il te plaît.

— D'après moi, on devrait fouiller dans le passé de Kip Burns. Et dans son présent.

— Kip n'a jamais été mis en cause, et tu le sais pertinemment. Je ne pouvais même pas réfuter ses arguments. Il a dit la vérité – sur tout, sauf sur ce que je ressentais, et ce que je pensais et croyais. Là-dessus, il s'est entièrement trompé, mais les faits étaient là. Je ne me suis pas souciée de lui, jusqu'au jour où il ne l'a plus supporté.

Mais elle taisait l'essentiel. Combien de fois avait-elle rêvé d'annuler ses tournées pour pouvoir passer plus de temps avec son mari et s'occuper de leur enfant ? Pourquoi Kip l'avait-il obligée à continuer ?

Le poing de Sam s'abattit sur les planches, et Carolee sursauta.

— Ma fille, j'en ai par-dessus la tête. J'ai gardé le silence jusqu'ici parce que c'est ce que tu désirais. Mais tu t'es rendue trop vite. Et il comptait là-dessus. Il te connaît parfaitement. Il sait que tu es trop bonne.

— Je ne le suis plus, contra-t-elle, et elle le pensait. J'avais simplement besoin de temps. Je me figurais qu'il cherchait simplement à m'ébranler. Après le divorce, je n'ai cessé d'attendre qu'il m'appelle, qu'il me dise que c'était une blague. Mais, bien sûr, il était trop tard.

Sam se releva péniblement.

— S'il voulait seulement te garder à la maison, il n'avait qu'à le dire. T'en a-t-il jamais parlé ?

— Tu ne m'as jamais posé ce genre de questions.

— Je te les pose, maintenant. T'a-t-il jamais dit qu'il en avait assez de vivre dans l'ombre de sa célèbre épouse ? T'a-t-il jamais suppliée de tout laisser tomber pour rester auprès de lui ? Pour le meilleur et pour le pire, et blablabla ?

Kip lui avait répété qu'il pensait d'abord à elle, qu'il prenait des décisions à sa place afin qu'elle puisse se consacrer à sa musique.

— Alors ?

— Non, il ne l'a jamais fait. Mais je n'ai pas non plus cherché à nier l'importance que j'accordais à ma carrière.

— Il n'a jamais souhaité que tu l'abandonnes. Grâce à l'argent que tu gagnais, il menait grand train. Et ça continue.

Elle secoua la tête, désemparée.

— Je déteste parler de tout cela. Tu n'imagines pas ce que ressentait Kip, ce qu'il a traversé. Je n'ai sans doute pas été assez attentive.

— Tu l'aimes encore ?

Carolee se figea.

— Alors ?

— C'est le père de Faith.

Sam posa la main sur la tête de Carolee et attendit jusqu'à ce qu'elle le regarde.

— Je sais, fit-il. Ce n'est pas ce que je te demande.

— Nous avons un passé commun. Nous nous sommes connus au lycée. Nous faisions tout ensemble. J'étais fière de sa peinture, et lui, de ma musique.

— Tu admirais sa peinture. Tu affirmais que tu l'aiderais, quitte à sacrifier ta propre carrière.

L'air fraîchissait. Quelques nuages glissèrent devant la lune, l'obscurcissant momentanément. Le discours de Sam n'aidait pas vraiment Carolee à y voir clair quant à ce qu'elle ressentait et souhaitait faire.

— Quand les contrats ont commencé à déferler, Kip a sauté sur l'occasion, reprit son père. Il t'a encouragée à tout accepter, pendant qu'il restait peindre à la maison. Très vite, il a eu tout ce dont il pouvait rêver. Bien des peintres inconnus auraient donné leur vie pour travailler dans les ateliers que tu lui as offerts à New York, à Los Angeles et à Seattle. Et qu'a-t-il fait de tout cela ?

— Tu es injuste. Je voyageais beaucoup, mes horaires ne correspondaient pas à ceux d'un enfant. Kip a toujours dû penser d'abord à Faith.

— Ah, parce que toi, tu ne pensais jamais à elle ? Tu pouvais prétendre que tu n'avais pas d'enfant, peut-être ?

C'est curieux, ce ne sont pas les souvenirs que j'en ai gardés. Est-ce que j'aurais imaginé la nounou et les domestiques ?

— Je rentre, Sam. Merci de te préoccuper ainsi de Faith – et de moi. Mais, s'il te plaît, aie confiance en moi pour faire ce qu'il faut.

Sam lui tendit la main et l'aida à se relever.

— Pour l'instant, tu n'as rien fait, ma fille. Et plus le temps passe, plus j'ai envie d'étriper Kip Burns.

— Ne dis pas de bêtises, fit-elle en le précédant le long du sentier abrupt qui menait à la maison.

— D'accord, d'accord, je change de sujet, grommela-t-il en soufflant derrière elle. Il faudrait que tu penses à te remettre dans le bain.

Carolee accéléra.

— Qu'est-ce que tu cherches à prouver ? Tu as besoin de jouer. Le public a envie de t'entendre. Ça ne t'empêchera pas de t'occuper de Faith. Il faut envisager le long terme.

Elle se mit à courir, le souffle court. Il ne comprenait pas. Évidemment, elle ne le lui avait jamais dit. L'abandon de sa carrière lui avait été aussi douloureux que le fait de vivre sans sa fille.

— Je joue, haleta-t-elle.

— Une fois par semaine, dans une pizzeria de Kirkland, s'écria-t-il. Tu es au piano, tu chantes, et ils avalent leurs spaghettis sans cesser de bavarder.

Il peinait de plus en plus. Carolee s'arrêta pour l'attendre.

— Tu es têtu comme une mule.

— Pourquoi ? Parce que j'aime ma fille et ma petite-fille ?

— Non. Parce que tu me provoques délibérément. Tu t'imagines que si je me mets suffisamment en colère, je… je…

— Tu te remettras à vivre ! compléta-t-il en la rattrapant. Je veux que tu comprennes que tu n'es pas obligée de rester là, à attendre que ce crétin te fasse une fleur.

Ça n'arrivera pas. C'est à toi de bouger. Ça ne signifie pas que tu dois renoncer à être celle que tu es.

— Je joue pour les dévoreurs de nouilles dans deux jours. Je devrais aller me dérouiller un peu les doigts.

— Tu devrais surtout appeler Leo Getz et lui demander de te remettre dans le circuit.

Justement, son agent lui avait téléphoné le jour même. Elle l'avait envoyé promener, et il avait promis de ne pas la relancer.

— Laisse tomber, Sam.

— Dis-lui que tu seras disponible après le séjour de Faith.

— Je préfère ne pas penser à son départ. Viens dîner demain soir, si tu veux. Bonne nuit !

— Tu essaies de me faire taire.

— J'ai toujours dit que j'avais un père intelligent. Veux-tu que je te conduise au cottage ?

— Je ne suis pas si vieux que ça. Ça me fera du bien de marcher.

Sur ces mots, il s'éloigna sans un regard en arrière. Carolee savait qu'il s'était emporté uniquement parce qu'il l'aimait, et qu'il était aussi frustré qu'elle. Elle poursuivit lentement son chemin jusqu'à la véranda drapée de glycine qui s'étendait sur toute la largeur de la demeure. Elle gravit les marches qui gémirent bruyamment. Il était grand temps de les réparer. Sam s'en chargerait si elle le lui demandait.

Elle songea un instant à s'asseoir sur la balancelle, puis se ravisa. Elle poussa la porte grinçante et esquissa un sourire. Oui, vraiment, il y avait du travail.

Le piano droit de Carolee se trouvait entre deux fenêtres dans l'immense salle de séjour. Elle ôta son coupe-vent et l'accrocha à l'une des patères en cuivre vissées dans le lambris de cèdre blond. Le plafond était orné de poutres du même bois. Lorsqu'elle avait rénové le rez-de-chaussée, elle avait fait abattre les murs séparant le salon de la salle à manger et de la cuisine, et installé un escalier contre le mur du fond.

D'ordinaire, l'harmonie qui se dégageait de cette pièce l'apaisait – elle en avait choisi les textures et les couleurs avec soin –, mais, ce soir, elle était impuissante à la réconforter.

Carolee s'assit devant le clavier et jeta un coup d'œil par la fenêtre. La nuit était noire. Elle se sentait vulnérable, épiée.

Elle ne devait surtout pas tenter à nouveau d'approcher Faith avant sa visite. Elle avait du mal à croire qu'elle avait pris un tel risque à deux reprises.

Paupières closes, le buste incliné en avant, elle se laissa porter par la musique. Mais les larmes menaçaient.

Faith serait une bonne pianiste – à condition que Kip s'assure qu'elle suivait bien ses leçons. Carolee, elle, n'avait pas suivi le cursus classique. Enfant, elle s'était perchée un jour sur la banquette du piano de sa mère et avait annoncé, le plus sérieusement du monde, qu'elle allait composer un grand morceau. Certes, elle avait pris des cours, mais elle avait surtout compté sur son instinct et son talent.

Faith était très douée.

Et si elle appelait chez Kip ? Avec un peu de chance, Faith décrocherait. Elle ne lui dirait rien, elle se contenterait d'écouter sa voix. Un seul mot, « allô », suffirait.

Et si c'était Kip qui répondait ?

Elle lui raccrocherait au nez.

Elle cessa de jouer. Le morceau qu'elle était en train de composer, l'histoire soi-disant pleine d'humour d'une femme trop gâtée par son mari, ne l'amusait guère.

De l'endroit où elle était assise, elle pouvait atteindre le téléphone sur la table derrière le canapé. Elle souleva le combiné, commença à composer le numéro, hésitant après chaque chiffre.

Rien ne pouvait la trahir. Après tout, pourquoi ne pas y aller franchement et demander des nouvelles de Faith ? Qui pourrait le lui reprocher ?

Elle laissa retomber l'appareil. À quoi bon ?

Lorsqu'elle venait passer le week-end, Faith était très silencieuse. Kip la déposait le troisième vendredi de chaque mois. Il n'acceptait jamais l'invitation de Carolee à dîner et avait tendance à revenir chercher sa fille avec quelques heures d'avance le dimanche. Dans ces cas-là, son expression se faisait discrètement menaçante ; si Carolee ne voulait pas avoir d'ennuis, elle avait intérêt à ne pas se plaindre.

De nouveau, elle décrocha, fit le numéro à toute allure.

— Allô ?

Carolee retint son souffle.

— Bonsoir, Kip. C'est moi, Carolee.

Silence.

— J'irai droit au but. Je pensais à Faith, j'aimerais savoir comment elle va. Comment se passent ses cours de piano ?

— Nous avons décidé qu'elle avait trop d'activités. Elle reprendra la musique plus tard. Pour l'heure, elle se concentre sur d'autres choses.

Sa voix monocorde glaça Carolee. Elle aurait voulu hurler. C'était lui qui avait pris cette décision, sans demander son avis à Faith. Cependant, elle ravala sa colère.

— De nos jours, les enfants sont débordés, dit-elle avec un petit rire forcé. Autrefois, ils se contentaient de jouer dehors avec les voisins, ou d'aller à la piscine de temps à autre.

— C'est pour cela que tu m'appelles ?

Elle ferma les yeux. Comment en était-il venu à la haïr à ce point ? Si elle l'avait blessé, ce n'était pas intentionnellement.

— Je suppose que oui. À moins que Faith ne soit pas encore couchée. J'en aurais profité pour lui demander ce qu'elle aimerait faire quand elle viendra le mois prochain.

— Elle est couchée.

— Oui, bien sûr, c'est normal. Bon, je ne te retiens pas plus longtemps. Bonne…

— Je t'ai vue, cet après-midi.

Le cœur de Carolee fit un bond. Ses oreilles se mirent à bourdonner.

— Tu m'entends ?

— Oui.

— On t'a expliqué combien il était important pour Faith de respecter les engagements pris. Tu n'as pas à la poursuivre comme ça.

Que dire ? Rien.

— Si je n'avais pas été en stationnement interdit, je me serais débrouillé pour aller te trouver sans effrayer Faith.

— Oui.

— Qu'est-ce que tu peux être faux jeton ! Tu ferais n'importe quoi pour obtenir ce que tu veux.

Carolee porta la main à sa bouche. D'ici une seconde, il allait lui annoncer qu'il annulait la visite de Faith. Elle se battrait, mais elle n'était pas sûre de gagner.

— Tu m'écoutes ?

— Oui.

— Tant mieux. Je ne te dénoncerai pas, parce que je pense que Faith a besoin de passer du temps avec toi. Je ne veux pas la priver des visites sur lesquelles nous nous sommes mis d'accord.

— Merci, chuchota-t-elle.

— Je ne fais pas cela pour toi. Je le fais parce que je ne tiens pas à ce que ma fille considère sa mère comme une ratée. C'est important pour son amour-propre.

Le salaud ! Carolee se pencha en avant et posa le front contre le haut du piano.

— Arrange-toi pour que je ne change pas d'avis, conclut-il avant de raccrocher brutalement.

3

— Mesdames et messieurs…

Brandy Snopes rejeta en arrière son abondante chevelure auburn et humecta ses lèvres carmin.

— Pour vous ici ce soir… Carolee Burns !

Les applaudissements crépitèrent tandis que Carolee émergeait du bureau qui faisait office de loge au *Bistro Brandy* de Kirkland. Sa jupe de satin noir s'évasait en corolle, son bustier dévoilait la peau laiteuse de ses épaules et de son décolleté.

Moulée dans un fourreau turquoise, Brandy l'embrassa, puis s'écarta à reculons en applaudissant à son tour.

Max Wolfe était assis à une petite table ronde à droite du piano.

Il savait que Brandy et Carolee étaient de vieilles amies, qu'elles s'étaient connues à l'école primaire. Max avait rencontré Brandy plus récemment, quatre ans auparavant pour être précis. Ils avaient eu une brève aventure, mais s'étaient vite rendu compte qu'ils n'étaient pas faits l'un pour l'autre, sinon en tant qu'amis.

C'était Brandy qui prévenait Max chaque fois que Carolee devait venir jouer dans son restaurant. Ce soir, il ne pouvait s'empêcher d'être déçu à l'idée qu'elle ne se produirait plus avant un bon mois.

Comme elle s'asseyait, sa jupe longue tourbillonna, révélant ses chevilles fines et ses sandales à talons hauts.

Elle commença à jouer, et Max s'adossa à sa chaise, attentif, tout en sirotant son verre de vin. Il ne connaissait pas les titres de ses chansons, mais toutes lui plaisaient. Pour rien au monde il n'aurait souhaité être ailleurs en ce moment, et cette pensée le perturbait. Max Wolfe, l'homme qu'aucune femme n'était parvenue à dompter, était sous le charme. Littéralement ensorcelé. Il avait beau savoir à quel point la vie de Carolee était compliquée – sur le plan affectif, elle devait en avoir soupé des hommes ! –, rien n'y faisait. Pire, le défi qu'elle représentait était un élément d'attraction supplémentaire.

Elle posa son regard sur lui.

Max esquissa un sourire et fit tourner son verre entre ses mains.

Carolee semblait le regarder, mais il n'était pas certain qu'elle le voyait vraiment. Quand elle jouait, tout son corps bougeait. Elle n'était pas trop mince, ce qui convenait à Max. Il aimait sa façon de porter ses longs cheveux bruns tirés en arrière, et attachés bas sur la nuque, dégageant ainsi son visage en forme de cœur. Sa beauté n'avait rien de conventionnel ni de classique ; elle possédait ce qu'on appelle un visage intéressant. Max avait passé plus d'une soirée en solitaire à la contempler et à se demander comment l'aborder.

— Encore vous ?

Max sursauta et se tourna vers le septuagénaire aux cheveux blancs et aux yeux clairs qui venait de s'adresser à lui.

— Nous nous connaissons, monsieur ? s'enquit-il poliment.

— Non. Je m'appelle Sam. Vous attendez quelqu'un ?

Max secoua la tête, et Sam s'appropria aussitôt la deuxième chaise.

— Que pensez-vous de cet endroit ? reprit l'inconnu. Un peu kitsch, non ? Faux style italien.

Max sourit en jetant un coup d'œil sur les murs crépis et les grappes de raisin en plastique suspendues aux poutres.

— Je ne sais pas. Vous êtes déjà allé en Italie ?

— Non. Pourquoi partir à l'étranger, alors que j'habite le plus beau pays du monde ? rétorqua Sam.

— J'y suis allé plusieurs fois. Les paysages sont magnifiques, et les gens adorables. Ici, on se sent un peu comme là-bas.

— Voilà qui me remet à ma place ! grogna Sam. Vous avez dîné ?

— Non.

— Vous allez dîner ?

— Non. Je suis juste passé prendre un verre. Puis-je vous offrir quelque chose ? Vous avez faim, peut-être ? Ne vous gênez pas pour moi.

— Je vais boire un café. L'alcool, ce n'est plus de mon âge.

Max fit signe au serveur et lui commanda un café.

— Ce n'est pas la première fois que je vous vois, remarqua Sam. Vous êtes amateur de musique.

— Tout dépend de la musique. J'aime beaucoup celle-ci. J'ai entendu Carolee Burns à New York, un jour. Elle y possédait un club.

— Elle l'a toujours. Du moins, à ce qu'il paraît.

— Un endroit épatant, près de Broadway. La carte est belle. Mais j'avoue que j'y allais pour elle, pas pour la nourriture. Elle est phénoménale. Je suppose qu'elle ne va plus guère à New York.

Sam haussa les épaules et se racla la gorge.

— Vous habitez dans le coin ?

— J'ai un appartement à Kirkland.

— Si seulement ces ploucs pouvaient arrêter de s'empiffrer et se taire, marmonna Sam.

Max se garda de lui signaler que lui-même n'avait cessé de parler depuis qu'il s'était assis.

— Ils se calment pendant qu'elle joue. Ils savent que c'est un privilège. Je m'attends toujours que la nouvelle se répande et que ce soit complet, mais ce sont toujours les mêmes. Brandy ne fait aucune publicité.

— Si la situation lui échappait, Carolee ne viendrait plus.

Max nota que Sam avait des idées très arrêtées sur Carolee Burns, mais ne fit aucun commentaire.

Ses doigts couraient sur le clavier. Les clients qui continuaient à manger se firent discrets. On apporta le café de Sam, mais il n'y toucha pas. Penché en avant, les coudes sur la nappe, il fixait la pianiste. Max fronça les sourcils. Si Sam l'avait déjà vu, c'était donc qu'il venait souvent, lui aussi.

— Que pensez-vous d'elle ? chuchota le vieil homme. Elle est formidable, non ?

— Formidable ! acquiesça Max.

— Je vous connais, vous savez. Je parie que tout le monde ici vous connaît. Ce doit être difficile de passer inaperçu quand on a une carrure comme la vôtre.

— Ce le serait si je cherchais à me cacher, répliqua Max.

Mais il n'avait pas envie de parler de lui.

— Elle a tort de vivre ainsi, recluse dans ce trou perdu, enchaîna-t-il. Elle devrait reprendre les tournées. Ça ne ferait pas d'elle une mauvaise épouse – ex-épouse – ou une mauvaise mère. Elle est vraiment mal tombée.

— Vous avez déjà été marié ?

— Non.

— Vous avez une petite amie ?

— Non.

— Je sais, je sais, concéda Sam. Je suis trop curieux. Je m'interroge, c'est tout. Que faites-vous, maintenant que vous ne jouez plus au football ?

Le serveur posa un panier rempli de petits pains chauds sur la table. Max en rompit un et se concentra sur les miettes.

— Je dirige une société qui fabrique des logiciels. Et j'entraîne les lycéens du club des Lakes.

— Ç'a dû être un sacré choc. L'accident. Se retrouver coincé sous une camionnette. Et voir ensuite votre meilleur ami prendre votre place, c'est dur.

— Je suis adulte. Je m'en suis remis.

Plus ou moins...

— ... Quant à Rob Mead, il n'a rien à se reprocher. Il n'était pas responsable de ce qui m'est arrivé.

— Vous aimez les enfants ?

Surpris, Max le dévisagea. Il réfléchit un instant.

— Oui, je pense que oui. Sans quoi, je ne m'occuperais pas de ces adolescents.

— Vous envisagez d'en avoir un jour ?

— Qui, moi ?

Max avait du mal à écouter Carolee Burns tout en répondant aux questions obliques de Sam.

— Oui, vous.

— Si je rencontre la femme qu'il me faut, oui, bien sûr.

Carolee regardait de nouveau dans sa direction, et il lui sourit carrément. Elle lui rendit son sourire, mais, une fois de plus, il eut l'impression qu'elle ne le voyait pas vraiment.

— C'est une charmeuse, observa Sam. Je n'ai jamais vu quelqu'un qui ait tant à offrir et si peu confiance en elle.

— Vous avez peut-être raison, mais elle me plaît telle qu'elle est.

— Ah, oui ?

— Enfin... je ne la connais pas. Mais si je la connaissais, je suis sûr qu'elle me plairait.

Sam but une gorgée de café et grimaça.

— Il est amer ! grommela-t-il. Vous montez à cheval ?

— Pardon ?

— Les chevaux. Je vais en louer deux pendant le séjour de ma petite-fille. Je suis trop âgé pour en avoir à demeure.

— J'ai grandi dans une ferme. Si c'est une invitation, merci. Je risque de vous prendre au mot, un de ces jours.

— Tant mieux !

Max fut déconcerté par l'air satisfait de Sam.

— Savez-vous quel est le titre de cette mélodie ? demanda-t-il, pour changer de sujet.

— *Je te reconnais dans le noir*. C'est bizarre, elle n'a jamais pu écrire de paroles sur cette musique.

— C'est elle qui l'a composée ?

— Bien sûr ! Quand elle était mariée avec ce voyou dont elle a soi-disant odieusement profité. Franchement, est-ce qu'elle vous apparaît comme une profiteuse ?

Décidément, ce Sam en savait long sur Carolee Burns.

— Elle me semble à la fois très passionnée et très douce.

— Belle, aussi.

— Belle, oui, admit Max.

— Vous devez être plutôt aisé, lâcha Sam, mine de rien. Tout cet argent gagné dans le football professionnel, et, aujourd'hui, votre propre société.

— J'ai de quoi payer mes factures.

Le morceau que jouait Carolee se passait de paroles. Le titre suffisait à évoquer des visions torrides de chaleur et de peau moite. Elle était terriblement séduisante, sexy même, songea Max. De temps en temps, elle passait la langue sur sa lèvre inférieure. Le plus souvent, elle gardait les yeux clos. Quand elle les ouvrait, elle semblait vaguement déconcertée, comme si elle était étonnée de découvrir qu'elle n'était pas seule.

Max se surprit à l'imaginer en train de jouer pour lui seul.

Elle ne le savait pas, mais ils avaient de nombreux points communs. Tous deux avaient souffert. Son mariage avait été un échec, et on lui avait quasiment enlevé son enfant. Elle avait tourné le dos à une carrière en plein essor. Mais elle pouvait recommencer. Lui n'avait malheureusement pas le choix. Défenseur dans l'équipe des Broncos, il avait connu son heure de gloire. Après l'accident, il avait retrouvé une excellente forme physique, mais les plaques métalliques dans ses jambes lui avaient ôté tout espoir de rejouer un jour. À l'évidence, Carolee vivait dans l'incertitude quant à son avenir. Lui aussi.

Il aurait tant aimé lui parler, seul à seule. Peut-être serait-il déçu, mais il en doutait. Il sentait qu'ils avaient beaucoup à partager.

Sam s'était tu, et, soudain, on n'entendit plus que la musique et la voix de Carolee dans le restaurant. Mais Max était hanté par *Je te reconnais dans le noir*. Il avait envie de la connaître dans le noir, sous le soleil et sous la pluie.

Il était seul depuis trop longtemps.

Il consulta la pendule. Carolee était sur scène depuis quarante-cinq minutes. Un groupe entra. En apercevant les nouveaux venus, Carolee parut soudain nerveuse.

— Aïe ! dit Sam en repoussant son siège. Elle en a assez. Il est temps de partir.

Était-il son garde du corps ? Son chauffeur, peut-être. Max se leva à son tour. Il les suivrait à distance, mais s'assurerait qu'ils s'échappaient sans souci.

Carolee plaqua le dernier accord, se leva pour saluer les spectateurs, qui applaudirent avec enthousiasme. Elle se dirigea vers Sam, accrocha le regard de Max, et pivota aussitôt vers le bureau de Brandy.

Sur son passage, un homme voulut l'attraper par le bras. Elle s'esquiva gentiment.

— Le parking est derrière, murmura Sam. Elle est particulièrement agitée, ce soir. Je vais la faire sortir par les cuisines.

— Je veillerai à ce que personne ne l'ennuie, offrit Max spontanément en se postant devant la porte du bureau, prêt à lui ouvrir un passage jusqu'aux cuisines. Dites-lui qu'elle n'a rien à craindre. Tous ces gens l'adorent.

Sam passa la tête dans le bureau pour prévenir Carolee, qui en émergea en souriant et en agitant la main. Elle gratifia Max d'un clin d'œil reconnaissant en passant et s'engouffra dans les cuisines.

En deux secondes, elle avait disparu.

Et Max, encore sous le choc de son regard vert, savourait son bonheur.

Les rires et les bavardages reprirent autour des tables sur fond de musique italienne. Personne n'avait remarqué le malaise de Carolee.

— Max ! s'exclama Brandy en venant vers lui. Elle est formidable. Tu as bon goût.

— J'aime l'écouter. Merci de m'avoir prévenu qu'elle venait ce soir.

Brandy l'enlaça avec une petite moue boudeuse.

— Je t'ai observé. Tu es trop seul, Max. Un peu frustré, aussi, il me semble. Que dirais-tu de se voir, en souvenir du bon vieux temps ? En amis, bien sûr.

— Pas maintenant, ma belle. Je suis mort. Un autre jour ?

— Avec plaisir ! Juste un petit baiser, alors ?

Il l'embrassa sur le front, mais quand elle lui prit le visage entre ses mains, il céda et lui effleura les lèvres.

— Merci encore. À très bientôt.

Il tourna les talons et sortit, comme Carolee et Sam un peu plus tôt, par les cuisines.

Le parking derrière le restaurant était petit, à peine éclairé et malodorant. La chance était avec Max. Carolee était encore là, adossée contre une camionnette. La voix de Sam, furieuse, sortait de sous le capot ouvert.

À sa grande surprise, Max se sentit inexplicablement intimidé. Cependant, il se ressaisit et s'avança vers eux.

— Vous avez un problème, Sam ?

La tête de Sam émergea. Il s'essuya le front avec sa manche.

— Que des problèmes ! Ça n'arrête pas.

— Tu te sers de cette estafette depuis quatorze ans, observa Carolee. Elle est fatiguée. Il est temps d'en changer.

— Jamais de la vie ! rétorqua Sam en brandissant une clé anglaise. Carolee Burns, je te présente Max Wolfe. Vous, les jeunes, vous êtes tous pareils ! Dès que quelque chose se casse, vous le jetez et vous rachetez du neuf. Sans cette maudite arthrose, je nous ramènerais à bon port. Le moteur démarre, mais il est susceptible. Si encore tu pouvais prendre le volant, ma fille…

— Tu sais bien que je ne conduis jamais en manuel. Je prendrai des cours, si tu y tiens.

— Ça ne nous est d'aucune aide pour l'instant.

Max ne tergiversa pas longtemps.

— Je pourrais vous ramener dans ma voiture et revenir vous chercher demain matin pour que vous puissiez dépanner la Dodge.

— Pas question que je la laisse ici ! décréta Sam. Ça peut vous paraître bizarre, mais il y a des tas de vauriens qui rêvent de mettre la main dessus. Non, il faut que j'appelle le garagiste.

— Et si je conduisais à votre place ? suggéra Max, tout en se demandant quelle mouche l'avait piqué.

— Vous vous retrouveriez coincé sans véhicule, répliqua Carolee.

— Il pourrait rentrer chez lui avec le tien, riposta Sam. On passerait le récupérer demain matin. Max habite tout près d'ici.

— Je vois.

Elle ne voyait rien du tout, mais elle ne savait trop quel argument opposer à Sam.

— Prenez donc ma voiture, et moi, la Dodge, dit Max. C'est la meilleure solution.

— C'est quoi, comme marque ? voulut savoir Sam.

— Une Cadillac. C'est plus confortable quand on a des plaques dans les jambes, ajouta-t-il avec un petit rire forcé.

— Une Cadillac ! Je n'oserais jamais. J'aurais trop peur qu'il n'arrive quelque chose, déclara Sam. Non, vous seriez gentil de nous déposer, et de rentrer chez vous avec la voiture de Carolee.

Max faillit demander à Sam comment il comptait se déplacer le lendemain sans aucun moyen de locomotion, mais il préféra se taire. Le mieux était de se rendre de bonne grâce.

Max aida Carolee à monter dans la camionnette. Elle se glissa au milieu, tandis que Sam s'installait sur le siège du passager. Max prit une profonde inspiration et grimpa au volant.

— C'est parti ! annonça-t-il en tournant la clé de contact.

Le moteur démarra immédiatement, sans le moindre hoquet.

— Je vous raccompagnerai chez vous, fit Carolee. Ce sera plus pratique.

La perspective de passer un peu de temps seul avec elle lui parut plus que réjouissante.

Il avait une conscience aiguë de sa présence à ses côtés. Elle avait beau être parfaitement immobile, elle était si près que chaque fois qu'il tournait le volant, il lui effleurait le bras.

— Vous avez l'air de bien vous connaître, Sam et vous, reprit-elle. Vous pêchez ?

Des questions, toujours des questions.

— Rarement.

— Vous jouez au golf ?

— Parfois.

— On s'est connus au restaurant, intervint Sam. C'est Max Wolfe, le joueur de football.

— Ex-joueur de football. N'oubliez pas de m'indiquer le chemin.

— Prenez Central Avenue, à gauche, dit vivement Carolee. Puis Market Street, à droite.

Kirkland était en pleine effervescence. La circulation était dense, les passants se pressaient sur les trottoirs, braillaient en réponse aux coups de klaxon des automobilistes. Les cyclistes et les jeunes en rollers se faufilaient entre les promeneurs. L'ambiance était gaie, chaleureuse.

— Quel bazar ! s'exclama Sam. Ah, ce carnaval de malheur ! Ils s'imaginent que la rue est à eux. Regardez-moi celui-là ! Il tourne sans mettre son clignotant.

Allez, avance, gros lard ! Klaxonnez, Max ! On devrait déjà être à Juanita !

L'éclat de rire de Carolee fit sourire Max, qui lui jeta un regard de biais. Elle lui adressa en retour un sourire conspirateur et fronça le nez. Max ne se serait pas senti plus heureux si elle lui avait sauté au cou.

4

Comme le lui avait indiqué Carolee, Max tourna dans Market Street. Ils roulèrent longtemps en silence ; l'atmosphère était soudain moins intime, plus tendue. Même Sam était à court d'inspiration.

Le trajet dura environ trente-cinq minutes. Quand les phares de la Dodge éclairèrent un panneau défraîchi annonçant *Lake Home* et qu'ils s'engagèrent dans une allée abrupte et cahoteuse, bordée d'arbres, Max cherchait encore quelle était la relation entre Sam et Carolee.

— La maison de Carolee est juste derrière cette rangée d'arbres. Je peux rentrer chez moi à pied, déclara Sam.

— Déposez Sam d'abord, intervint Carolee. Il se prend pour Superman, mais il ne l'est pas. Prenez ce chemin sur votre gauche.

— Tout droit ! insista Sam. Je ne suis pas encore mort.

Max opta pour la solution qui lui paraissait la plus sage : tout droit. À ses côtés, il sentit Carolee hausser les épaules.

La maison en pierre, au toit très incliné, était brillamment éclairée. En se garant sur le côté de la bâtisse, Max distingua les eaux du lac Washington, un peu plus loin. D'après ce qu'il en avait vu, la propriété semblait vaste.

— Je vous laisse, annonça Sam en ouvrant sa portière avant même l'arrêt du moteur.

Contournant la camionnette, il s'adressa à Max par la vitre baissée.

— J'espère que vous passerez me voir. Donnez-moi votre numéro, je vous téléphonerai.

Max déboucla sa ceinture de sécurité et plongea la main dans sa poche, en quête de son portefeuille. Il tendit à Sam sa carte de visite.

— Vous ne voulez vraiment pas que je vous dépose chez vous ?

Sam refusa d'un signe de tête et tourna les talons. Cet homme avait un comportement étrange. Il semblait décidé coûte que coûte à faire de Max un ami. Faisait-il partie de ces gens obsédés par les grandes figures sportives ? Sans doute pas ; Max avait quitté le circuit depuis trois ans, et Sam lui avait posé des questions personnelles dont il aurait connu les réponses s'il avait été un fan.

— Je suis navrée de vous causer tant de souci, murmura Carolee en descendant à son tour. Je vais chercher les clés. Ma voiture est juste là.

Il n'avait pas le droit d'être déçu parce qu'elle ne l'invitait pas à entrer. Après tout, il n'était qu'un inconnu.

Pourtant, il l'était.

Elle ôta ses sandales et courut, pieds nus, jusqu'à la véranda, sa jupe voletant autour de ses mollets. La blancheur nacrée de sa peau le troubla. Il ne se souvenait pas d'avoir été aussi ému par une femme. Un rien suffisait à éveiller ses sens.

Il descendit de l'estafette et claqua la portière. L'automobile qu'elle lui avait montrée était une Mercedes décapotable, un modèle ancien, stationnée d'un côté du garage. L'autre moitié était remplie jusqu'au plafond de bois coupé.

— Si elle décide de me jouer un mauvais tour, je mourrai de honte, lança Carolee en s'approchant sans bruit. Montez !

Soudain, elle éclata de rire, et Max s'immobilisa.

— Quoi ?

— Vous n'allez jamais tenir là-dedans ! Tous les joueurs de football sont-ils aussi costauds que vous ?

— La plupart le sont encore plus, marmonna-t-il, vaguement vexé.

Certes, il était imposant, mais ce n'était que du muscle, et il avait été l'un des athlètes les plus rapides sur le terrain. Il s'installa en fronçant les sourcils.

— Excusez-moi, je ne voulais pas être impolie. Je n'y connais pas grand-chose en sport. Mais vous ne jouez plus, c'est bien ce que vous avez dit ?

— Plus maintenant. Je donne un coup de main à l'équipe des Lakes.

— Ah, oui ? s'exclama-t-elle en insérant la clé de contact et en lui jetant un coup d'œil intéressé. C'est gentil.

— Je le fais autant pour moi que pour les enfants. Comment va votre fille ?

Dieu, qu'il était maladroit !

— Pardonnez-moi. Je me suis montré un peu direct. Je pensais à mes adolescents. Votre fille doit avoir à peu près leur âge.

— Elle n'a pas encore douze ans. Elle se porte à merveille.

— Je suis désolé, je...

— C'est inutile. Ainsi, vous savez à peu près tout de moi. Comme la plupart des gens, ajouta-t-elle.

Les lumières du tableau de bord éclairaient son profil. Elle avait pincé les lèvres.

Max se rappela qu'elle avait dix-sept ans lorsqu'elle s'était mariée, dix-huit lorsqu'elle avait mis sa fille au monde. Elle avait trente ans – trois de moins que lui. Il se ressaisit.

— Je vous ai entendue jouer à New York. Dans votre club.

Elle hocha la tête.

— Écoutez, je voulais seulement vous dire qu'à mon avis, on vous a mal traitée. Beaucoup d'entre nous ont pensé que c'était un complot.

— Ça ne l'était pas. J'étais coupable. Je paie mes erreurs passées. Parlons d'autre chose.

— Très bien.

Il tourna la tête, furieux contre lui-même.

— Vous avez évoqué les plaques métalliques dans vos jambes.

Elle conduisait lentement, mais Max avait le sentiment que c'était parce qu'elle était préoccupée, et non parce qu'elle désirait prolonger leur tête-à-tête.

— C'est la raison pour laquelle vous n'êtes plus footballeur professionnel ? Vous ne boitez même pas.

— Je suis en excellente forme. J'ai eu un grave accident, et je n'ai jamais pu revenir au plus haut niveau. Ils m'ont mis sur le banc de touche et, au terme de mon contrat, à la fin de l'année suivante, ils m'ont remercié. À l'époque, j'en ai été malade, mais je m'en suis remis. C'est ainsi, quand on est adulte: on apprend à ne pas s'accrocher au passé.

Elle ne fit aucun commentaire.

— Où êtes-vous garé ? demanda-t-elle au bout d'un moment.

— Chez moi. Si vous pouviez m'y déposer, je vous en serais reconnaissant.

— C'est moi qui vous suis reconnaissante de vous être ainsi démené pour deux inconnus.

— En effet, ce fut une épreuve très pénible. Mais je suis un martyr dans l'âme.

Elle ne put s'empêcher de sourire.

— Vous êtes un chic type. Merci.

— Sam se montre très protecteur avec vous. Vous le connaissez depuis longtemps ?

— Toute ma vie – sauf quand il nous quittait pour prendre l'air, répondit-elle avec un petit rire en mettant son clignotant.

— Je ne comprends pas... Il a toujours travaillé pour votre famille ?

Cette fois, elle se mit à rire franchement.

— Sam est mon père. Il a toujours été attentionné, à sa façon. Mais, de temps en temps, il éprouvait le besoin de s'échapper quelques semaines, ou quelques mois. Il a une autre fille, d'un premier mariage. Aujourd'hui, il ne s'éloigne plus guère de Lake Home.

— Votre mère doit être une sainte.

— Pas du tout ! Elle était très humaine. Elle est décédée. La propriété lui appartenait, et elle me l'a léguée. Sam y est très heureux. Il s'occupe plus ou moins de l'entretien. Voilà, vous savez tout de ma vie.

Mais elle ne lui avait pas révélé les détails qui l'intéressaient, les vraies raisons de son divorce, par exemple ; ou pourquoi elle avait renoncé à sa carrière et était revenue s'installer dans l'État de Washington.

Ils avaient atteint la rue où il habitait.

— C'est là... Montez prendre un verre.

Imbécile ! Tu ne pouvais pas trouver quelque chose de plus original ?

— Non, merci. Il faut que je rentre. Sam m'attend.

— Sa maison est loin de la vôtre ?

— À peine un kilomètre, mais il a le cœur fragile et souffre d'arthrose.

Max n'insista pas. Carolee était une femme intelligente, elle savait ce qu'il pensait : que Sam était rentré chez lui sans attendre.

— Pourquoi, à votre avis, a-t-il tenu à ce que je vous ramène tous les deux, ce soir ?

Le regard fixé droit devant elle, elle murmura :

— Que voulez-vous dire ?

— Vous le savez pertinemment. Il s'est joint à moi au restaurant et m'a posé un tas de questions. Maintenant que j'y pense, c'était l'interrogatoire typique d'un père à un homme susceptible de fréquenter sa fille.

Elle croisa les bras.

— Vous ne fréquentez pas sa fille. Sa fille ne sort pas.

— Il s'est dit que j'allais vous suivre par les cuisines pour m'assurer que tout allait bien.

— Il faut que j'y aille.

— Bien sûr. Mais je vous signale que la Dodge fonctionne à merveille. Vous en êtes consciente, n'est-ce pas ?

— Oui, avoua-t-elle tout bas. Je suis désolée de vous avoir ennuyé.

— Ne le soyez pas ! J'ai adoré chaque minute de cette soirée, excepté les instants où j'ai eu du mal à tenir ma langue. À force d'être seul, je manque probablement d'entraînement à la conversation. Vous me pardonnez, j'espère ?

— Bien sûr. Bonne nuit.

Elle le chassait.

— J'aimerais vous inviter à dîner. Je suis plutôt bon cuisinier.

— Ce ne serait pas une bonne idée.

— Pourquoi ?

— Pour des raisons que je ne tiens pas à vous exposer. Toutefois, je suis contente de vous avoir connu.

— Moi, je ne serai content que lorsque vous aurez accepté de dîner avec moi.

— Vous n'êtes pas juste. Vous croyez tout savoir sur moi, mais vous ne savez que ce qui a été rendu public. Je ne peux pas prendre le risque d'être vue en compagnie d'un autre homme.

— Un autre que votre ex-mari ? Vous êtes divorcée. Il est temps pour vous de recommencer à vivre.

— Je vous en prie, laissez-moi partir.

Sa détresse était perceptible, et Max en éprouva un choc. Décidément, il était en dessous de tout.

— Bien sûr. Pardonnez-moi mon indiscrétion.

Il descendit de la Mercedes et se pencha par la vitre baissée.

— Vous êtes formidable. Je tenais à vous le dire. Et je n'abandonne jamais sans m'être battu pour obtenir ce que je veux.

— Si c'est moi que vous voulez, laissez tomber. Je ne suis pas disponible.

Carolee démarra en trombe.

Les mains dans les poches, Max regarda sa voiture s'éloigner. Un frémissement d'excitation le parcourut.
— Je ferai en sorte que vous ayez autant envie de moi que j'ai envie de vous ! dit-il à voix haute. C'est moi que vous reconnaîtrez dans le noir.

5

Le disque de musique country passait en boucle depuis le début de l'après-midi. Allongée sur la balancelle de Carolee, la tête en appui sur l'un des accoudoirs, les pieds sur l'autre, Ivy Lester ferma les yeux. Venue de son Tennessee natal et propriétaire de l'album, Ivy ne vivait que pour la danse.

Elle laissa traîner la main par terre.

— Carolee, je me sens trop bien. Je serais incapable de me lever même si Antonio Banderas en personne me le demandait.

— C'est ça ! Surtout s'il t'invitait à danser ! riposta Carolee en riant.

Bien calée dans son fauteuil en osier, les jambes repliées sous elle, les mains reposant sur ses cuisses, elle ajouta :

— Tu me fais un bien fou. Ça fait des siècles que je n'ai pas passé une partie de la journée à flâner en short.

— Je suis irrésistible ! affirma Ivy en mettant sa main en visière. C'est ce qu'ils me disent tous. Il suffit que je propose et ils accourent. Non, sérieusement, Carolee, il est temps que tu penses à toi. Si tu n'as pas envie de travailler ton instrument...

— Je joue malgré tout, parce que c'est vital pour moi. Et puis, je bricole dans cette maison que j'adore. Les activités ne manquent pas.

Elle omit d'ajouter que ce qui lui plaisait le plus, c'était de feindre de mener une vie normale, comme si Faith allait arriver d'une minute à l'autre pour lui raconter sa journée.

Ivy fronça les sourcils.

— Qu'en dit Linda ?

— Linda ? Pourquoi elle ?

— Parce que c'est ta sœur et que, si je ne m'abuse, elle est divorcée et heureuse.

Quatre années séparaient Carolee de Linda, sa demi-sœur issue du premier mariage de Sam. Toutes deux avaient été inséparables – bien qu'en compétition, comme souvent les enfants jeunes –, et elles seraient encore amies s'il n'y avait pas eu cet incident que Carolee préférait oublier. Après cela, elles étaient devenues deux étrangères sous le même toit. Le divorce de Linda, trois ans auparavant, n'avait fait que les éloigner un peu plus l'une de l'autre, Linda affirmant haut et fort qu'elle s'amusait comme une folle et ne se souciait pas de l'opinion de Sam ou de Carolee.

— Je ne vois pas le rapport. Nous tenons l'une à l'autre, mais la vie nous a séparées.

Ivy grogna en repoussant une boucle blonde de son front.

— Ne me dis pas que vous n'avez jamais discuté de ta situation.

— Linda ne me serait d'aucune aide.

— Mais vous en avez parlé ?

— Décidément, tu es têtue comme une mule, Ivy. Oui, nous en avons parlé. Plus d'une fois, même. Mais elle ne voit pas les choses comme moi. Selon elle, je devrais tirer profit de la situation et vivre ma vie.

Ivy se redressa, remonta sa jupe au-dessus de ses genoux et balança ses longues jambes galbées. Elle avait une silhouette de rêve, un visage avenant qui retenait aussi bien l'attention des hommes que des femmes. Elle agita l'index en direction de Carolee.

— Parfois, tu m'énerves ! Linda a raison, et Dieu sait que ça ne m'est pas facile de l'admettre. Bill et moi étions amis de votre couple. Nous continuons de vous voir l'un et l'autre séparément. Nous souhaitons votre bonheur. Mais votre mariage est un échec. Vous ne vous réconcilierez jamais. Tu es trop jeune pour te replier ainsi sur toi.

— Je ne me replie pas ! Je pense à Faith. Je ne comprendrai jamais pourquoi Kip a agi de cette façon. Je ne me suis doutée de rien. Pourquoi ne m'a-t-il jamais fait part de ses sentiments ? Je sais, tu ne peux pas répondre plus que moi à cette question. Kip m'a prise à la gorge. Il était déçu, désespéré, et c'est à moi de trouver la force de lui pardonner. J'y parviendrai, j'espère, quand j'aurai obtenu la garde conjointe de notre fille.

— Tu crois qu'il te l'accordera ?

— Pas forcément de son plein gré, avoua Carolee. S'il s'obstine, je me battrai. Je ne l'ai dit à personne, mais je me demande parfois s'il voulait vraiment divorcer. Il se peut qu'il soit allé trop loin et qu'il n'ait pas osé revenir en arrière. Si c'est le cas, la solution est peut-être là.

— Tu n'es pas sérieuse ! protesta Ivy d'un ton étonnamment dur. Carolee, si tu te ridiculises en essayant de le récupérer, je... je ne t'adresserai plus jamais la parole !

Carolee s'esclaffa malgré elle.

— Allons, Ivy ! Rien ne pourra jamais te faire taire.

— Je suis sincère. Il est temps que tu te trouves un autre homme qui te redonne goût à la vie.

— Sans Faith, ça ne vaut pas le coup.

Ivy quitta la balancelle.

— Je suis écarlate. Je vais nous chercher un verre de citronnade.

Carolee la regarda entrer dans la maison. Ivy et Bill l'avaient toujours soutenue, mais ils avaient du mal à comprendre. S'ils avaient été témoins de la scène qui l'avait fait tant souffrir, peut-être compatiraient-ils davantage.

De retour d'une tournée triomphale en Europe, à une semaine des fêtes de Noël, Carolee s'était précipitée à New York pour se jeter dans les bras de son mari et de sa fille. Elle avait pénétré dans le magnifique appartement dominant Central Park et appelé les deux personnes qu'elle chérissait le plus au monde.

— Kip ! Faith ! je suis là !

Elle poussa la porte, entra en tirant sa valise à roulettes, l'énorme ours en peluche qu'elle avait acheté pour Faith chez Harrod's, à Londres, coincé sous le bras. Dans un sac vert et or à l'effigie du célèbre magasin s'entassaient une pile de CD de groupes anglais dont Faith et ses amies étaient fans, des revues, des confiseries et une paire de boucles d'oreilles en or.

Pour Kip, elle avait les clés de la Porsche Twin Turbo gris métallisé qu'il avait tant admirée. L'extravagance de ce cadeau la faisait frémir. Elle avait l'intention de le lui offrir pour Noël, avec une semaine d'avance.

— Kip ! Faith ! Où êtes-vous ?

Elle enleva son manteau et le posa sur son bagage.

— Sortez de votre cachette ! s'écria-t-elle en riant.

Un professionnel avait décoré l'appartement pour les fêtes de fin d'année, et un parfum d'épicéa imprégnait l'atmosphère.

Elle se précipita vers le salon, ses talons claquant sur les dalles de marbre. Le sapin, qui atteignait le plafond, scintillait de mille feux, mais la pièce était déserte. Tout comme la salle à manger, le bureau, la bibliothèque, l'immense cuisine, les trois chambres. Elle aurait dû passer d'abord à l'atelier de Kip. Parfois, Faith l'y accompagnait avec une pile de livres pour s'occuper pendant qu'il peignait.

Le chevalet était vide. Au fait, depuis combien de temps n'avait-elle pas vu Kip un pinceau à la main ?

C'était sans importance. Tous les artistes connaissaient des périodes de crise.

Elle déposa ses paquets dans le bureau, puis alla porter son manteau et sa valise dans sa chambre.

Sur la petite table ronde au milieu du vestibule, éclairée par un somptueux chandelier en cristal, trônait un poinsettia. Appuyée contre le cache-pot de cuivre se trouvait une enveloppe d'allure très officielle, que Carolee avait été trop préoccupée pour remarquer plus tôt. Son nom était inscrit dessus. Elle ramassa le courrier, le retourna, examina l'adresse de l'expéditeur : *Perkins, Savich, Lazlo & Green,* avocats à la cour.

Ce n'était pas le cabinet auquel ils confiaient leurs affaires. Son estomac se noua. Quelqu'un lui intentait-il un procès ? Ce ne serait pas la première fois, bien qu'elle n'eût rien à se reprocher.

Elle tourna et retourna l'enveloppe avant de la décacheter d'une main fébrile.

Une liasse de feuillets s'en échappa. Le trajet jusqu'au bureau lui parut durer une éternité tandis qu'elle déchiffrait le jargon juridique. Les jambes lourdes, Carolee avait la sensation d'avancer au ralenti. Ses oreilles bourdonnaient.

C'était sûrement une erreur. Kip ne voulait pas divorcer.

Comment ce Ronald Green avait-il pu commettre une telle méprise ?

Elle trébucha sur le bord du tapis, se rattrapa de justesse. Plutôt que de s'asseoir à sa place habituelle, sur le canapé, elle se laissa tomber dans le fauteuil en cuir de Kip. Le dossier sur les genoux, elle posa les mains à plat sur les accoudoirs. Kip faisait toujours cela, il écartait les doigts sur le cuir lisse et le caressait avec délice.

Il savait qu'elle devait rentrer. Pourquoi n'était-il pas là ? Et Faith ?

Faith. Non. Kip n'infligerait jamais une pareille épreuve à Faith. Il aimait sa fille. Comme Carolee, il avait rêvé d'une grande famille. Il avait souffert autant qu'elle quand il avait appris qu'elle ne pourrait plus jamais concevoir.

Ses mains étaient glacées.

Où aller ? À qui s'adresser ? Alors qu'elle était très jeune, sa mère lui avait dit un jour que les soucis qu'on gardait pour soi avaient toutes les chances de ne pas durer.

Elle entendit la porte d'entrée s'ouvrir, la voix pointue de Faith, celle, nettement plus grave, de Kip. Elle se leva d'un bond et cacha le courrier sous le coussin.

— Maman ! s'exclama Faith. Maman, où es-tu ?

— Je suis dans le bureau ! Bonjour, ma chérie.

La fillette arriva en courant, les joues rosies par le froid. Elle se jeta au cou de sa mère.

— Papa trouve que je ne sors pas assez, il m'a obligée à faire une promenade. Ça ne m'a pas trop embêtée, j'adore la neige !

Carolee souleva sa fille dans ses bras et aperçut Kip derrière elle. Elle lui sourit. Il se contenta de croiser les bras et de détourner le regard. Elle avait envie de lui dire qu'elle l'aimait, que sa carrière comptait, certes, mais infiniment moins que Faith et lui.

— Ça suffit, Faith, intervint-il soudain. Tu es trop lourde.

— J'ai quelque chose pour toi, dit Carolee en étreignant sa fille. Ferme les yeux.

Faith s'exécuta en gloussant, tandis que Carolee la faisait pivoter en direction de l'ours en peluche et du sac Harrod's.

— Là ! Tu peux les ouvrir.

Faith poussa un cri de joie. À bientôt onze ans, elle avait ce côté attendrissant de la fillette à l'orée de l'adolescence.

— Qu'est-ce qu'il est mignon !... Ça aussi, c'est pour moi ? Cool ! Je peux inviter Melody pour qu'on les écou...

— Pas ce soir, coupa Kip. Ta mère rentre à peine d'un long voyage.

Le petit visage criblé de taches de rousseur de Faith s'empourpra.

— Oui, bien sûr.

— Va donc dans ta chambre. Ta mère et moi avons à parler. D'accord ?

— D'accord !

Elle sortit, les bras chargés. Un instant plus tard, la porte de sa chambre claquait.

Carolee fit un pas vers Kip.

Il se détourna.

— Kip...

— Tu as lu la lettre ?

— Tu es au courant ? souffla-t-elle.

Il la dévisagea alors en haussant les sourcils.

— Évidemment ! railla-t-il. Pourquoi te l'aurait-on envoyée ?

Un voile de larmes lui brouilla la vue.

— Je… je ne comprends pas, bredouilla-t-elle, incapable de dissimuler sa détresse.

— Le mieux serait que tu t'installes dès aujourd'hui à l'hôtel. Je dirai à Faith que Leo est passé et que tu as dû repartir.

— Nous ne lui mentons jamais, répliqua-t-elle, le cœur battant. De quoi s'agit-il, Kip ? Que s'est-il passé ?

Son expression la troubla. Il ne paraissait pas en colère. Seulement… indifférent.

— Tu as poussé le bouchon trop loin. Tu ne t'es même pas aperçu que je commençais à craquer. Mais c'est à cause de toi, Carolee. Tu t'es servi de moi, et tu regardais ailleurs quand j'en ai enfin pris conscience.

— Non !

Elle s'approcha de lui, mais la lueur de rage qui s'alluma alors dans ses prunelles l'arrêta net. Elle croisa les bras pour s'empêcher de le toucher.

— Ce n'est pas vrai. Si c'était le cas, pourquoi ne m'as-tu rien dit ? Pourquoi m'as-tu encouragée à accepter toujours plus de contrats, alors que j'étais prête à annuler des tournées ?

— Je savais que tu n'étais pas sincère quand tu prétendais vouloir passer plus de temps avec nous.

— Tu te trompes ! protesta-t-elle. Pourquoi m'as-tu laissée partir cette fois, si tu ne supportais plus ces séparations ?

— Tu es tellement égocentrique que tu ne vois plus les autres autour de toi, cracha-t-il. J'étais à bout, mais toi, tu t'imaginais que je redoutais simplement de dormir seul. J'en ai pris l'habitude, figure-toi. Si tu ne t'étais pas absentée aussi souvent, peut-être aurions-nous d'autres enfants.

Carolee ouvrit la bouche, mais aucun son n'en sortit ; les sanglots l'étouffaient.

— Là encore, tu es persuadée d'avoir été la seule à souffrir. Tu te trompes. Mais au fond, peut-être ne le regrettais-tu pas tant que ça ? Après tout, une grossesse t'aurait sérieusement handicapée.

Elle secoua la tête, au comble du désarroi.

— Tu as eu tout ce que tu voulais, continua-t-il, implacable. Moi, je n'ai que Faith, et elle est tout ce qui compte désormais. Tu vis pour les honneurs et les applaudissements. Formidable. Tu n'auras plus à feindre de te soucier de nous. Tu n'auras plus à nous trouver une place dans ton emploi du temps. Je ne veux pas que Faith s'imagine que ce sont ses lacunes éventuelles qui la privent de sa mère. Si nous suivons chacun notre chemin, elle se rendra compte que le problème était entre toi et moi.

Il tourna les talons, revint quelques instants plus tard avec son manteau. L'air narquois, il le lui présenta. Comme elle ne bougeait pas, il se déplaça sur le côté et le brandit telle une cape de matador.

— Non, dit-elle faiblement. C'est moi qui paie cet appartement. Personne ne m'obligera à m'en aller.

Son ricanement l'horrifia.

— C'est exact, mon trésor, c'est toi qui ramènes l'argent. C'est gentil à toi de me le rappeler. Peut-être que je vais enfin pouvoir me consacrer à ce talent que j'ai gaspillé en jouant le rôle de M. Carolee Burns, homme au foyer. Reste. Tu as raison, les factures sont à ton nom. C'est moi qui vais partir, mais j'emmène Faith. Tu ne peux pas m'en empêcher. C'est moi qui me suis occupé d'elle. Si je l'abandonnais maintenant, comme tu n'as cessé de le faire depuis des années, elle serait perdue.

— C'est faux ! Tu déformes tout ! s'écria-t-elle en l'attrapant par le bras. Cessons cela immédiatement, je t'en supplie. Serre-moi contre toi. Dis-moi que nous pouvons recommencer de zéro.

— Ne me touche pas ! siffla-t-il en la repoussant.

Carolee tenta de s'agripper à sa manche, mais il était trop fort. Elle vacilla en arrière, écarta les bras et heurta le mur. Elle se laissa glisser à terre et tendit les mains vers son mari.

— Kip, je t'en prie ! Je t'aime tant !

— Arrête ! rétorqua-t-il en lui jetant son manteau à la figure. J'ai horreur des femmes qui pleurnichent et qui supplient.

Dans la chaleur torride de cette fin d'après-midi où se mêlaient les arômes d'herbe séchée et de pois de senteur, Carolee ne s'aperçut du retour d'Ivy que lorsque celle-ci lui entoura les épaules du bras. Le front contre sa tempe, Ivy sécha les larmes qui maculaient ses joues.

— Je t'ai manqué ! plaisanta-t-elle.

Carolee tenta de rire, mais ne réussit qu'à s'étrangler. Ivy lui mit un verre de citronnade entre les mains.

— Que vas-tu faire ?

— Trouver un moyen de revenir en arrière.

— Ma chérie, tu sais bien que c'est impossible !

Carolee pêcha un glaçon dans son verre et s'en frotta le cou.

— C'est la seule solution. Ce n'est pas comme si Kip avait rencontré quelqu'un. Il en a simplement eu assez que tout tourne toujours autour de moi. Du moins, il s'est débrouillé pour en convaincre tout le monde. Il faut que je sois patiente. Que j'agisse en douceur. Je sais que ça peut marcher. Même si je sais aussi que ça lui plaît d'avoir la mainmise sur la situation et que j'en paie le prix fort… Littéralement. Excuse-moi, je ne devrais pas parler ainsi. Tu vas te sentir tiraillée entre nous deux.

— Ce n'est pas grave, la rassura Ivy en prenant place sur la balancelle.

Elle porta son verre à ses lèvres et se figea.

— Waouh ! *Qui est-ce ?*

Carolee suivit la direction de son regard. Sam se dirigeait vers la maison en compagnie de Max Wolfe.

Carolee pria le ciel pour ne pas devenir écarlate.

— C'est un ami de Sam. Ils se sont connus récemment, répondit-elle avec nonchalance.

Incorrigible Sam ! Elle n'avait pas revu Max depuis leur rencontre, un peu plus d'une semaine auparavant, mais il avait sans doute eu raison de soupçonner son père d'avoir une idée derrière la tête. Il avait téléphoné à deux reprises, toujours charmant, abordant des sujets d'ordre général. Mais il avait aussi réitéré son invitation à dîner.

— C'est curieux, ils ne vont pas très bien ensemble, commenta Ivy. Je suis étonnée que Sam se fasse de nouveaux amis.

— Dis plutôt que tu es étonnée qu'il en ait.

Ivy ne détachait pas les yeux de Max.

— Je n'ai pas dit ça, mais avoue qu'ils forment une drôle de paire, non ? Qui est-ce ?

— Je n'en sais rien.

Carolee détestait mentir, mais elle n'avait aucune envie de subir un interrogatoire en règle sur Max.

Ivy se passa la main dans les cheveux.

— Tu te pomponnes pour un homme qui n'est pas ton mari, la taquina Carolee.

— Tu sais ce qu'on dit à propos des gens qui suivent un régime, rétorqua Ivy, à mi-voix, car l'objet de son attention venait vers elles. Rien n'interdit d'examiner la carte.

— *Ivy !*

Max avait accordé son pas à celui de Sam, qui peinait. Question : Sam l'avait-il invité, ou Max avait-il pris l'initiative de passer ? Cette dernière hypothèse était peu probable, bien qu'il eût clairement manifesté son intérêt envers Carolee. Quant à Sam, il ne ratait pas une occasion de lui vanter les qualités de Max.

— Il est superbe ! chuchota Ivy. Il est marié ?

— Quoi ? Pourquoi me demandes-tu ça ? Je n'en sais rien. Toi, en revanche, tu es mariée, c'est tout ce qui devrait compter.

— Mais pas toi, riposta son amie avec un sourire triomphant qui choqua Carolee. Quel visage ! Quels yeux ! Et ce corps d'athlète ! J'en ai les jambes qui flageolent !

— Tais-toi. Cet homme est un étranger, et je n'ai pas besoin d'un compagnon.

— Bonjour, mesdames, lança Sam. Je parlais à Max de l'arrivée des chevaux.

Ivy fit mine d'être passionnée. Carolee ne dit rien. Sam n'avait pas renoncé à son plan de louer un poney pour Faith et une jument pour Carolee.

Les deux hommes atteignirent la véranda et en gravirent les marches.

— Max Wolfe. Je vous présente Ivy Lester, une vieille amie de Carolee.

Ivy esquissa un sourire et observa Max par en dessous.

— Enchantée.

Max accepta sa main tendue.

— Quelle chaleur, n'est-ce pas ? fit-il avec un sourire charmeur.

— En effet ! répondit Ivy sans le quitter des yeux.

Carolee jeta un coup d'œil furieux à Sam. Il repoussa sa casquette et approcha deux chaises. Il s'assit, mais Max affirma qu'il préférait rester debout.

Sa haute silhouette se découpait sur le ciel d'un bleu limpide.

— Je vais vous chercher de la citronnade ! proposa Ivy.

Max fixa Carolee de ses yeux noirs. Il ne semblait pas avoir entendu Ivy.

— Heureux de vous revoir, Carolee.

Elle opina, sachant que la curiosité légendaire d'Ivy devait être en alerte.

Car il fallait être très distrait pour ne pas se rendre compte qu'il se comportait comme si Carolee et lui étaient seuls.

Elle s'efforça d'éviter son regard, en vain.

Il se tenait devant elle, les jambes légèrement écartées, les pouces crochetés dans les poches de son jean. Il était à la fois svelte et impressionnant. Lors de leur première rencontre, elle avait eu l'impression que ses cheveux étaient châtains. En fait, ils étaient plus clairs, semés de mèches blondies par le soleil. Il avait dû se casser le nez au moins une fois, mais la déformation n'était pas gênante, au contraire. Sans avoir le physique d'un acteur de cinéma, il était plutôt agréable à regarder.

— Merci de m'avoir ramené chez moi l'autre soir, dit-il.

Le silence se prolongea, et Carolee frémit à l'idée de ce qu'Ivy – qui avait complètement oublié sa citronnade – avait déjà dû en déduire.

Sam vint à la rescousse.

— C'est vous qui l'avez ramenée d'abord. Si vous n'étiez pas intervenu, on aurait été drôlement embêtés.

— Ce fut un plaisir pour moi, assura Max en gratifiant Carolee d'un sourire.

Elle lui sourit à son tour, et il la parcourut rapidement du regard, non sans s'attarder un instant sur ses cuisses nues.

Elle attrapa un deuxième glaçon dans son verre et l'appliqua sur ses tempes, puis sur son cou.

— Vous êtes en train de mouiller votre tee-shirt, remarqua Max en sortant un mouchoir de sa poche pour le lui offrir.

Carolee baissa les yeux: l'eau ruisselait dans son décolleté. Par endroits, le coton blanc était devenu transparent. Il lui collait à la peau, juste au-dessus de son soutien-gorge. Elle se tapota discrètement avec le mouchoir; elle aurait voulu disparaître dans un trou de souris.

Elle leva les yeux vers Max. Il l'observait.

Ivy se racla la gorge et entrouvrit les lèvres.

Carolee n'osait pas regarder son père.

— Parfait, fit Max tandis qu'elle lui rendait son mouchoir. Mais vous avez oublié un endroit, là, ajouta-t-il en essuyant le V de son col. Le soleil séchera le reste. Je reviens dimanche entraîner les chevaux. J'espère que vous aurez le temps de venir chez moi ensuite... pour ce dîner que je vous ai promis.

6

— Ils arrivent ! annonça Sam, à l'autre bout du fil. Tu sors les accueillir ? Je te le conseille. Sois là, toute souriante, pour Faith.

Carolee s'apprêtait à raccrocher, quand elle se rendit compte qu'elle n'avait pas répondu.

— Je ne les attends pas avant plusieurs heures. Comment sais-tu qu'ils sont là ?

— J'étais en train d'installer une mangeoire pour les oiseaux. Je voyais la route.

— Pas sans une paire de jumelles. À moins que tu ne sois encore assez agile pour grimper aux arbres. Tu étais sur le toit, n'est-ce pas ? J'en étais sûre ! Tu es incorrigible. As-tu appelé Max pour lui dire de ne pas passer avant demain ?

— Non, oublie ça, veux-tu. Et qu'est-ce que ça peut te faire de savoir comment je les ai vus ? Sors avant qu'il ne soit trop tard.

Sam fut le premier à raccrocher.

Kip lui amenait Faith plus tôt que prévu. Carolee jeta un regard circulaire dans la salle. Tout était en ordre. La chambre de Faith était prête depuis des jours.

La cuisine sentait bon la tarte aux pommes et à la cannelle. Le dessert préféré de Faith. Carolee passa la porte et descendit les marches de la véranda. Le vrombissement de la Porsche précéda d'un instant la voiture.

Elle agita la main et sourit. Mais pourquoi cette envie de pleurer en même temps ?

Kip se gara face à l'allée.

Pour pouvoir repartir plus vite.

La portière côté conducteur s'ouvrit, et il descendit. Il s'empara d'un sac en plastique sur la banquette arrière. Les boucles blondes de Faith apparurent du côté passager.

— Bonjour ! s'écria Carolee. Quelle magnifique journée !

Kip se tourna vers elle en se mordillant la lèvre inférieure, l'air morose. En silence, il sortit du coffre une valise, un sac à dos et une boîte en carton. Il était triste à l'idée d'être séparé de sa fille pendant un mois, voilà tout. Comment réagirait-il s'il était autant privé d'elle que Carolee ? Mais à quoi bon établir des comparaisons entre leurs situations ?

Son cœur battait à tout rompre. Faith claqua sa portière et rejoignit son père. Elle s'accrocha à son bras, mais Kip lui chuchota quelques mots à l'oreille, et elle le lâcha. Il lui confia son carton et ramassa le reste de ses bagages.

— Bonjour, bonjour ! répéta Carolee, d'un ton faussement enjoué. Kip, j'espère que tu vas rester le temps de manger une part de tarte avec nous ?

— Pas cette fois, répondit-il comme s'il avait plus ou moins anticipé l'invitation et répété son refus. Faith, ajouta-t-il, n'oublie pas de surveiller ton alimentation. Il ne faut pas gâcher les efforts de Mme Jolly.

Faith hocha la tête. Lorsqu'il s'était installé à Seattle, Kip avait engagé Mme Jolly comme gouvernante. Il n'avait pas mis Faith au régime, tout de même ? Ce n'était pas le moment de lui poser la question.

— Donne-moi ça, dit Carolee en soulageant sa fille de la boîte, étonnamment lourde.

Cédant à son impulsion, elle la posa par terre pour serrer Faith dans ses bras, la tête enfouie dans ses boucles soyeuses.

— Tu sens bon ! Tu ne peux pas savoir comme je suis contente de t'avoir. J'ai dit à grand-père qu'il devrait patienter un peu avant de t'avoir pour lui tout seul.

Moi d'abord. Mais il va avoir du mal. Il est si heureux de te voir.

Faith laissa les mains sur la taille de sa mère.

— Moi aussi.

— Je mets tout ça dans la chambre de Faith ! annonça Kip.

Carolee leva les yeux et le vit pousser la porte-moustiquaire.

— Entrons, dit-elle. J'ai droit à un baiser ?

Faith la regarda dans les yeux, accepta son étreinte, se laissa embrasser. Puis elle tourna les talons et s'empressa d'aller rejoindre son père.

Il allait la laisser là pendant quatre semaines. C'était une belle journée, la première d'une longue série… avant qu'ils ne reprennent les visites abrégées au rythme d'un week-end par mois.

Carolee ramassa la boîte et pénétra dans la maison juste à temps pour voir Kip redescendre en courant.

— Tu as bien arrangé la maison, fit-il.

— Merci.

Autrefois, il venait souvent avec Carolee à Lake Home, mais depuis qu'elle avait quitté New York pour se rapprocher de Faith, il s'était débrouillé pour ne jamais y entrer. Il préférait klaxonner, déposer Faith à l'extérieur et s'en aller.

Il visita la cuisine.

— C'est une excellente idée d'avoir abattu les cloisons du rez-de-chaussée. Et les salles de bains attenantes aux chambres, là-haut, sont parfaites.

Carolee éprouva une sensation de bonheur, comme chaque fois qu'il lui faisait un compliment.

— Je suis très fière des salles de bains.

Il lui adressa un sourire complice, comme autrefois.

— Tu es toujours une accro des salles de bains.

Leurs regards se rencontrèrent. Elle ne se rappe-lait pas l'avoir vu sourire depuis son départ pour son ultime tournée. Il semblait vouloir lire en elle. Elle lui rendit son sourire. Ils avaient partagé tant de bons moments. Avec le temps, peut-être oublieraient-ils toutes les horreurs qu'ils s'étaient jetées à la figure pendant le divorce. Peut-être redeviendraient-ils amis.

— Papa ?

Kip reporta son attention sur Faith.

— Papa, j'ai oublié de fermer la porte de ma chambre. Peux-tu demander à Mme Jolly et à la femme de ménage de ne pas y entrer pendant mon absence ?

— Je tâcherai d'y penser. Mais ce n'est pas très grave, tu sais.

Carolee se retint de lui dire que ça l'était pour Faith. Elle n'avait pas le droit de remettre en cause la façon dont il élevait leur fille.

— Bon ! Il faut que j'y aille.

Il embrassa Faith, qui se pendit à son cou.

— N'oublie pas que ta mère a sa vie. Tu es une grande fille. Ne l'ennuie pas.

Il se redressa.

— Elle ne peut pas m'ennuyer ! protesta Carolee.

Tant pis, si Kip objectait. D'ailleurs, Faith n'avait rien entendu. Elle suivait son père sur la véranda.

— Au revoir !

Il regagna sa Porsche. Tous ses gestes étaient familiers. Il plongea la main dans sa poche, où se trouvaient ses clés. Il ne les sortait qu'une fois devant sa voiture. Faith s'appuya contre la barrière de la véranda.

— Au revoir, papa ! Je t'aime !

Les portières se déverrouillèrent automatiquement avec un bruit sec.

— Au revoir, papa !

Kip se glissa derrière le volant et démarra, sans un regard en arrière.

« Le mufle ! » songea Carolee en posant les mains sur les épaules de Faith. Ce serait si facile de ne rien dire, de laisser sa fille tirer des conclusions négatives quant au comportement de son père. Et ce serait une telle erreur.

— Ton papa ne voulait pas que tu voies combien il

était triste. Il avait sans doute peur de se mettre à pleurer s'il ne s'en allait pas très vite.

— Il m'a amenée beaucoup plus tôt que prévu, répliqua Faith, d'une voix calme – trop calme. Je peux m'installer dans ma chambre ? s'enquit-elle, paupières baissées, lèvres pincées.

— Bien sûr ! Ensuite, nous irons saluer ton grand-père.

À peine avait-elle prononcé ces mots, qu'elle aperçut son père.

— Tiens ! Le voilà ! Je savais bien qu'il n'aurait pas la patience d'attendre.

À vrai dire, elle était heureuse de cette visite. Kip avait réussi à alourdir l'atmosphère, probablement à dessein. L'affection bourrue de Sam envers Faith allégerait l'ambiance.

— Hé ! fillette ! Ce n'est pas trop tôt ! Quoi que ta mère te raconte sur moi, il ne faut pas la croire.

Faith sourit, et deux fossettes apparurent aux coins de sa bouche. Elle courut rejoindre Sam. De nouveau, le cœur de Carolee se serra. Quand elle fut devant lui, Sam souleva Faith dans ses bras sans vaciller. La brise tiède emporta leurs éclats de rire. Quand Faith fut de nouveau à terre, Sam approcha sa tête de la sienne, et ils s'étreignirent.

C'était simple, sain. Dans la vie d'un enfant, il y avait toujours de la place pour l'amour des siens. Tous.

Enfin, le duo revint vers Carolee, la petite main fine de la fillette calée dans celle, noueuse, de son grand-père.

— Tiens ! Tiens ! Tiens ! s'exclama Sam en reniflant. Non, ce n'est pas possible. Et pourtant, peut-être bien que si... Quelle est ta tarte préférée, Faith ? Je te donne un indice : c'est aussi la mienne.

— Pommes ? suggéra-t-elle, comme si elle ne le savait pas.

Ce genre de jeu les amusait beaucoup.

— Va la chercher et suis-nous, ordonna-t-il à Carolee. On a des choses à faire.

— Quoi ? demanda Faith. Dis-moi quoi ?

— Non ! C'est une surprise. Alors, ma fille, tu vas la chercher, cette tarte aux pommes ?

Carolee leva les bras en signe d'impuissance et courut à la cuisine. Sam et Faith se dirigeaient déjà vers le cottage. Carolee les rejoignit aussi vite que possible.

La traversée de ce bois de sapins et de cèdres alternant avec des aulnes, des bouleaux et quelques chênes était brève, mais Carolee aimait ce lieu que Linda et elle avaient baptisé autrefois « la forêt ». Un flot de mélancolie l'assaillit. Quel dommage que sa mère ne soit pas là aujourd'hui ! Ella Davis avait rencontré Kip et accepté à contrecœur leur mariage. Malheureusement, elle n'avait pas vécu assez longtemps pour connaître Faith, qui avait hérité de ses boucles blondes.

Une image lui vint brièvement à l'esprit. Un feu de cheminée dans une pièce obscure. Un homme et une femme sur un canapé, riant aux éclats, inconscients de sa présence. Ces rires, elle les avait souvent entendus par la suite, dans ses souvenirs, sans jamais s'autoriser à en analyser la signification.

Sam et Faith émergèrent du bosquet, Carolee sur leurs talons. Entouré de cèdres, le cottage fabriqué de bric et de broc se dressait sur une butte au milieu d'un pré verdoyant. À l'origine, le bâtiment ne comportait qu'une pièce au rez-de-chaussée, surmontée d'une mezzanine. À l'époque, il n'était même pas équipé d'un système de plomberie. Sam l'avait agrandi au gré de sa fantaisie et des matériaux dont il disposait sur le moment. Des lattes de bois horizontales recouvraient les parties les plus anciennes. D'un côté, il avait rajouté une salle de bains dont les murs étaient en rondins. De l'autre côté jaillissait une construction plus récente composée de diverses pièces de bois verticales surmontées d'une tôle ondulée. Sam prétendait qu'il aimait entendre la pluie tomber sur ce toit, alors que les autres étaient recouverts de tuiles en cèdre tapissées d'aiguilles de pin et de mousse.

Il faisait chaud et, cependant, un filet de fumée s'échappait de la cheminée en pierre.

Faith gambadait, folle de joie. Elle avait toujours adoré le cottage de Sam.

Prenant Carolee de court, le grand-père et sa petite-fille bifurquèrent brusquement sur leur gauche, en direction de la vieille grange et de son paddock entouré d'une barrière branlante. Carolee s'immobilisa un instant et fronça les sourcils. Quel manipulateur, ce Sam ! Il savait combien Faith aimait les animaux. Il allait lui montrer les chevaux qu'il avait ramenés la veille, pendant que Carolee faisait les courses. Jusqu'ici, elle avait refusé d'aller les voir. Elle avait même supplié Sam de les renvoyer, tant elle craignait un accident. Sam avait eu l'audace de lui rétorquer que Max Wolfe viendrait donner un coup de main et en profiterait pour lui rendre visite de temps en temps à Lake Home.

Elle pénétra dans la maison et se figea. Le long du canapé défoncé dont Sam refusait obstinément de se séparer s'alignaient plusieurs peluches usées. Elles avaient appartenu à Carolee et à Linda. Sam les avait conservées jusqu'à la naissance de Faith, puis s'était débrouillé pour qu'elle ne puisse plus s'en passer. Au bout du divan, une couverture rose pliée, maculée de taches d'eau de Javel, bordée d'un ruban de satin effiloché. Sam l'avait achetée pour Faith, puis gardée chez lui afin que le bébé l'associe à son grand-père.

Le feu crépitait dans le four à bois, sans pour autant surchauffer la pièce divisée en deux : à gauche, la partie salon, avec le canapé et plusieurs fauteuils trop rembourrés ; à droite, la partie salle à manger composée d'une table en chêne et de quatre chaises dépareillées. Le mur du four à bois était percé d'une porte menant à la salle de bains. La cuisine, dont Sam était si fier, se trouvait à l'autre extrémité. On accédait à la mezzanine par un escalier situé en plein milieu de la salle. Plusieurs patchworks multicolores étaient drapés sur la rambarde.

Carolee ne se pressa pas, pour laisser Sam et Faith profiter pleinement de leurs retrouvailles. Il n'était pas question de monter aujourd'hui. Sam aurait beau lui dire qu'elles étaient toutes deux en jeans et en baskets et que tout irait bien, elle ne céderait sous aucun prétexte. Faith n'enfourcherait pas ce poney sans un casque et une tenue appropriée.

La porte coulissante de la grange était grande ouverte. Un hennissement lui parvint.

Max devait venir le lendemain et cette perspective mettait Carolee mal à l'aise. Comment convaincre Sam de renoncer à son plan ? Depuis l'incident sur la véranda, Ivy l'appelait au moins une fois par jour. Très impressionnée par le physique et la prestance de Max, elle affirmait haut et clair qu'il était l'avenir de Carolee. Ces commentaires l'agaçaient et la troublaient à la fois.

— Il est magnifique ! disait Faith. Regarde ! Il est de la couleur du sable, comme moi.

— C'est un joli petit poney. Il a bon caractère, en plus. Mais attention à ses dents si tu lui donnes une friandise. Il s'appelle Étoile, à cause de la petite marque blanche entre ses yeux. Il faudra que tu m'aides à les soigner. Je n'y arriverai pas tout seul.

Carolee pénétra dans la grange, qui sentait la sciure de bois, le grain et la poussière accumulée au fil des années. Sacs de nourriture et bottes de paille s'entassaient presque jusqu'au toit. Deux cageots, l'un contenant des carottes, l'autre des pommes, trônaient sur un banc. Sam avait coupé des fruits en morceaux et les avait disposés sur une assiette en aluminium. Faith plaça sa paume sous les naseaux d'Étoile pour lui offrir un bout de pomme. Le poney l'engloutit, son œil marron fixé sur la fillette.

Ce fut alors que Carolee aperçut non pas un, mais deux chevaux supplémentaires. Le second était immense, noir, et avait l'air particulièrement féroce.

— Il ne faut pas se fier aux apparences, déclara Sam, qui l'observait. Il est imposant, mais très doux. Ses propriétaires sont en vacances et enchantés de le mettre en pension chez moi pour quelques semaines. Quant à la jument, ajouta-t-il en la caressant entre les deux oreilles, c'est un amour. Elle est pour toi. Je suis sûr que vous vous entendrez à merveille. Max sera là demain pour votre première leçon.

Le cheval noir était donc pour Max.

Carolee plissa les yeux et secoua la tête, ravalant sa colère pour ne pas affoler Faith.

— Qui est Max ? demanda la petite.

— Un bon ami à moi, répondit Sam, très décontracté. Un monsieur charmant. Autrefois, il était joueur de football professionnel, mais il a eu un accident. Aujourd'hui, il entraîne l'équipe du lycée et dirige une société qui fabrique des logiciels, à Seattle. Il habite à Kirkland, c'est presque un voisin.

— Ah, murmura Faith, avant de reporter son attention sur le poney. Je suppose qu'il montera le plus grand. Il m'effraie un peu. On peut faire une balade maintenant, maman ?

— Non, ma chérie. On va manger la tarte aux pommes avec grand-père, ensuite, tu t'installeras dans ta chambre.

— Je vous invite à dîner ! lança Sam. Je vous prépare un bon repas.

Carolee savait qu'il serait déçu, mais il fallait qu'il comprenne qu'elle avait besoin d'un peu de temps en tête à tête avec sa fille.

— Demain, ce serait mieux. À moins que tu ne sois occupé ?

— Demain, c'est parfait. N'est-ce pas, Faith ? répondit-il avec un sourire qui intrigua la jeune femme.

— Oui, parfait ! Tu nous feras une mousse aux fruits rouges ?

— Certainement ! assura-t-il, enchanté. À présent, viens voir Taffy. Elle est vieille, mais elle profite de la vie.

C'est-à-dire qu'elle dort la plupart du temps – quand elle n'est pas en train de manger. Si tu ne viens pas la saluer, elle sera très vexée.

Ils quittèrent la grange ; avant de sortir, Carolee jeta sur les chevaux un ultime coup d'œil rempli d'appréhension.

Taffy somnolait sur le dos, les quatre pattes en l'air. De couleur caramel, la chatte pesait dix kilos et, dans cette position, son ventre débordait sur son matelas de plumes.

— Une part de tarte avant de partir ? proposa Sam.

— Non, merci, nous allons rentrer, dit Carolee. J'en ai une autre à la maison. Celle-ci est pour toi.

Sam lui tapota le bras, compréhensif. Faith s'était agenouillée auprès de Taffy, qui ronronnait de plaisir sous ses caresses.

— Encore une toute petite chose, fit Sam. J'ai un cadeau pour ma petite-fille préférée.

Carolee lui lança un regard noir. Elle lui avait pourtant demandé de ne pas trop gâter Faith.

La fillette se redressa, frémissante d'excitation. Elle alla ramasser sa couverture et son ours en peluche, et les serra contre elle.

— Assieds-toi ici, ordonna Sam en lui indiquant le canapé.

Faith s'installa parmi les jouets qu'elle avait toujours connus. Détendue. Heureuse.

Sam monta à pas lents l'escalier de la mezzanine, et Carolee eut tout le temps d'imaginer le pire. Qu'avait-il encore inventé ? Le grattement dans le gros carton qu'il redescendit ne la rassura guère.

Se laissant tomber dans un fauteuil, elle s'efforça de garder son calme.

— Ferme les yeux, Faith, chuchota Sam.

Elle s'exécuta, les bras sagement croisés.

Sam déposa le carton sur ses cuisses, en le maintenant en équilibre.

— Là ! Tu peux l'ouvrir !

Faith pâlit, comme souvent, sous le coup de l'émotion. Elle voulut secouer la boîte, mais Sam l'arrêta.

— Non ! Non ! Ouvre !

Elle écarta les rabats.

— Oh... ! Grand-père ! Grand-père !

— C'est tout ce que tu trouves à dire ? s'exclama-t-il, les yeux brillants, le sourire aux lèvres. Tu ne nous le montres pas ?

Faith se leva pour placer le carton sur le canapé. Elle y plongea les deux mains et en sortit un chiot noir. Tout en pattes, la langue interminable, le pelage luisant, il fouettait l'air de sa queue.

Malgré elle, Carolee savoura le spectacle de sa fille avec l'animal, tout en cherchant désespérément comment elle allait se sortir de ce mauvais pas, qui partait certes d'un bon sentiment. Elle rencontra le regard de son père et y lut un message : il la mettait au défi de gâcher le bonheur de Faith. Et il avait raison. Mais les jours à venir promettaient d'être difficiles.

— Il est dressé, expliqua Sam. Si tu t'en vas sans l'emmener avec toi, tu le mets dans sa cage. Il est presque propre, mais au début, la nuit, c'est pareil : il vaut mieux qu'il dorme dans sa cage. Il s'y sentira en sécurité. C'est très pratique en voiture, aussi. Il a huit mois, mais il n'a jamais eu un foyer stable. Je l'ai trouvé à la fourrière. C'est là que j'étais allée chercher Taffy.

— C'est fantastique ! intervint Carolee. Je crois qu'on va le laisser là pour ce soir.

— Maman, s'il te plaît ! gémit aussitôt Faith. Il est à moi, il faut qu'on reste ensemble. Tu vois, il m'aime déjà !

Le chiot était toujours sur le canapé, il s'appuyait contre Faith en la contemplant.

— On va commencer par lui mettre ça, annonça Sam en brandissant un collier en cuir rouge et une laisse. Tiens-le bien. Il est plus fort qu'il n'en a l'air.

— Comment s'appelle-t-il ? s'enquit Carolee.

— C'est à Faith de décider. Mais, d'abord, il faut qu'elle apprenne à le connaître. Emmène-le dehors, je t'apporte le panier ?

Carolee ne sortit pas avec Faith. Elle attendit que Sam revienne avec une grande cage en plastique bleu.

— Ce n'est vraiment pas malin, Sam. À Seattle, ils habitent un appartement. Que vont-ils faire d'un chien, alors qu'il n'y a jamais personne dans la journée ?

— Hormis la gouvernante et toute cette ribambelle de domestiques, rétorqua Sam, imperturbable. Cette cage n'est pas lourde. Attention à bien fermer la porte quand le chiot est dedans. Je vous laisse rentrer. Je vous accompagnerais volontiers, mais je sais que je ne serais pas le bienvenu.

— Merci. Mais je n'ai pas terminé. Tu as une idée derrière la tête en ce qui concerne Max Wolfe, n'est-ce pas ?

Sam se frotta la nuque.

— Réponds-moi, s'il te plaît.

— Bon, je vais être franc. Il est temps que tu fréquentes des gens de ton âge.

— J'arrive, Faith !... Des gens, Sam ? Ou des hommes ? Non, ne dis rien, je connais la réponse. Ça ne marchera pas. Si tu réfléchissais deux minutes, tu comprendrais que je ne peux pas me permettre d'être vue en compagnie d'un homme. Surtout pendant le séjour de Faith. Que penserait-on de moi ?

— Nom de nom, tu es une femme libre et...

— Faith m'attend... Au revoir, Sam ! coupa-t-elle en attrapant la cage.

Il ne répondit pas, mais quand elle se retourna, à l'orée du bois, il se tenait sur le seuil du cottage.

7

Max prenait le plus souvent son petit déjeuner dans le restaurant de Nellie et de Fritz Archer, dans le centre-ville. Le dimanche, il s'offrait un brunch tardif afin d'éviter la foule, mais ce jour-là, il était arrivé avant 8 heures. Hirsute, pas rasé, en mal de caféine, il s'était installé à une table près de la fenêtre.

Fritz passait le plus clair de son temps en cuisine à concocter des « plats du chef », dont certains étaient si originaux qu'ils ne figuraient qu'une fois sur la carte. Petit, trapu, il avait les cheveux noirs, coiffés en une sorte de casque qui évoquait furieusement un toupet. Max supposa que Nellie – qui régnait sur la salle – s'était étonnée de sa présence à une heure aussi matinale, et de son air morose, car Fritz avait abandonné les fourneaux à ses trois filles pour venir le saluer.

— Vous voulez manger quelque chose ? demanda Nellie en se balançant, les mains sur ses hanches minces. Des œufs Bénédicte, ça vous dit ?

— Vous n'en proposez pas, répliqua Max.

— Pour vous, tout est possible.

Sa généreuse poitrine servait de support à un collier de coquillages à plusieurs rangs.

— Des œufs Bénédicte ! railla Fritz. C'est un mets de femmelette. Cet homme a besoin d'un bon steak. Un steak, et des pommes sautées. Dis à Donita qu'il les aime bien cuites, mais pas carbonisées. Des fruits, pour les vitamines, et du pain grillé. Il ne veut pas de jus…

— Hé! interrompit Max. Tu sais bien que je ne prends jamais tout ça le matin.

— Sauf le dimanche, où tu viens plus tard. Les autres jours, tu ne restes jamais assez longtemps pour un vrai petit déjeuner, c'est tout... Asseyez-vous où vous voulez! lança-t-il au groupe qui venait d'entrer. Nellie, un café pour notre ami!

Nellie fit signe à la serveuse de s'approcher.

— Envoie la commande de Max! ajouta Fritz. Tu ne vois pas qu'il meurt de faim?

Nellie tapota l'épaule de Max.

— Ce ne sera pas long, promit-elle avant de disparaître en cuisine.

— J'imagine que ça ne servira à rien de te répéter que je n'ai pas d'appétit le matin.

— Tu imagines juste, riposta Fritz, qui avait apporté sa propre tasse de café. Toi et moi, on se connaît depuis un bout de temps. Je ne t'ai pas vu dans cet état depuis des lustres. J'ai une bonne oreille. Tu veux parler? Je t'écoute.

Max n'osa pas refuser son offre. Il laissa errer son regard sur le décor. Bancs recouverts de skaï vert pistache, tables en formica vert...

— J'aime bien ce lieu, commença-t-il en toute sincérité. Les affaires familiales sont de plus en plus rares, et c'est dommage. Toutes ces chaînes et ces franchises manquent d'âme.

Un délicieux arôme de bacon grillé s'échappait par le passe-plat. Tenant sa tasse à deux mains, Fritz but une gorgée de café.

— Le premier jour après mon emménagement, c'est ici que je suis venu. Je m'y suis tout de suite senti bien, et c'est toujours le cas. Vous songez à votre retraite?

Fritz haussa les épaules.

— Non! Qu'est-ce que je deviendrais? J'en mourrais. Tout ce que je sais faire, c'est la cuisine. Nellie et moi, on forme une bonne équipe. Et les filles aussi. Dommage qu'elles se soient mariées avec des gratte-papier. Ils n'ont pas un brin d'humour, ces trois-là.

— L'un d'entre eux est l'avocat de ma société, et il a beaucoup de talent. Et si je ne m'abuse, les deux autres...

— Ouais, ouais, ils sont brillants. Alors dis-moi, pourquoi aucun d'entre eux ne veut reprendre une belle affaire comme la mienne ? Hein ?

— Évidemment, concéda Max en se retenant de rire.

Fritz ne pourrait jamais comprendre que personne ne veuille travailler vingt heures sur vingt-quatre. Pour cet homme qui avait monté cette solide petite entreprise, c'était triste de ne pas avoir de fils à qui passer la main. Max lui aurait volontiers fait remarquer que ses filles étaient aptes à lui succéder, mais il savait que c'était inutile. Fritz avait des idées très démodées.

— Tu connais Sam Davis ? demanda soudain celui-ci.

Max se figea.

— Pourquoi cette question ?

Fritz haussa les sourcils, puis les épaules.

— Pour rien. Il vient souvent, l'après-midi. Depuis des années. La dernière fois, il a parlé de toi.

— En quel honneur ?

— Oh, je ne sais plus ! C'était comme ça, en passant.

Fritz regrettait déjà d'avoir cédé à son insatiable curiosité. La sonnette au-dessus de la porte d'entrée tinta.

— Il y a de plus en plus de monde, ici, constata Max, sensible au malaise de son interlocuteur. C'est gentil de me tenir compagnie, mais je n'ai pas besoin d'un baby-sitter. Je vais bien, Fritz.

— *Max Wolfe !*

Brandy Snopes se précipita vers sa table et se pencha pour l'embrasser.

— Qu'est-ce que tu fabriques ici à une heure pareille ? Mon Dieu, tu as une mine épouvantable !

Fritz se laissa glisser le long de la banquette en poussant sa tasse.

— Je m'occupe de ton steak, promit-il en s'empourprant.

— Tu as une mine épouvantable ! répéta Brandy.

— Merci, j'avais entendu la première fois.

— Ne sois pas désagréable. Qu'est-ce qui t'arrive ?

Brandy avait dompté sa chevelure auburn à l'aide d'un bandeau. L'une de ses joues portait encore la trace des plis de son oreiller. Elle avait mis du mascara, mais pas de rouge à lèvres, et son survêtement gris semblait sorti tout droit du panier à linge sale.

— Et toi, Brandy ? Qu'est-ce que tu fabriques à cette heure-ci, un dimanche ? Après la folie du samedi soir. En général, tu dors jusqu'à midi.

— Parfois je me réveille aux aurores et j'ai trop d'énergie pour rester enfermée chez moi.

Elle bâilla. Max ricana, et elle le fusilla du regard.

— Nellie t'a appelée, devina-t-il. Elle t'a dit que je n'avais pas l'air en forme.

— Peu importe.

Peu importe. C'était l'expression préférée de Brandy quand elle se sentait poussée dans ses retranchements. Il l'imaginait déjà en train d'analyser son cas avec Fritz et Sam Davis. La ville était petite. Ici, le téléphone arabe fonctionnait à merveille.

— Tu n'es pas venu chez moi depuis la dernière prestation de Carolee.

— Ah, non ? murmura Max, le front plissé.

Elle avait raison, bien sûr, mais il n'allait pas lui dire qu'en l'absence de Carolee, le restaurant ne l'attirait guère.

— Tu le sais pertinemment.

Brandy commanda un jus d'orange et une tartine de pain complet à la serveuse qui venait de déposer une assiette gigantesque devant Max.

— Ah, je vois ! Tout s'explique. Tu as faim.

— Pas du tout. C'est le remède préconisé par notre ami parce que je ne suis pas rasé. Je n'ai pas eu le choix. Mais je dois reconnaître que c'est appétissant.

Elle s'assit de biais et s'adossa au mur, à côté de la fenêtre.

— Tu l'as revue, depuis ?

Max coupa un morceau de viande, l'enfourna dans sa bouche. Un homme bien élevé ne parlait pas la bouche pleine.

— Tu l'as revue, conclut Brandy en dessinant des figures géométriques sur un verre d'eau recouvert de buée. Tu mens très mal.

— Qui ment ?

— Par omission, rectifia-t-elle. Elle n'est pas disponible.

— Pourquoi ? Elle n'est pas mariée.

Brandy saisit un glaçon entre ses dents.

— Je ne suis pas au courant de tout. Carolee est une femme très discrète. Mais elle souffre terriblement, et n'a aucune envie de reconstruire sa vie. De toute façon, tu n'es pas son genre. Je sais qu'elle a vécu un drame épouvantable dans son enfance et qu'elle ne s'en est jamais complètement remise. Ne me demande pas de quoi il s'agit. Je sais seulement que c'est une histoire avec sa mère. Le mieux pour toi serait de l'éviter.

Max se fit un toast beurré, avant de tourner le regard vers la fenêtre. Dehors, il faisait beau. Il observa les passants sur le trottoir, vêtus de shorts et de tee-shirts. Le fox-terrier de Fritz et de Nellie se vautrait au soleil en ignorant les promeneurs qui s'arrêtaient pour le caresser.

— Max ?

— Je réfléchis. Pourquoi les gens se permettent-ils de prodiguer des conseils aux autres ? De quel droit leur disent-ils ce qu'ils doivent faire ou pas ?

— Pardonne-moi. Mais je suis ton amie, et je tiens à toi.

Son café avait refroidi, mais il le but malgré tout.

— Pourquoi est-ce que je ne suis pas le genre de Carolee ? ne put-il s'empêcher de demander, tout en se reprochant de montrer ainsi son intérêt.

— Parce que. Son genre, c'est son ex. Un artiste. Oh, il est beau et bien bâti, mais surtout, il est peintre !

— Je suis un homme d'affaires. Et alors ?

— Tu es un ex-joueur de football. Un athlète. Tu continues à entraîner.

Il fixa son assiette.

— Une équipe de lycéens. Je le fais avec plaisir. J'adore les adolescents.

Elle posa sa main sur la sienne à travers la table.

— Tu es un garçon formidable. Je te l'ai dit le soir où nous nous sommes rencontrés. À l'époque, tu étais en colère. Tu l'es peut-être encore. La différence, c'est que tu le caches.

— Ouais, merci. Et pourquoi une femme qui a aimé un peintre...

Il se tut, secoua la tête, s'attaqua aux pommes de terre sautées.

— Pourquoi ne pourrait-elle pas aimer un homme d'affaires ? compléta Brandy.

— Ce n'est pas ce que j'allais dire. Pourquoi ne peut-on s'attacher à des personnalités différentes ? La réponse n'a aucune importance.

On déposa un plateau avec du jus d'orange et des toasts devant Brandy. Aussitôt, elle enfonça son couteau dans le beurre de Max et en prit une noisette.

— Tu l'as revue ?

— Je l'ai reconduite chez elle avec Sam, après le concert. Il avait des problèmes avec sa camionnette.

— C'est très aimable de ta part, railla-t-elle.

— C'est ce qu'ils m'ont dit. Je suis un type gentil.

— Et ensuite ?

— Tu ne lâches pas facilement.

Mais Brandy était aussi bonne perdante. Il savait qu'elle aurait volontiers prolongé leur liaison, mais, étant donné leur divergence d'opinion à ce sujet, elle avait préféré privilégier leur amitié.

Elle dévora son toast, se lécha les doigts. Brandy était une épicurienne.

— Est-ce que je t'ai dit que Rob Mead venait passer quelques jours, la semaine prochaine ?

Elle se raidit, mais s'exprima d'un ton détaché.

— Vraiment ? Il est sympathique. Quel dommage que vous vous soyez retrouvés dans cette situation impossible.

— Nous sommes les meilleurs amis du monde. Rob n'est en rien responsable de ce qui s'est produit. C'était normal qu'il prenne ma place dans l'équipe.

Peu convaincue, Brandy examina ses ongles avec soin.

— Et toi, Brandy, quand feras-tu le bonheur d'un homme ?

Elle leva les yeux au ciel, avala une gorgée du café froid de Max.

— À une exception près – toi –, je n'ai eu que des aventures sans intérêt.

— Si c'est un compliment, je t'en remercie. Et le mariage ?

— Ne dis pas n'importe quoi. Si mes liaisons m'ont ennuyée, que penser du mariage ?

— D'accord, miss Cynique. Mais, un de ces jours, tu craqueras.

Depuis qu'il lui avait présenté Rob Mead, il se demandait s'ils étaient sortis ensemble. Rob avait manifesté un intérêt plus que superficiel à l'égard de Brandy.

— Désolé, mais il faut que j'y aille.

Il fit signe à la serveuse et lui demanda l'addition.

— Tu as rencontré Faith ?

Perplexe, il secoua la tête.

— Faith Burns. La fille de Carolee.

— Non, pourquoi ?

— Tu aurais pu, fit-elle d'un ton faussement innocent. Faith est ici pour un mois. Elle est arrivée hier, dans l'après-midi. Carolee ne parle que de ça depuis des semaines.

Max plissa les yeux, songeur.

— C'est la première fois qu'elle séjourne aussi longtemps chez sa mère depuis le divorce. Quand elles ne sont pas ensemble, Carolee est en deuil.

— Je n'ai jamais eu d'enfant, je ne suis pas expert en la matière.

Brandy se redressa.

— Pas besoin d'être parent pour comprendre ce que c'est que d'être privé de l'être aimé.

Il se garda de lui répliquer qu'il n'était pas certain d'avoir jamais aimé quelqu'un à ce point. Peut-être était-ce le cas, mais il ne s'en était pas rendu compte parce qu'il avait grandi dans une ferme, entre une mère trop occupée pour lui montrer de l'affection et un père distant. Il esquissa un sourire.

— Tu es incroyable ! Je te le dis souvent. Merci d'être tombée du lit pour moi.

— À ta disposition ! Bien entendu, ce serait plus commode si c'était toi qui m'y rejoignais.

— Tu sais parler aux hommes.

Il se leva et l'embrassa spontanément, avant de quitter le restaurant.

Sam n'avait pas mentionné la visite de Faith. Il avait simplement insisté pour que Max vienne faire travailler les chevaux. Et Max osait encore espérer que Carolee accepterait son invitation à dîner. Mais, évidemment, si sa fille était là, elle refuserait.

Il acheta un journal au kiosque et se planta au carrefour en attendant le feu vert.

Sam ne cachait pas ses projets. Max lui plaisait, et il avait décidé une fois pour toutes qu'il conviendrait parfaitement à sa fille. Max se rappelait l'eau du glaçon qui dégoulinait le long de sa gorge, entre ses seins. Il frémissait encore au souvenir de la douceur de sa peau, qu'il avait effleurée si brièvement.

Il traversa la rue. Cette obsession ne le mènerait nulle part. Carolee n'avait pas fait le moindre pas dans sa direction. Elle était de ces femmes réservées qui ont besoin qu'on les force à sortir de leur coquille.

Mais Max n'était pas homme à forcer qui que ce soit.

Son immeuble se dressait devant lui. Il leva les yeux vers les étages supérieurs, s'attarda sur le fouillis de plantes qui jaillissaient de sa terrasse. L'appartement était vaste. Il pouvait abriter une famille.

À plus d'une reprise, Brandy lui avait affirmé qu'il ne désirait que ce qu'il ne pouvait obtenir. Il était temps qu'il en tînt compte – et fasse ce qu'il fallait par rapport à Carolee.

Elle n'avait sans doute aucune envie de le voir aujourd'hui. Il allait lui téléphoner pour la rassurer : il n'avait pas l'intention de s'imposer.

8

Faith et son nouveau compagnon jouaient au bord du lac. Ils avaient eu un vrai coup de foudre et, déjà, la laisse était inutile. La veille, leur première soirée en famille, Faith avait annoncé à Carolee qu'elle était épuisée. Elle était montée se coucher sans dîner, le chiot sur ses talons. Quand Carolee avait jeté un coup d'œil dans la chambre, un peu plus tard, l'animal était endormi sur le lit, aux pieds de sa jeune maîtresse.

Tant pis pour la cage. Fort heureusement, il n'y avait pas eu le moindre accident, et tous deux se comportaient comme s'ils avaient passé leur vie ensemble. Kip ne serait pas content, mais elle s'en soucierait plus tard.

Faith jeta un bâton dans l'eau. Sans hésiter, le chien plongea pour le lui rapporter.

Carolee était assise sur le vieux banc de bois, au bord du lac. Elle était déçue de ne pas avoir pu discuter avec Faith, la veille. Elle avait eu beaucoup de mal à s'endormir tant elle s'inquiétait du bonheur de sa fille. Si Faith disait à Kip qu'elle n'appréciait pas d'être séparée de lui un mois entier, que se passerait-il ? Mais elle n'en ferait rien. Elle avait des préoccupations de son âge, et la situation était encore très nouvelle. N'importe qui, à sa place, aurait été un peu perdu.

Sam les attendait pour qu'elles lui donnent un coup de main avec les chevaux. Carolee poussa un soupir, mais elle n'éprouvait aucune colère. Il était fou de joie de pouvoir jouer son rôle de grand-père attentionné plus de deux jours de suite. De plus, il avait accepté un compromis selon lequel ce serait Max Wolfe qui donnerait le feu vert à Faith dès qu'elle serait correctement équipée.

Le chiot se précipita vers Carolee et se secoua joyeusement, éclaboussant la jeune femme. Comme s'il savait qu'il venait de faire une bêtise, il pressa le bâton contre son tibia. Le geste de réconciliation laissa de grandes traces noires sur son jean.

— Digger, viens ici ! s'exclama Faith en le rattrapant.

Après une hésitation, il alla s'appuyer contre elle. Faith évita le regard de sa mère. Sa gêne était si évidente que Carolee sentit son cœur se serrer.

— Digger ? C'est mignon, comme nom. Je savais que tu lui en trouverais un très vite.

— Ça lui va bien, répliqua Faith.

Pour protéger son nez du soleil, elle l'avait tartiné d'une épaisse couche de crème jaunâtre.

— On avait dit qu'on irait aider grand-père avec les chevaux après le déjeuner. On a mangé depuis longtemps. Je meurs d'envie de monter !

Carolee regretta de ne pas partager son excitation. Elle aurait aussi souhaité que sa fille ne se montrât pas si cassante quand elles étaient toutes les deux. Elle se leva, frappa dans ses mains devant Digger, qui allait et venait entre elles deux en remuant la queue.

— Rien de tel que de s'occuper des chevaux un dimanche après-midi par une chaleur torride !

— Je n'ai pas besoin de toi, tu sais.

Carolee faillit lui reprocher son insolence, mais se retint.

Digger gambadant autour d'elle, Faith partit la première sur le chemin qui remontait vers la maison. Soudain, elle se retourna et continua de marcher, mais à reculons.

— On pourra sortir la barque ?

Elle était élancée et souple, le soleil allumait d'éclatants reflets dans sa chevelure.

— Bien sûr ! répondit Carolee, tout en se promettant de l'obliger à porter un gilet de sauvetage. Grand-père s'en sert souvent, elle est en parfait état.

— J'aime bien sortir sur le bateau de papa, mais il y a tout le temps plein de monde.

Carolee digéra cette information.

— Je ne savais pas qu'il en avait un.

— Il l'a eu l'hiver dernier. C'est pratique pour ses soirées, quand il reçoit des gens de New York. Il l'appelle sa « galerie flottante », parce qu'il y a des tableaux partout, et qu'ils sont à vendre.

— Tu ne m'en avais jamais parlé jusqu'ici.

— Ah non ?

— Tu ferais mieux de te retourner, sinon tu vas tomber. Ou te fatiguer inutilement.

Faith s'exécuta, et Carolee en fut soulagée. Ainsi, Kip avait acheté un bateau suffisamment vaste pour recevoir ? Il n'avait pourtant jamais manifesté le moindre intérêt pour la navigation. Ici, à Lake Home, il avait toujours refusé de se promener en barque. Combien cela lui avait-il coûté ?

— Il est vraiment grand, ce bateau ? s'enquit-elle, tout en se reprochant de questionner ainsi sa fille.

— J'en sais rien. Pose-lui la question. Il n'aime pas que je raconte nos trucs personnels, mais, là, j'ai oublié.

Une fois de plus, Carolee eut l'impression de recevoir une gifle. Sa propre fille la repoussait.

Tout de même, un bateau... Peut-être que Kip connaissait enfin le succès.

Au bout du chemin, Faith et Digger se mirent à courir en direction du bois.

La maison était belle sous le soleil. Les fenêtres scintillaient, les pierres de taille paraissaient presque blanches. Les abeilles voletaient autour de la glycine qui ornait la véranda. C'était un endroit merveilleux pour une vie de famille. C'était là tout ce que désirait Carolee, une existence simple et saine. Non. Pas seulement. Elle avait aussi besoin de sa musique. Et d'un minimum de reconnaissance : elle était seule, elle était maman, elle voulait tout partager avec son enfant. Son intention n'était pas de priver Kip de leur fille, mais il se servait d'elle, et c'était intolérable.

Lorsqu'elle émergea des arbres, Faith et Digger caracolaient en direction de la grange. Carolee fronça les sourcils en voyant Étoile, le poney, trottiner dans le paddock. La barrière était en mauvais état.

Sam sortit du bâtiment, un seau à la main. Il avait échangé sa casquette de base-ball contre son Stetson en paille. Il se déplaçait avec difficulté, et Carolee eut un pincement d'inquiétude. Il lui faudrait le ménager. Quant à lui, il devrait se surveiller, ne pas en faire trop sous prétexte qu'il souhaitait que Faith passe de bonnes vacances.

Un mouvement attira son regard. Le grand cheval noir surgit sur le monticule où se dressait le cottage de Sam. Même de loin, elle n'eut pas de mal à reconnaître le cavalier : Max Wolfe.

La panique fit place à la colère, mais cela ne dura pas longtemps. Carolee se sentait soudain si nerveuse qu'elle avait envie d'attraper sa fille par le bras et de s'enfuir. Sam n'avait pas tenu parole. Immobile, elle regarda la monture approcher. Max montait avec aisance et décontraction ; visiblement, il avait l'habitude des chevaux.

Dès qu'il aperçut Carolee, il inclina la tête de côté et l'observa un instant de sous le large bord de son chapeau noir. Puis il agita la main. Carolee lui répondit d'un geste. Il avança, un sourire éclatant sur les lèvres ; Il avait l'air si sincèrement heureux de la voir qu'elle ne put que lui retourner son sourire.

Il offrait un tableau viril à souhait. Il s'arrêta près d'elle, se pencha pour caresser l'encolure de l'animal. Le col de sa chemise en jean était ouvert. Une fine pellicule de sueur luisait dans son cou.

Carolee s'abandonna à la rêverie, puis se ressaisit. Après tout, il n'était qu'un homme, et tous les hommes étaient beaux, coiffés d'un Stetson et serrant les cuisses contre les flancs d'un cheval puissant.

Celles de Max étaient particulièrement longues...

— Bonjour, Carolee. Je ne m'étais pas autant amusé depuis des siècles. Je suis heureux que Sam m'ait demandé de m'occuper de ces bêtes.

Il avait une voix grave, agréable. Et quel charme ! Toutes les femmes devaient se jeter à ses pieds !

Mais Carolee Burns n'était pas de celles-là. Elle n'était pas non plus du genre à éveiller le désir chez les hommes. En d'autres termes, si Max était gentil avec elle, c'était uniquement parce qu'il appréciait Sam.

— Je vous rejoins, dit-elle. Faith – ma fille – est déjà là-bas. Le chiot s'appelle Digger. Sam le lui a offert hier soir. Il ne me reste plus qu'à trouver une solution pour le jour où ils devront réintégrer l'appartement de Seattle.

— Quel est le problème ? Un chien peut être parfaitement heureux en appartement.

— Sans doute, acquiesça-t-elle pour clore le débat.

Max se laissa glisser de sa monture et offrit sa main à Carolee.

— Montez. Je marcherai.

Son estomac se noua.

— Non, merci. Il est à peine habitué à vous. Je ne voudrais pas le perturber.

— Le perturber ? répéta Max en retenant un rire. C'est un vieux de la vieille, n'ayez crainte ! Allez, en selle !

Elle avait le choix entre mourir de peur ou se ridiculiser. Elle opta pour le moindre de ces maux. Elle regarda tour à tour les rênes que lui tendait Max, puis le dos de l'animal. Elle n'eut pas le temps de s'interroger sur le meilleur moyen de l'enfourcher ; Max la saisit par la taille et la hissa en place.

C'est ainsi qu'elle se mettait régulièrement en péril, en s'empêchant d'exprimer ses craintes. Elle n'arrivait pas à atteindre les étriers et le cheval refusait de lui obéir. Carolee resta assise, crispée, incapable de réagir. Elle jeta un coup d'œil vers Max, qui souriait de toutes ses dents.

Soudain, il plissa le front et parut sur le point de parler. Au lieu de cela, il se racla la gorge, s'empara de la bride et se mit en marche. Comme si elle n'était qu'une enfant. Elle devait avoir l'air terrifiée.

— Je ne suis jamais montée sur un cheval aussi grand, avoua-t-elle, dans l'espoir de sauver un peu la face. À vrai dire, cela fait des années que je ne suis pas montée.

— Ah, marmonna-t-il. Qu'avez-vous fait à votre jean ? demanda-t-il soudain en frottant le tissu à l'endroit où le bâton avait laissé des traces.

Elle fixa la main tachée de graisse qu'il levait vers elle.

— On dirait du goudron, hasarda-t-il après avoir senti ses doigts.

Aussitôt, elle se pencha sur son tibia pour vérifier. Le résultat fut instantané : elle se salit les doigts et faillit perdre l'équilibre.

— Ho ! Doucement ! s'écria-t-elle en se rétablissant tant bien que mal. C'est le chien de Faith. Avec un bâton qu'il a sorti de l'eau.

— Le cheval s'appelle Guy. Vous n'allez jamais ravoir votre jean.

Elle haussa les épaules.

— En effet.

Comment deux personnes qui auraient dû avoir des choses intéressantes à se dire se débrouillaient-elles pour entretenir une conversation aussi morne ?

— Vous êtes douée, reprit Max. Avec un peu d'entraînement, ce sera parfait. Vous avez une bonne tenue.

Carolee rougit. Au temps pour elle !

— Je vous ai trouvé très sexy, tout à l'heure, fit-elle spontanément.

Effarée, elle tira sur les rênes. Sa monture s'immobilisa.

— Ce n'est pas *du tout* ce que j'ai voulu dire ! De nos jours, tout tourne toujours autour du sexe ; résultat, il arrive qu'on emploie des termes inappropriés.

— En d'autres termes, je n'étais pas sexy ? rétorqua-t-il, impassible. Alors là, vous me vexez. Un instant, vous me portez aux nues, l'instant d'après, je suis un moins-que-rien.

— Vous exagérez. J'ai simplement trouvé que... Enfin, ce que je voulais dire...

Elle avait le don de dire ce qu'il ne fallait pas. Certains de ses écarts verbaux lui avaient coûté très cher.

— Que vouliez-vous dire ? murmura-t-il en inclinant la tête pour la regarder droit dans les yeux.

Elle fut incapable de lui répondre. Elle avait les joues brûlantes, elle transpirait sous son tee-shirt.

Max repartit, et Guy suivit le mouvement.

— Pardonnez-moi, Carolee. J'ai la fâcheuse manie de provoquer. Je ne cherchais pas à vous mettre mal à l'aise. J'aimerais que vous vous intéressiez à moi, ne serait-ce qu'un peu.

— Chut ! Faith pourrait vous entendre. Quant à Sam, il ne l'emportera pas au paradis !

— Je n'ai rien à lui reprocher.

Elle ne put s'empêcher de rire.

— Vous avez de la suite dans les idées.

— Et vous, un père merveilleux. Il vit pour vous et pour votre fille. Il m'a appelé ce matin pour me dire qu'il ne voulait pas vraiment prendre trop de votre temps à toutes les deux, mais qu'il avait besoin d'aide pour les chevaux. Il m'a proposé de donner des cours à votre fille. Je ne l'ai jamais fait, mais je suppose que je suis assez bon cavalier pour lui enseigner les bases. Et ce sera un plaisir pour moi. Je n'ai pas une vie privée très remplie.

— Vous êtes toujours aussi honnête ?

Il plissa les yeux.

— On ne m'a jamais posé cette question, mais, oui, je crois. À quoi bon mentir ?

Sam et Faith les rejoignirent. Digger se rua sur Max, et plaqua les deux pattes sur ses cuisses. Max le caressa, puis tendit la main à Faith, qui s'empourpra.

— Bonjour. Je suis Max. Un ami de Sam. Il me parle sans arrêt de toi.

— Ne divulgue pas tous mes secrets ! lança Sam en

observant Carolee à la dérobée. Max a travaillé sur le paddock. Il a réparé la barrière.

— C'est provisoire.

Sans lui demander si elle avait besoin d'aide, il prit de nouveau Carolee par la taille et la souleva de la selle pour la déposer sur le sol. Il dut deviner qu'elle avait les jambes flageolantes, car il la soutint un instant. Elle posa les mains sur ses biceps, notant au passage à quel point ils étaient musclés.

Ça suffit, idiote !

— Merci. Sam vous a dit que nous n'avions pas encore de casque pour Faith ?

— En effet. Mais il paraît qu'il sera là dans quelques jours. On pourrait peut-être commencer par deux ou trois cours du soir. Qu'en penses-tu, Faith ?

— Elle est d'accord ! répondit vivement Sam. Allons rentrer ces bêtes et boire un verre chez moi.

Il partit récupérer le poney dans le manège. Max guida Guy dans la grange. Digger sur ses talons, et Faith pas loin derrière. Carolee marqua le pas. Elle ne devait surtout pas flancher. Max était peut-être charmant, mais elle était trop vulnérable.

Max enferma le cheval noir dans son box. La jument ruminait paisiblement, sans se soucier de ce qui se passait autour d'elle.

Un battement d'ailes surprit Faith, qui se baissa.

— C'est une hirondelle, fit Max par-dessus son épaule.

Carolee parvint à ne pas rétorquer qu'elle le savait. Le nid était calé sur une poutre et elle l'indiqua du doigt à Faith. La tête de la femelle en dépassait. Le mâle, quant à lui, ne cessait de voleter autour d'elle.

— Elles reviennent chaque année.

Le poney arriva en compagnie de Sam qui, imitant Max, le brossa rapidement.

Vingt minutes plus tard, tous étaient dans le cottage. Max s'excusa et disparut dans la salle de bains pour prendre une douche tandis que Faith retourna jouer dehors avec Digger.

Carolee entraîna son père dans la cuisine.

— Tu m'avais promis de lui téléphoner pour lui expliquer que Faith ne pouvait pas...

— ... monter avant d'être correctement équipée, je sais, termina-t-il.

— Tu sais très bien que je voulais que tu annules sa visite.

— Tu étais moins égoïste, autrefois, remarqua Sam en soulevant le couvercle de sa marmite. D'accord, j'ai un peu planifié les choses. J'avais besoin d'aide. C'est commode : il a grandi dans une ferme, il sait réparer une barrière et panser un cheval. Tu ne t'es même pas souciée de savoir comment je m'étais débrouillé pour nettoyer les boxes.

— Je suis désolée, je n'y ai pas pensé. Je ne me suis pas rendu compte qu'ils étaient propres.

— Pourtant, tu t'attendais à devoir le faire avec Faith. Max s'y est employé à votre place. Laisse au moins une chance à...

— Sam, je t'en prie, arrête.

— Ne te ferme pas, c'est tout ce que je te demande. Je ne ferai pas pression sur toi, mais Max est un homme intelligent, il a le sens de l'humour, ce n'est pas mon genre, mais on m'a assuré qu'il était très beau. Il aime les enfants et les animaux. Il a monté une entreprise qui marche bien. Et, *en plus*, il a de l'argent.

— Depuis quand t'es-tu transformé en marieur ?

Il saisit une de ses mains et la serra entre les siennes.

— Depuis que j'ai vu ma fille seule et triste. Depuis qu'elle s'est fait doubler par un homme qui ne l'a jamais méritée.

— Ta sollicitude me touche. Mais je ne cherche pas à refaire ma vie, et si c'était le cas, je ne m'inquiéterais ni du physique ni du portefeuille de l'homme en question.

— Pourquoi ? Ce serait agréable d'avoir un compagnon qui ne compte pas sur toi pour ramener le pain, non ? Ça changerait. Tu t'es habituée à entretenir une sangsue. Ce n'est pas normal.

Le jet de la douche se tut.

— Tu tiens un discours sexiste, répliqua-t-elle à voix basse. Quand deux personnes s'aiment, peu importe que la femme gagne mieux sa vie que l'homme.

— Tôt ou tard, ça finit par déraper. Ça fait désordre, bien que Kip Burns en ait profité à plein. Il continue, d'ailleurs. À propos, est-ce qu'il a vendu quelques tableaux ?

Curieusement, Carolee prit la défense de son ex-mari.

— Je crois que oui. D'après Faith, il fréquente beaucoup de monde dans le milieu de l'art.

La porte de la salle de bains s'ouvrit, et Carolee retint un soupir de soulagement. Elle regagna le salon à temps pour voir Max émerger d'un nuage de vapeur.

Il avait revêtu un jean et une chemise propres, et transportait ses vêtements sales dans un sac. Il était pieds nus, les cheveux mouillés.

Le cœur de Carolee fit un bond inattendu. Elle réagissait comme une lycéenne sur le point d'avoir le béguin. Ou comme une femme qui avait besoin d'un homme. Malheureusement, le moment était mal choisi.

Il agita un gant de toilette humide.

— C'est à moi, annonça-t-il à Sam. Mais il est vieux, ce n'est pas grave.

Il l'avait saupoudré d'un produit à forte odeur, et entreprit de nettoyer le goudron sur les doigts de Carolee. Le poignet coincé entre son pouce et son index, sa main reposant dans celle de Max, elle se rappela qu'il avait autrefois attrapé des ballons et couru à toutes jambes en s'efforçant d'esquiver une armada d'armoires à glace dont la mission était de les lui faire lâcher. Un frémissement la parcourut. Il était penché sur elle, concentré sur sa tâche, et elle ne put s'empêcher de l'étudier – et de songer qu'elle aimait ce qu'elle voyait.

Il restait quelques gouttes d'eau sur ses cils. Sa chemise lui collait à la peau par endroits, là où il s'était mal essuyé.

Carolee leva les yeux et rencontra le regard de son père. Il ne sourit pas. Il paraissait chagriné, et terriblement grave.

— Là ! déclara Max. Interdiction de vous salir sous peine d'une fessée !

— Merci.

9

Max posa ses pieds nus sur une ottomane recouverte d'une tapisserie verte et se cala parmi les animaux en peluche. Il n'allait pas partir maintenant, ce serait peu courtois. D'ailleurs, il n'en avait aucune envie. Il se sentait parfaitement bien. Il ferma à demi les yeux et respira à fond.

— Que prenez-vous dans votre café ? s'enquit Carolee, surgissant de la cuisine avec un plateau.

— Je le bois noir, merci. Je suis dans le passage ?

Carolee posa son fardeau sur la table de la salle à manger et le fixa sans ciller. L'espace d'un éclair, il crut qu'elle allait le prier de déguerpir, mais elle hocha la tête sans sourire.

— J'ai préparé du café parce que vous avez dit que vous en vouliez. Vous n'avez pas intérêt à vous en aller avant de l'avoir bu.

— À vos ordres, madame ! répliqua-t-il en se levant.

— Restez où vous êtes. Je vous l'apporte. Je vous dois bien cela, pour avoir nettoyé les boxes à ma place.

Son père ne pouvant la voir, elle afficha une expression désolée :

— Bien sûr, je n'en montre rien, mais je vous en veux d'avoir accompli une de mes tâches préférées.

Elle lui présenta une tasse fumante et une assiette pleine de cookies aux raisins faits maison. Il en prit trois d'un coup.

— Je n'ai pas déjeuné, dit-il en guise d'excuse.

Faith était avec son grand-père, aussi il baissa la voix et enchaîna :

— Vous êtes agressive. Vous vous efforcez de ne pas l'être, mais vous ne pouvez pas vous en empêcher. Je ne suis en rien une menace pour vous, Carolee.

— Je ne l'ai jamais pensé.

— J'allais dire que vous semblez avoir peur de moi, mais j'ai changé d'avis.

— Je n'ai pas peur de vous, trancha-t-elle.

— À présent, je change de nouveau d'avis. Je crois que si. Pourquoi ?

Elle secoua ses cheveux noirs.

— Pourquoi essayez-vous de me provoquer, Max ?

Il avala une bouchée de gâteau avant de répondre.

— Pas du tout ! Mais vous êtes difficile à cerner. Apparemment, vous êtes une femme douce et réservée – la plupart du temps. Mais dès que vous êtes avec moi, vous vous hérissez. J'ai du mal à en comprendre la raison.

En dépit de traces de goudron sur son jean, elle était impeccable. Son tee-shirt bleu était ample et court. Comme toujours, il admira ses courbes confortables. Max préférait les rondeurs. Il la dévisagea d'un air interrogateur.

— Bien, souffla-t-elle en penchant la tête en avant. Il est clair que vous souhaitez... euh... mieux me connaître. En l'état actuel des choses, il m'est impossible de m'intéresser à un homme. Dans un autre contexte, j'aurais sans doute eu envie d'approfondir cette relation. Voilà. Je ne peux pas être plus franche. Pouvons-nous clore le sujet une fois pour toutes ?

Il était réticent, d'autant qu'elle venait de révéler une faille dans sa carapace. Une bouffée absurde d'optimisme le submergea.

Un bruit de pattes précipité annonça l'arrivée de Digger, qui bondit par-dessus le bras du canapé et atterrit sur Max. Celui-ci retint de justesse sa tasse, coinça son dernier cookie entre ses dents et caressa le chien.

— Carolee ? J'ai toujours l'impression de vous faire peur.

— Vous n'avez pas ce pouvoir, riposta-t-elle. Certes, j'ai de gros problèmes à résoudre, mais ni vous ni quiconque ne peut m'effrayer.

Digger se vautra à plat ventre sur le torse de Max et coinça sa truffe sous son menton.

— Il est mignon, ce chiot. Juste comme je les aime. Très bien, vous ne me craignez pas. Mais vous avez peur de quelque chose, et je voudrais vous aider. Je déteste l'idée que vous soyez malheureuse.

Elle parut soudain alarmée.

— Laissez tomber, je vais très bien.

— Vous en êtes sûre ?

Elle s'éloigna, et il s'en voulut de sa maladresse. Après s'être bruyamment affairé dans la cuisine, Sam apparut avec sa propre tasse. Faith l'accompagnait avec son citron pressé, et Carolee se servit un second café.

Au début, ils burent en silence. Le vent s'était levé, et les branches du petit sapin devant la fenêtre frappaient régulièrement les carreaux. Par la porte ouverte, on voyait au loin la poussière tourbillonner au-dessus de la terre sèche. Max n'avait jamais goûté de tels moments de quiétude familiale. Chez lui, on ne se réunissait jamais pour le simple plaisir d'être ensemble.

Sam posa sa tasse sur le plateau.

— Ma petite-fille, dit-il à Faith, il est temps que nous ayons cette petite conversation dont je t'ai parlé.

Ils sortirent. Max guetta la réaction de Carolee. Elle n'avait pas prévu cela, et semblait soudain nerveuse. Un rien la perturbait.

Max entoura Digger de ses bras, le chiot se mit à ronfler doucement.

— C'est encore un bébé. Une boule d'énergie un instant, une chiffe molle l'instant d'après.

— Il est parfait pour un lieu comme celui-ci.

— Mais vous pensez qu'il sera malheureux en appartement. Faith vit à Seattle avec son père, n'est-ce pas ?

Elle opina.

— Peut-être que le mieux serait de le garder ici. Il serait là pour l'accueillir lorsqu'elle vient.

Carolee vint s'asseoir sur le divan et caressa le chiot.

— J'y ai songé, mais je connais ma fille. Elle n'acceptera jamais de ne le voir qu'un week-end par mois.

Max n'était pas au courant de ses droits de visite.

— Un week-end par mois, c'est peu.

— Ce n'est *rien* ! déclara-t-elle avec véhémence. Vous ne pouvez pas imaginer combien c'est difficile...

Elle se détourna, mais son émotion était palpable.

Il l'aurait volontiers prise dans ses bras pour la réconforter. Erreur fatale. Le mieux était de patienter, de la laisser parler si elle en éprouvait le besoin.

— Vous n'avez pas d'enfants ? lui demanda-t-elle, le prenant par surprise.

— Non.

— Y avez-vous déjà songé ?

C'était à son tour de subir un interrogatoire. Après tout, pourquoi pas ?

— Jusqu'ici, pas trop. Mais depuis quelque temps, je me dis que oui, j'aimerais en avoir.

— Parce que c'est ce qui se fait lorsqu'on atteint un certain âge ?

Il pinça les lèvres, réfléchit.

— Non, répondit-il enfin. Nous changeons tous. Autrefois, j'étais un peu tout fou. J'ai grandi trop vite. Je ne passe pas ma vie à rêver d'être père, mais cette perspective ne me déplaît pas.

— Vous n'avez jamais été marié ?

Il faillit s'esclaffer devant son air intimidé.

— On ne vous a jamais appris qu'il était impoli de poser des questions personnelles ? Non, je n'ai jamais été marié.

Allait-elle lui demander s'il en avait eu le projet ? Il ne savait pas trop comment lui répondre.

— J'avais dix-sept ans, quand je me suis mariée avec Kip. Je suis passée de l'enfance au statut d'épouse et de mère. Cela me convenait parfaitement. Je ne désirais rien d'autre. Sinon chanter, jouer du piano... et donner du plaisir au public, ajouta-t-elle en regardant ailleurs.

Faith passa le seuil en compagnie de Sam. Bien que très différente de sa mère, elle serait au moins aussi belle. Elle avait de grands yeux gris, d'une clarté et d'une innocence touchantes.

— Sam ! s'exclama Carolee avec trop de fougue. J'ai oublié de te demander si tu approuvais le choix du nom de Digger. C'est Faith qui l'a trouvé. C'est mignon, non ?

Sam grimaça.

— Tu crois ?

— Grand-père ! s'écria Faith en fronçant les sourcils.

— C'est l'équivalent australien de « copain », expliqua Carolee. Excellente idée, non ?

Max dissimula un sourire. Sam et Faith la contemplaient comme si elle avait perdu l'esprit.

— L'équivalent australien de « copain » ? répéta Sam.

Faith frotta le bout de sa chaussure sur le parquet.

— Elle aurait dû le baptiser « excavateur », marmonna Sam. Tu as bien vu qu'il creuse partout et enterre tout ce qu'il trouve. Faith a dû avoir du boulot pour replanter tes fleurs.

Carolee resta muette, mais Sam et Faith ricanèrent. Max, quant à lui, se garda de s'en mêler.

— Tu t'en serais aperçue tôt ou tard ! conclut Sam, magnanime. Faith et moi allons le ramener chez toi et le mettre dans sa cage pour la soirée.

— Pourquoi ?

Sam évita soigneusement le regard de sa fille.

— Faith et moi allons dîner dehors, et ensuite, au cinéma. C'est notre soirée. Votre dîner est prêt.

Le chien dormait si profondément que Max n'osa pas bouger. Il haussa un sourcil et attendit avec intérêt la réaction de Carolee.

Elle entrouvrit les lèvres et demeura ainsi, sans rien dire.

— Je peux y aller, hein, maman ?

Carolee sursauta et contempla le visage plein d'espoir de sa fille.

— Bien sûr, ma chérie. Je suis contente que tu passes du temps avec ton grand-père.

Max décida qu'il pouvait intervenir sans risque.

— Pourquoi le déranger ? Laissez-nous Digger. Il aime la compagnie.

— Vous êtes sûr ? demanda Sam, gêné.

— Si Carolee est d'accord.

Elle acquiesça, mais sans conviction. En fait, la question du chien lui importait peu.

Faith gratifia Max d'un grand sourire, et il en éprouva une joie inattendue. Elle semblait l'avoir accepté. Elle paraissait même l'apprécier.

— Parfait ! Allons-y ! Je vous ai préparé un délicieux ragoût. Pas besoin de le réchauffer, c'est déjà fait. Petits pains frais. Salade, gâteau au fromage. Deux bouteilles de vin sur le comptoir.

Sam et Faith quittèrent le cottage, et, quelques secondes plus tard, le moteur de la camionnette vrombit.

Max posa le menton sur la tête de Digger et ravala un fou rire.

Carolee se déplaça, s'assit sur une chaise, les bras croisés, une main sur sa bouche.

Digger claqua des lèvres et gémit dans son sommeil.

Plusieurs photos en noir et blanc ornaient le manteau de la cheminée. Max distingua quelques personnages d'une autre époque.

Les arômes en provenance de la cuisine le mettaient en appétit.

Carolee changea de position, tripota ses cheveux.

Max craqua. Il toussota, étouffant le premier éclat de rire, puis s'abandonna et rit à gorge déployée. Il se tapa sur la cuisse. Digger entrouvrit un œil.

— Je ne vois pas ce qu'il y a de drôle, fit Carolee.

Il eut un mouvement des épaules. Il était à bout de souffle. Elle eut une petite moue, mais les coins de sa bouche tressaillaient.

— Votre père, bredouilla-t-il enfin. Il est d'une subtilité redoutable, non ?

Son hilarité était contagieuse, et Carolee se mit à rire à son tour, à en pleurer. Elle essuya ses larmes.

— Ça devait être super quand vous étiez au lycée. C'est lui qui choisissait vos cavaliers ?

Elle secoua la tête, pliée en deux.

— Non. À cette époque, il m'interdisait carrément de sortir... Ce qui a sans doute contribué à la précocité de mon mariage. Là, il est dans une toute nouvelle phase, mais j'ai la nette impression que c'est vous qu'il a sélectionné. À votre place, je m'enfuirais à toutes jambes.

Prudence, prudence, songea-t-il. Ce n'était pas le moment de tout gâcher.

— Ça sent très bon. Si ça ne vous ennuie pas, je mangerai avant de m'enfuir.

— Bien entendu ! répliqua-t-elle en riant de plus belle, au bord de l'hystérie, comme si elle se retenait depuis trop longtemps.

Max déposa le chien sur les coussins, ramassa le plateau et l'emporta à la cuisine. Le couvert était préparé pour deux personnes. Il transféra le tout sur la table de la salle à manger.

Le chiot s'était rapproché d'un panier où sommeillait un énorme chat couleur caramel. Sa curiosité aiguisée, Digger planta son museau dans le ventre arrondi. Max attendit l'inévitable bagarre. En vain. Le chat se mit à ronronner comme un moteur et encouragea Digger en lui faisant patte de velours sur le crâne.

— Laissez, je vais mettre le couvert.

— Non, non, riposta Max. Vous les avez vus, tous les deux ?

Elle s'approcha du panier.

— C'est Taffy. Une vraie manipulatrice, et le chien adore ça. Laissez-moi faire, Max.

D'un geste, il lui fit signe de s'asseoir.

— C'est mon tour. Restez où vous êtes. Sam a tout préparé.

Le ragoût était appétissant à souhait. Max en remplit deux assiettes. Sam avait eu la bonne idée d'ouvrir les bouteilles afin de laisser respirer le vin.

Max savoura son repas avec délectation. Carolee avait du mal à avaler quoi que ce soit.

D'un commun accord, ils décidèrent que le gâteau au fromage pouvait attendre. Mais ils burent chacun deux verres de vin.

Le silence les enveloppa tandis qu'ils terminaient leur verre, mais l'atmosphère était détendue. Ils débarrassèrent la table, remplirent le lave-vaisselle. Digger eut droit à un morceau de viande.

Tout était rangé. Ni l'un ni l'autre ne souhaitait boire un café. De retour dans le salon, ils restèrent quelques instants face à face, les mains dans les poches.

Digger s'écroula aux pieds de Max.

Carolee toussota.

Max s'étonnait de manquer à ce point d'inspiration.

— C'est une belle soirée.

Bravo, mon vieux ! De mieux en mieux !

— Oui.

— Regardez l'eau du lac. Elle est rose.

Le soleil avait disparu derrière les montagnes à l'horizon, mais ses derniers rayons se reflétaient encore dans le lac. Carolee regarda par-dessus son épaule.

— Oui.

Bon ! Il avait le choix. S'asseoir. Rentrer chez lui. Inventer un subterfuge pour qu'ils se détendent.

— Vous n'avez pas froid ?

Dehors, le thermomètre devait afficher dans les vingt-quatre degrés.

— Non. Merci.

Et maintenant, le comble de l'originalité :

— Si nous allions nous promener au bord du lac ?

Il retint son souffle. Pourquoi se reprocher ces clichés ? Il n'avait guère eu l'occasion de renouveler son glossaire.

— Viens, Digger ! lança-t-elle. On va marcher un peu !

Elle sortit, laissant Max chercher ses bottes.

10

Un homme, une femme, un chien, contournant un bosquet pour poursuivre leur promenade au bord du lac. Quoi de plus banal ?

Un homme et une femme qui s'appartenaient, c'eût été plus banal encore.

— C'est un beau domaine, fit remarquer Max en envoyant un bâton au loin pour Digger. Il ne reste plus beaucoup de parcelles de cette taille, dans la région.

— J'adore cette propriété. Elle est dans la famille de ma mère depuis bien des années. Elle savait combien j'étais heureuse ici, et me l'a léguée.

— Et Sam, qu'en a-t-il pensé ? Et votre sœur ?

— Linda est sa fille d'un premier mariage. Il a très bien accepté la décision de maman. Sam a mis du temps à grandir, et quand il est enfin devenu adulte, il a eu de la chance que nous l'attendions encore. Il nous en est reconnaissant. Quand j'étais petite, il était toujours par monts et par vaux. Je suis contente qu'il soit là maintenant.

— Il n'aurait sans doute jamais dû se marier, constata Max en s'arrêtant pour observer Digger, qui creusait dans l'herbe au pied d'un aulne. Avouez qu'il est malin, ce chiot. Pas étonnant que vous n'ayez pas vu ses trous. Il choisit toujours la terre molle dissimulée dans la verdure. Adieu, joli bâton. Impossible de le retrouver si on ne le cherche pas.

— En tout cas, je vous ai tous fait rire, tout à l'heure, rappela Carolee.

La conversation était amicale, mais elle était tendue. Max avait raison. Certains hommes ne devraient jamais se marier. Il n'en avait peut-être pas conscience, mais il faisait sans doute allusion à sa propre personne.

Ils atteignirent le point où le vaste pré tondu cédait la place au lac. Côte à côte, ils contemplèrent le paysage. En de tels moments, elle savourait le silence. Max semblait le comprendre.

Le crépuscule tombait à peine, pourtant, le bateau qui passait était déjà tout illuminé. Ce devait être le ferry en route pour la marina de Kirkland. Les passagers se pressaient sur le pont pour admirer les rives encore presque totalement préservées.

Une troupe de canards fendit la surface du lac. Ils se suivaient à la queue leu leu en caquetant à tue-tête.

Max aspira une bouffée d'air, et Carolee l'observa à la dérobée. Ses lèvres étaient serrées, mais les coins de sa bouche qui remontaient naturellement adoucissaient son expression. Les mains sur les hanches, il offrait son visage à la brise.

La situation n'avait rien de banal. Elle était d'autant plus ambiguë que Carolee savait que Max s'intéressait à elle, alors qu'elle n'avait rien à lui offrir.

Sans lui demander la permission, il la saisit par la main et l'entraîna le long du sentier qui descendait vers le lac.

À un moment, elle trébucha ; il lui jeta un coup d'œil, hésita une fraction de seconde, et la retint. Machinalement, elle avait resserré sa prise sur sa grande main chaude et solide. Il ébaucha un sourire.

Avait-elle jamais eu une conscience aussi aiguë de la proximité de Kip ? Elle avait l'impression de percevoir sa présence par toutes les fibres de son corps. C'était très physique.

À chaque pas, son cœur faisait un bond. Elle ne voulait plus qu'il lâche sa main.

« Seule et triste », avait dit Sam. La solitude pouvait parfois se révéler dangereuse.

— La maison est encore plus jolie vue d'ici, déclara Max en se tournant vers la gauche. Le soleil se couche face aux fenêtres. De la véranda, je ne distinguais pas les fleurs tant la lumière était intense. Les parterres sont magnifiques.

Digger passa devant eux à la poursuite des canards sauvages, qui s'envolèrent sous son nez. Déçu, le chiot s'aventura dans l'eau.

— C'est un jardin très ancien, expliqua Carolee. Je me contente de l'entretenir. Je savais que si je souhaitais trouver la paix, c'était ici que je devais venir.

— Où étiez-vous auparavant ?

— À New York.

Elle ne parlait jamais de son passé, mais, avec Max, cela semblait tout naturel.

— Les premiers mois après... après mon divorce, j'y suis restée. Je ne venais à Seattle que pour voir Faith. J'ai continué à travailler, tout en limitant mes engagements. Mais j'avais besoin de jouer, pour oublier. Faith et moi passions notre temps ensemble dans un hôtel, c'était insupportable. Sam habitait le cottage, mais Lake Home était fermée depuis pas mal de temps. Je me suis dit que, même si ce n'était loin de me suffire, en m'installant ici, je serais plus près de Faith et nous nous verrions dans un endroit qu'elle aimait.

— Où avez-vous rencontré votre ex-mari ?

Il appuyait toujours exagérément sur le préfixe.

— Au lycée. Je vivais ici avec ma mère et Linda – et Sam, quand il daignait se montrer. Kip et moi avions aussi une maison à Los Angeles, mais elle a été vendue. Il a récupéré les fonds pour acheter son appartement à Seattle. Son atelier est superbe, lumineux à souhait.

— C'est bien.

Il ne l'avait pas lâchée. Carolee fixa délibérément leurs mains jointes. Il haussa un sourcil, se pencha, et déposa un bref baiser sur ses phalanges avant de la libérer.

Elle avait tort de le comparer à Kip, mais jamais Kip n'aurait eu un geste aussi désarmant.

Chaque être était unique. À quoi bon chercher des parallèles ?

Max posa la main au creux de sa taille et la poussa légèrement devant lui. La nuit ne tarderait pas à tomber. De l'autre côté du lac, Seattle scintillait de tous ses feux.

Le chiot émergea de l'eau, s'élança dans le chemin, puis, tout à coup, se laissa tomber sur le sol. Il mâchouillait un objet informe.

— Vous commencez à vous habituer à cet arrangement avec votre ex-mari ? Concernant Faith, j'entends.

— Non ! s'écria-t-elle en croisant les bras, le regard tourné vers la ville. *Non !* Comment serait-ce possible ? Je ne m'y ferai jamais. Je m'y refuse. Je vais me battre pour obtenir au moins une garde alternée. J'espère qu'il y consentira. Parfois, il me tend une carotte et me fait croire qu'il acceptera, mais ce n'est qu'un jeu.

Carolee aperçut les bottes de Max avant de se rendre compte qu'il se tenait devant elle.

— Ne vous fâchez pas. Je suis désolé, j'ai été maladroit.

— Vous n'imaginez pas ce que je ressens. On me prive de ma fille, et je ne le supporte plus. J'ai déjà été punie pour ma négligence, ajouta-t-elle en levant les yeux vers lui. On a abusé de moi parce que j'ai été trop sotte pour anticiper ce qui se préparait. Mais je vais lutter. Il le faut pour Faith, pour moi, pour toutes les femmes manipulées par des hommes qui savent utiliser la loi à leur avantage.

— Tous les hommes ne sont pas ainsi.

— Je n'ai jamais dit cela, rétorqua-t-elle vivement, avant de lâcher un soupir. Excusez-moi.

Il faillit lui caresser le visage, se retint.

— Avez-vous entrepris des démarches ?

— Non. Il faut que je sois prudente.

— Vous avez envie d'en parler.

— Pas vraiment.
— Très bien.
— Mais je vais vous expliquer quand même. Quand ça m'est tombé dessus, j'étais si choquée que j'ai été incapable de me battre. J'ai adhéré à tout. Je n'ai réfuté aucune accusation. Kip pouvait prouver le rôle qu'il avait joué dans la vie de Faith, le temps qu'il lui consacrait. Peu importe qu'il m'ait encouragée à poursuivre ma carrière, ou que j'aie cru qu'il était d'accord.

Max fronça les sourcils. Il la dévisagea sans ciller, mais ne dit rien.

Les goélands se mirent à crier.

— Le temps va changer, annonça Carolee, soulagée par cette diversion.

Il émit un son indistinct.

Le ciel strié de rouge, de rose et de violet démentait les prévisions de la jeune femme.

— En somme, votre ex-mari n'était pas heureux de la situation.
— Je ne l'ai su que lorsqu'il a demandé le divorce.
— Mais il ne vous l'avait jamais reproché avant cela?
— Il prétendait qu'il était fier de moi, qu'il fallait que je saisisse ma chance. Que nous en profiterions tous. L'argent n'était plus un problème. Bientôt, il a eu son atelier – il est peintre – et il m'a dit qu'il était heureux de s'occuper de Faith. Je suppose qu'il s'en est lassé, mais qu'il n'osait pas m'en parler.
— Jusqu'au jour où il a craché le morceau.
— J'avais pourtant suggéré d'annuler les tournées, murmura-t-elle. Quand je me suis installée ici, j'ai tout arrêté. À quelques exceptions près. Je ne suis pas repartie depuis ce jour où je suis rentrée à la maison – c'était à Noël, il y a deux ans – et qu'il m'a mise devant le fait accompli.
— Quand vous dites « à quelques exceptions près », vous faites allusion à vos prestations chez Brandy?
— Oui. Je joue aussi une fois par mois dans mon club de New York. Si je veux le garder, et j'y tiens, il faut

que je m'y montre. Ce mois-ci, je n'irai pas, puisque Faith est là.

— Vous n'avez donc pas réussi à lui faire changer d'avis ?

Elle sentit des picotements sous ses paupières et ferma les yeux.

— Selon lui, c'était trop tard. J'avais porté atteinte à sa virilité. Il avait négligé sa propre carrière depuis si longtemps qu'il craignait d'avoir perdu la main. Il avait attendu encore et encore, dans l'espoir que je me déciderais à rester à la maison avec eux. Après tout, l'argent n'était pas un problème. Certaines personnes n'ont pas hésité à affirmer que j'étais une fêtarde. Que je *m'éclatais* pendant mes séjours à l'étranger. Quel mensonge ! Je suis une solitaire, je l'ai toujours été. Mais les solitaires n'ont pas de témoins.

Le visage fermé, Max se pencha pour ramasser quelques galets. Carolee supposa qu'il se donnait le temps de la réflexion.

— Vous voulez vous asseoir ? Il y a un banc, là-bas.

Carolee redressa les épaules et se força à sourire.

— Je le connais bien. Il est à moi, et il tient à peine debout... On peut toujours essayer, j'espère qu'il ne s'effondrera pas sous notre poids.

Elle s'éloigna d'un pas vif et entendit Max glousser derrière elle. Au fond, c'était facile de cacher ses sentiments, ou, du moins, de faire bonne figure.

Digger la devança en gambadant, comme s'il savait où elle allait. Carolee attendit que Max la rattrape.

— Asseyez-vous, je vous en prie ! offrit-il.

— Vous plaisantez ? Après vous. S'il tient le coup, je prendrai peut-être le risque.

Max s'installa sans hésiter. Il posa une cheville sur le genou opposé, puis croisa les bras et la contempla.

Max la désirait, songea Carolee. Comme d'autres hommes avant lui – show-biz et sexe allaient de pair ! Elle avait toujours ignoré leurs avances. Seul, Kip l'intéressait. Il avait décidé de se débarrasser d'elle, et elle en avait terriblement souffert. Encore aujourd'hui, elle n'était pas certaine de ne plus éprouver aucun sentiment pour lui.

— Qu'avez-vous ? s'enquit Max.

— Rien, mentit-elle.

Elle se percha sur le banc, à une distance respectable. Max Wolfe avait réussi à atteindre cet endroit secret, tout au fond d'elle-même, qu'elle voulait ignorer. Un endroit où elle entretenait des rêves comme celui de s'endormir dans les bras d'un homme dont elle serait passionnément éprise, et réciproquement. Elle lui glissa un regard. Les manches roulées de sa chemise révélaient des avant-bras musclés, bronzés. Il avait de belles mains qui la fascinaient. À l'idée qu'il pût la toucher, elle sentit sa peau s'échauffer.

Las d'attendre qu'on s'occupe de lui, Digger se roula en boule en mordillant un caillou.

Max se pencha en avant, les coudes sur les cuisses.

— Dites-moi de m'en aller, je m'en irai.

Comment le blâmer d'être fatigué de son silence ?

— Je sais que je mets les gens mal à l'aise. Pour quelqu'un qui a passé tant de temps à se donner en spectacle, je ne suis pas très douée pour établir le contact.

— Ne changez pas.

Elle se passa la main dans les cheveux.

— Je ne sais pas quoi répondre à cela.

— C'était un compliment. Vous avez toutes les raisons d'être arrogante. Pourtant, vous êtes tout le contraire.

— Ne partez pas.

Elle baissa la tête, consciente qu'il pouvait interpréter ses paroles comme un encouragement. Elle ne le regrettait pas.

Le crépuscule avait fait place à la nuit. La température s'était rafraîchie, mais pas assez pour être désagréable. Max lui jeta un regard.

— Si j'ai bien compris, vous venez de me demander de rester. À moins que je n'aie rêvé ?

Elle joignit les mains derrière la nuque.

— Je ne me plains jamais d'être seule, mais c'est aussi agréable d'avoir de la compagnie.

— Vous êtes souvent seule ?

— Sam a besoin de son espace et moi, du mien.

— En d'autres termes, vous pouvez vous passer des autres.

Elle pouvait choisir la solution de facilité et répondre « oui ». Mais serait-ce vraiment si facile ?

— Je ne me suis jamais beaucoup soucié d'avoir des amis, reprit Max. Jusqu'à ce que j'aie cet accident et que je me rende compte à quelle vitesse on vous oubliait. Je ne m'en plains pas, c'est une simple constatation.

— Je n'y connais rien en football. Vous étiez célèbre, n'est-ce pas ? Sam m'a dit que vous jouiez dans l'équipe des Broncos.

Il se redressa et étendit les bras sur le dossier du banc, l'un reposant juste derrière Carolee.

— Oui. J'ai eu beaucoup de chance. J'étais célèbre, en effet. Je m'y suis habitué – mais vous connaissez ça aussi bien que moi. Puis, du jour au lendemain, je n'étais plus rien ; du moins, je l'imaginais. C'est ce sentiment-là qu'il m'a fallu surmonter.

— D'après Sam, vous avez été écrasé par un camion.

— Une camionnette, rectifia-t-il en riant. Une minute, je changeais le pneu, la minute d'après, mes jambes étaient coincées et ma carrière finie. Le véhicule était garé en pente. Il a glissé du cric. Et voilà. Fin de l'histoire. Je m'en suis très bien sorti. Pendant des mois, pourtant, j'en ai voulu au monde entier. Puis, un beau jour, je me suis ressaisi. J'ai découvert que j'avais le droit de me morfondre, mais pour des raisons valables. J'avais gagné de quoi monter l'entreprise dont j'avais toujours rêvé. Je ne prévoyais pas de me lancer dans ce projet aussi vite, mais on ne peut pas tout maîtriser. Aujourd'hui, je renoue avec le football en entraînant des jeunes.

— Vous vous êtes remis rapidement ? Vous n'avez pas longtemps eu l'impression d'avoir tout perdu ?

Ses doigts s'aventurèrent sur la nuque de Carolee.

Un geste simple, anodin, qui la pétrifia. Elle n'avait aucune envie de s'éloigner, mais elle était terrifiée à l'idée de rester là où elle se trouvait. Elle sentit sa respiration s'accélérer mais demeura immobile.

— J'ai connu un moment de désespoir. Quand on sort de nulle part et que, soudain, les gens vous adulent, on se met à croire qu'on est vraiment *quelqu'un*. J'avais toutes les femmes à mes pieds. Je sais, ajouta-t-il en haussant les épaules, ça peut paraître vain, mais, après tout, je ne suis qu'un homme. Ensuite est venu le temps de la pitié, des chuchotements, des regards détournés. C'est ce que je détestais le plus. La pitié.

— Je vous comprends, fit-elle doucement. Pour moi, ce fut tout le contraire. On ne m'a pas prise en pitié. On m'a jugée, on a décidé que j'étais une mauvaise mère qui ne méritait pas son enfant. Quand on me dévisage dans la rue, j'en suis malade. Je suis celle qui s'est servie de son mari pour mener la belle vie. À cause de moi, il a dû renoncer à ses projets.

Max lui caressa le cou, presque distraitement.

— Il ne pouvait pas continuer à peindre ? Il n'y avait personne pour s'occuper de Faith ?

— Si, bien sûr. Quand elle était bébé, nous avions une nounou. Par la suite, il y a toujours eu une gouvernante et divers domestiques. Et ça continue, précisa-t-elle malgré elle.

Max ne releva pas.

— Qu'avez-vous étudié, à l'université ?

Il enroula une boucle de ses cheveux autour de son index.

— L'informatique. On m'a recruté pour l'équipe de football, à la sortie du lycée. Je ne me doutais pas, à l'époque, que j'avais choisi la voie royale. Ça m'intéressait, j'ai foncé.

— Vous dirigez une entreprise d'informatique ?

— Nos produits sont destinés à la protection des systèmes informatiques des grandes entreprises. Nous dépistons les bugs, nous traquons les pirates. C'est complexe, mais très excitant.

— Vos bureaux sont à Seattle.

— À Pioneer Square. Si ça vous amuse, je vous ferai visiter nos locaux. Préparez-vous à rencontrer une armée de génies accros à la souris.

Sur ces mots, il glissa la main dans son dos.

— Il commence à faire froid, risqua Carolee.

— Vous voulez rentrer ?

— Pas vraiment, mais ce serait mieux. Vous voulez un café ?

— Avec plaisir.

Elle se leva et il fut aussitôt à ses côtés.

— Allez, Digger ! On y va ! lança-t-elle.

Le chiot bâilla, s'étira, se dressa maladroitement sur ses pattes sans lâcher son caillou.

— Prenez mon bras pour remonter, proposa Max.

À peine lui eut-elle obéi qu'il plaqua la main de Carolee contre son flanc.

— C'est curieux, comme on peut inventer des prétextes stupides, continua-t-il tandis qu'ils se mettaient en marche. En fait, nous ne risquons ni l'un ni l'autre de tomber. J'aime sentir votre main contre moi, c'est tout.

Il eut un rire embarrassé.

— Je ne crois pas m'être jamais trouvé dans une situation plus difficile. Je sais qu'avec vous, je dois avancer avec précaution, pour ne pas vous effaroucher. Alors que je n'ai qu'une envie, Carolee, vous prendre dans mes bras.

Elle sentit son cœur s'emballer.

— Vous êtes un homme bon, et je vous crois sincère. Je n'ai pas rencontré beaucoup de gens sincères dans ma vie. Mais, en ce moment, je me dois d'être irréprochable.

— Parce que vous allez entamer des démarches légales vis-à-vis de Faith ?

— J'ai l'intention d'agir, si possible sans les juges. Faith a suffisamment souffert comme ça. Mais s'il faut retourner au tribunal, j'y retournerai.

Ils marchèrent lentement, serrés l'un contre l'autre.

— Vous êtes célibataire. Vous devriez être libre d'avoir un ami si vous le souhaitez.

— C'est ce que me répète Sam à longueur de journée.

Elle s'immobilisa, libéra sa main.

— J'ai peur, Max, avoua-t-elle. Kip pourrait prétendre que c'est mauvais pour Faith que je remplace son père. Il pourrait avancer que c'est la preuve que je me détache... d'eux deux.

— Qu'êtes-vous censée faire ? Porter le deuil jusqu'à la fin de vos jours ? observa-t-il, la voix soudain dure. Et lui, il est seul ?

— Je n'en sais rien. Cela ne me regarde pas.

— Mais ce que vous faites le regarde.

Elle réfléchit un instant. Le vent s'était levé, et un banc de nuages masquait la lune.

— Non, mais il a décidé une fois pour toutes qu'il était la victime et moi, le bourreau. Ça ne me plaît pas, je sais que ce n'est pas fondé, mais je me méfie trop du système pour prendre le moindre risque.

— Venez ici, Carolee. S'il vous plaît. Il commence à faire frais. Pourquoi ne pas nous réchauffer l'un l'autre ?

— Parce que j'en ai trop envie ! souffla-t-elle. Je m'efforce de ne pas mentir. J'aimerais me blottir dans vos bras. Je suis fatiguée de faire toujours front toute seule.

Il l'attrapa par les poignets et l'attira contre lui.

— Je vais me jeter à l'eau : est-ce que n'importe quel homme ferait l'affaire ? Ou est-ce dans mes bras en particulier que vous avez envie d'être ?

— Jetez-vous à l'eau.

Il s'inclina juste assez pour lui chuchoter à l'oreille :

— Vous me plaisez énormément, Carolee.

— Vous aussi, avoua-t-elle.

Il effleura sa joue de ses lèvres, à peine un souffle, puis l'enlaça. Chancelants, ils demeurèrent ainsi, pressés l'un contre l'autre, le souffle court, tous leurs sens en émoi. Max lui caressait le dos, de la nuque aux reins. Ses mains étaient à la fois solides et douces.

Carolee se haussa sur la pointe des pieds, noua les bras autour de son cou et enfouit ses doigts dans ses cheveux, le visage levé vers lui. Le scintillement de ses yeux, la blancheur de ses dents, l'odeur de savon qui émanait de lui... sa seule présence la bouleversèrent. Tout son corps était en éveil.

Max posa la bouche sur sa joue.

— Serrez-moi encore plus fort, murmura-t-elle.

Il glissa les mains sous son tee-shirt, explora son dos, sa taille. Carolee s'abandonna sans remords à ces caresses, l'étreignit à son tour. Elle repoussa le col de sa chemise, déposa un baiser dans son cou – et sentit ses mains trembler sur sa taille. Elle s'écarta alors légèrement pour lui caresser le torse. Il respirait à peine.

Elle aurait voulu qu'il lui touche les seins, mais il n'en fit rien. Lorsqu'il se risqua enfin à parler, sa voix était rauque.

— Je ferais mieux de vous ramener chez vous.

— Entendu, dit-elle en se détachant de lui.

Il la retint.

— Puis-je vous embrasser d'abord ?

Comment refuser ? Elle n'en avait de toute façon pas envie. S'accrochant à ses épaules, elle approcha ses lèvres des siennes. Au début, il parvint à se contenir, mais très vite, elle dut se retenir à sa chemise pour ne pas vaciller.

Leur baiser fut fougueux, presque sauvage. Chacun explorait la bouche de l'autre avec une ardeur folle. Petit à petit, ils se calmèrent, conscients que s'ils continuaient ainsi, ils risquaient de ne plus pouvoir s'arrêter. Toujours étroitement enlacés, ils oscillaient doucement, attendant que l'ivresse qui venait de s'emparer d'eux se dissipe un peu.

— J'attends ce moment depuis que je vous ai vue pour la première fois, murmura-t-il. Ne vous inquiétez pas, nous prendrons tout notre temps. Et nous serons prudents.

Ses paroles lui rappelèrent brutalement combien ce qu'ils faisaient était dangereux, mais elle n'était pas prête à renoncer au plaisir d'être avec lui.

— Cela ne vous ennuie pas que je monte à cheval avec Faith, ou préférez-vous que j'abandonne ? reprit-il.

De nouveau, la balle était dans son camp. C'était sa façon à lui de lui demander : « On continue, ou on s'arrête là ? »

— Vous m'avez vue tout à l'heure, je suis une piètre cavalière. Quant à Sam, il est trop fatigué. Le problème, c'est que je souhaite passer le plus de temps possible avec Faith. Il n'est pas question pour moi de l'envoyer prendre des cours ailleurs. Donc, par défaut, vous serez son professeur. Merci.

— Tout le plaisir est pour moi, riposta-t-il d'une drôle de voix.

11

— Jouez-moi quelque chose.

S'il avait été raisonnable, il l'aurait raccompagnée chez elle et serait parti aussitôt. Mais l'imprudence l'avait emporté : il ne reculerait devant rien pour avoir une place dans sa vie.

Carolee lui apporta son café là où il se trouvait, près du piano.

— J'ai de la liqueur de poire, et je crois qu'il me reste un peu de Drambuie, si cela vous dit.

Il goûta une gorgée de café.

— Merci, mais votre café est excellent, il se suffit à lui-même.

La perspective de l'entendre jouer juste pour lui le remplissait de joie, mais elle ne fit aucun mouvement en direction de la banquette. Au contraire.

— Faith s'intéresse à l'informatique, dit-elle en s'éloignant un peu. Si je l'emmenais visiter vos locaux au grand jour, ce serait parfait. Il est peu probable que qui que ce soit le sache, mais au cas où Kip l'apprendrait, il ne pourrait pas m'accuser d'agir derrière son dos.

Max eut du mal à avaler sa gorgée de café brûlant.

— Je vous mets mal à l'aise, bredouilla Carolee, écarlate. C'est une idée stupide.

— Pas du tout ! protesta-t-il. Je m'étrangle, c'est tout ; j'ai bu trop vite. Je serais content que vous veniez avec Faith. Elle n'aura aucun mal à s'intégrer. La plupart de mes employés sont de grands enfants particulièrement brillants. Dites-lui qu'elle apprenne à jouer au « foosball » tout en mangeant des hamburgers – et en portant un casque pour écouter de la musique rock.

— On dirait qu'il y a une ambiance folle, dans vos bureaux ! Mais vous n'êtes pas obligé, je vous assure...

Il posa sa tasse et saisit Carolee par les mains. Elle eut un geste de recul. S'il se montrait trop pressant, leur histoire serait terminée avant même d'avoir commencé.

— J'aimerais beaucoup que vous veniez avec Faith. D'accord ? Quel jour vous conviendrait ?

Elle se dégagea, et le contourna, lui effleurant brièvement l'épaule au passage.

— Je vous appellerai.

Lorsqu'il se retourna, elle était assise, le regard rivé sur le clavier.

Il n'osa ni bouger ni parler, de peur qu'elle ne change d'avis.

Les notes se succédèrent, rapides, capricieuses. Penchée en avant, elle improvisa sur un air qu'il ne reconnut pas tout d'abord. Elle laissa courir une seule main sur les touches, encore et encore, la tête baissée, inclinée sur la droite pour mieux s'écouter.

Quand elle se redressa, elle lui adressa un sourire presque espiègle.

Max s'empara d'une chaise et s'installa aussi près que possible.

Il n'y a pas si longtemps, il en aurait ri, mais c'était vraiment cela l'intimité. Le corps de Carolee se mouvait au rythme de la mélodie. Lèvres entrouvertes, elle renversa la tête en arrière. Peu importait qu'elle fût en jean et en tee-shirt plutôt qu'en robe longue, elle s'abandonnait entièrement à la musique ; son piano et elle ne faisaient plus qu'un.

— Vous reconnaissez ce refrain ? lança-t-elle.

Il grimaça, feignit de s'absorber dans de profondes réflexions.

— J'en étais sûre ! s'exclama-t-elle, le sourire aux lèvres, avant de s'arrêter un instant, les mains suspendues au-dessus des touches. Je vous donne un indice : Henri VIII.

— Henri VIII ?

Elle se mit à chanter, entre deux gloussements.

— Alors... ?

Alors ? S'il en avait eu le pouvoir, il aurait voulu que le monde cesse de tourner. Là. Tout de suite.

— Ah ! J'y suis ! s'écria-t-il en claquant des doigts. *Greensleeves !* Mais quel est le rapport avec Henri VIII ?

— C'est lui qui l'a composé.

— Non !

— Si ! affirma-t-elle, les yeux brillants. Selon moi, il devait être très amoureux.

— Dommage qu'il ait aimé tant de femmes.

— Certaines personnes sont ainsi. Elles tombent éperdument amoureuses une fois, deux fois, dix fois.

Son visage redevint grave, et il se demanda ce qui se passait. Elle s'immergea dans sa musique, se laissa dériver hors des murs, loin, loin... Et elle semblait si triste.

Aussi soudainement qu'elle avait commencé à jouer, elle s'arrêta et croisa les mains sur ses genoux.

Max demeura silencieux, sur le qui-vive.

Elle était au bord des larmes.

C'en était trop. Il se leva, posa l'index sous son menton, l'obligea à le regarder.

— Désolée, murmura-t-elle. Je ne sais pas ce qui me prend.

Il était convaincu du contraire, mais il n'osait pas insister.

— Vous êtes angoissée. Cela se comprend.

— Il faut que je me ressaisisse, que je dresse un plan. Je perds trop de temps.

Max l'embrassa sur le front.

— Vous y arriverez.

Il aurait donné cher pour savoir exactement ce qui la tracassait. S'il se fiait aux sous-entendus de Brandy concernant sa mère, Carolee ne faisait pas uniquement allusion à l'échec de son mariage.

Lorsqu'il leva de nouveau son visage vers lui, elle ferma les paupières. Elle semblait blessée, perdue. Max s'agenouilla près d'elle et la serra dans ses bras. Elle ne répondit pas à son étreinte, mais ne le repoussa pas non plus. Elle posa la tête sur son épaule. Il lui caressa les cheveux, les écarta doucement de sa nuque.

Elle était en manque. Mais Max ne voulait pas que ce soit la seule raison pour qu'elle accepte ses avances.

— Je me sens très à l'aise avec vous, je me demande pourquoi, fit-elle à mi-voix.

Pourquoi, oh, pourquoi ? Avec un peu de chance, elle se montrerait assez vulnérable pour qu'il parvienne à percer sa carapace et à pénétrer dans son univers.

— Peut-être que c'est parce que j'en ai terriblement envie, répondit-il. J'ai utilisé mes pouvoirs psychiques sur vous.

Elle le gratifia d'un baiser dans le cou, comme un peu plus tôt en revenant du lac, et soudain, il se moqua pas mal qu'elle ne le désire que parce qu'elle était en manque ! Avec du temps et de la patience, il réussirait à l'ensorceler.

— Carolee, chuchota-t-il.

Comme elle se redressait pour le regarder, il pressa doucement ses lèvres sur les siennes. Puis il se hissa à ses côtés sur la banquette. C'était l'instant de tous les dangers.

Elle avait sa paume contre son ventre, et il avait un mal fou à se maîtriser. Il la cala contre son bras et déposa une série de baisers sur sa gorge, puis plus bas encore, toujours plus bas. Il avait de l'imagination – assez pour ne pas oublier que seul le tee-shirt séparait ses lèvres de sa peau nue.

Un bruit de pas sur la véranda brisa sa concentration, et il se redressa. Carolee se glissa un peu plus loin sur la banquette, et il regagna sa chaise. Elle avait les cheveux emmêlés – très sexy –, et elle affichait une expression coupable.

La porte-moustiquaire claqua, et Faith apparut, suivie de Sam. Ignorant Carolee et Max, la fillette se précipita vers Digger.

— Bonne soirée ? demanda Max.

— Épatante ! clama Sam.

Carolee rencontra le regard de Max. La bonne humeur de Sam était exagérée.

— Et vous ? Comment était mon ragoût ?

— Exquis ! répondit Carolee. Ensuite, Digger nous a emmenés nous promener. Il boude parce que les canards ont refusé de jouer avec lui.

Sam s'esclaffa.

— Tu entends ça, Faith ? Il a du tempérament, ce petit.

Max remarqua la façon dont Carolee observait son père. La profondeur de son amour l'émut, mais il crut déceler autre chose. Ou elle était inquiète à son sujet, ou elle avait un compte à régler. Après tout ce temps, il doutait que cela ait un lien avec ses errances passées.

— Je vais vous laisser, annonça Max. Je travaille, demain matin. Faith, ta maman m'a dit que tu t'intéressais à l'informatique. Je dirige une entreprise qui conçoit des logiciels spécialisés. Est-ce que cela te ferait plaisir de la visiter ?

Elle opina.

— Bien ! Voici mes coordonnées, ajouta-t-il en sortant une carte de visite de son portefeuille et en la posant sur le piano. Demande à ta mère de t'amener en ville. Tu verrais les bureaux et, ensuite, je vous inviterais toutes les deux à déjeuner. D'accord ?

Faith se contenta de hocher de nouveau la tête.

— Avec grand plaisir ! renchérit Carolee.

— Parfait ! Et puis non, c'est moi qui vous appellerai pour tout organiser.

Sam se dirigeait déjà vers la sortie.

— Je vais me coucher. Il faut que je sois en pleine forme pour ma petite-fille. Bonne nuit !

Il disparut après que tous lui eurent souhaité bonne nuit. Max se rappela qu'il avait laissé son chapeau chez Sam. Peu importe, il le récupérerait un autre jour.

— Bon ! j'y vais, déclara-t-il à son tour. Faites de beaux rêves. Carolee, n'oubliez pas de fermer les portes à clé.

Il avait tort de la materner, mais c'était plus fort que lui.

— Bonne nuit, Max, fit Carolee en le dévisageant d'un air qui trahissait son combat intérieur contre ses sentiments.

— Salut ! lança Faith en se levant.

Elle le gratifia d'un sourire machinal, mais c'était déjà un progrès et il agita la main dans sa direction.

Sa voiture était garée près de la route. Tandis qu'il remontait la pente, il ne put s'empêcher de se retourner à plusieurs reprises. Dans la nuit, la maison éclairée ressemblait à un îlot doré.

Il retint un soupir. Il pouvait se désengager facilement. Il lui suffisait de ne pas téléphoner à Carolee, ou de se dérober aux requêtes de Sam. Et si, par hasard, il croisait la jeune femme dans la rue, rien ne lui interdisait de se détourner, ou de la saluer de loin.

Il n'était pas en mesure de sauver qui que ce fût. Il avait suffisamment de problèmes comme ça. Pourtant, il avait le sentiment que s'il renonçait à Carolee Burns maintenant, il le regretterait jusqu'à la fin de ses jours. Peut-être… peut-être qu'ils étaient faits l'un pour l'autre.

Tu parles !

12

— Tu t'es bien amusée avec grand-père ?

Faith était assise par terre, la tête de Digger sur ses genoux.

— Pas mal.

— Comment ça, « pas mal » ? insista Carolee, qui n'aimait pas la voir se comporter en enfant gâtée.

— C'était pas mal, répéta Faith. Je ne vais pas te mentir !

Laisse tomber, songea Carolee.

— En effet. Qu'avez-vous mangé ?

Le regard de Faith se déroba.

— Des *kebabs* aux crevettes.

— Mmm ! C'est un de mes plats préférés.

— Je sais. Grand-père les a commandés en disant que ça me plairait parce que ça te plaisait à toi.

Un sentiment de désarroi submergea Carolee. Faith se montrait délibérément récalcitrante.

— J'ai acheté ta glace favorite. Caramel et coulis aux pralines. Tu en veux ?

— J'aimais bien ça, avant. Quand j'étais plus jeune. Je n'en prends plus.

Carolee se rappela que Kip avait recommandé à Faith de surveiller son alimentation pour ne pas gâcher les efforts de Mme Jolly. Elle hésita, puis :

— Tu n'es pas au régime, j'espère ? Tu n'en as pas besoin et, à ton âge, ça peut être dangereux.

Faith se pencha sur Digger, mais pas assez vite pour cacher ses larmes. Quelle image négative d'elle-même Kip lui renvoyait-il ?

— Tant pis ! Il y en aura plus pour moi ! Que dirais-tu d'une partie de Scrabble ?

— Bof ! Pas ce soir, marmonna la fillette en se levant. Est-ce que je peux téléphoner à papa ?

L'estomac de Carolee se noua. Elle en était malade. Le comportement de Faith la désarçonnait.

— Bien sûr, ma chérie. Il sera content de t'entendre. Je pense qu'il essaie de ne pas t'appeler trop souvent quand tu es ici, pour ne pas nous interrompre dans nos activités.

Qui se réduisaient à presque rien…

Faith s'approcha de l'appareil et composa le numéro, visiblement agacée par cet instrument qu'elle devait trouver horriblement démodé.

— Allô ? Papa, tu es là ? s'enquit-elle au bout d'un long moment. Bon. C'est Faith. J'avais envie de te parler. Je te rappellerai demain soir si maman est d'accord.

Elle raccrocha, et Carolee faillit se mettre à pleurer devant son air désespéré.

— Parfois, il ne répond pas, expliqua la petite. S'il a des invités, il branche le répondeur. À moins qu'il ne soit sorti.

Carolee eut tout à coup très envie de savoir quel genre d'« invités » Kip recevait. Qu'est-ce qui lui prenait ? Elle ne s'en était jamais préoccupée jusqu'à présent.

— Je vais me coucher, annonça Faith. Dehors, Digger. Dépêche-toi !

Elle lui ouvrit la porte et l'attendit sur le seuil. Il revint peu après, les pattes pleines de terre, un os dans la gueule.

Carolee lui essuya les pattes.

Faith claqua la main sur sa cuisse pour appeler le chiot et monta sans un mot.

La sonnerie retentit, et Carolee décrocha aussitôt.

— Allô ?

Elle s'attendait que ce soit Kip, mais c'était Linda, qui l'appelait de Chicago.

— Salut ! C'est la sœur prodigue.

Levant les yeux au ciel, Carolee s'assit pour écouter les toutes dernières aventures de Linda, qui seraient immanquablement suivies d'un torrent de conseils pour « la Souris » – c'était ainsi qu'elle avait surnommé Carolee.

— Tu es là ?

— Oui.

— Quoi de neuf ?

— Je suis à Lake Home. Faith est arrivée pour un mois. Sam est heureux de jouer les grands-pères à plein temps. Il a loué des chevaux pour qu'on puisse monter ensemble.

Linda bâilla.

— Ivy m'a appelée. D'après elle, il y aurait un homme merveilleux à l'horizon.

Ce commentaire glaça Carolee.

— Elle est complètement cinglée. Si tu avais vu la manière dont elle s'est comportée ! C'est un ami de Sam. Il se trouve qu'il a une trentaine d'années et qu'il est plutôt beau. Ex-pro de football. Il était dans l'équipe des Broncos. Quand Ivy a enfin cessé de baver – c'est-à-dire après son départ –, elle n'a eu de cesse de me répéter que nous formerions un couple merveilleux. Laisse tomber. C'est un mythe.

— Dommage, roucoula Linda de sa voix rauque. J'ai rencontré un financier. Superbe ! Et il a de l'argent à ne plus savoir qu'en faire !

Elle gloussa.

— Il me couvre de cadeaux. Il veut m'épouser, bien sûr, mais je ne suis pas prête à me repasser la corde au cou. J'accepterai peut-être de vivre avec lui.

Carolee n'avait aucune envie d'encourager Linda à se répandre sur son sujet préféré : ses conquêtes.

— Tu vois Ted de temps en temps ?

Elle avait toujours admiré l'ex-mari de sa sœur. Cette dernière poussa un profond soupir.

— Seulement quand il me pousse à bout et que, de guerre lasse, je finis par déjeuner avec lui – environ une fois par semaine. Je lui dis de m'oublier, d'en trouver une autre. Ça fait deux ans que ça dure, et il n'a toujours pas compris le message. Tu le connais : il a horreur du changement.

— Il t'aime. Mais c'est ton problème.

— Je m'ennuie, reprit Linda, championne olympique des gémissements. Je t'en prie, invite-moi à passer quelques jours. Trois ou quatre. Je pourrais quitter Chicago mercredi et rentrer samedi. Albert donne une soirée en mon honneur samedi soir. À mon avis, il va essayer de réitérer son offre de mariage devant tous ces gens, histoire de me piéger. S'il croit que je vais tomber dans le panneau, il se trompe.

— Faith...

— Je sais. Faith est là. J'aimerais la voir, moi aussi. Je te promets d'être sage comme une image. Je ne l'accaparerai pas, mais on pourrait au moins partager quelques repas et faire une ou deux balades à cheval. Remarque, ça, je n'y tiens pas trop. Le reste du temps, je resterai avec papa.

Carolee contempla le plafond. Elle n'était même pas certaine de pouvoir continuer à aimer celle avec qui elle avait grandi, d'autant que Linda était responsable du drame que Carolee n'avait jamais pu oublier. C'était arrivé pendant l'une des absences de Sam. Elle préférait ne pas penser à la façon dont Linda avait sali sa mère.

— Tu es toujours là ?

— Oui, oui. C'est entendu. Ça ne t'ennuie pas de loger chez Sam ? Je ne souhaite pas être envahie, ce n'est pas le moment.

Le long silence qui suivit l'invitait à se sentir coupable et à revenir sur sa décision. Carolee se tut.

— Très bien, finit par répondre Linda. Comme tu veux. À mercredi.

Elle raccrocha avant que Carolee n'ait le temps de lui suggérer de retarder sa visite d'une semaine.

Elle laissa la lumière allumée dans la cuisine et monta au premier. Elle se sentait soudain très lasse.

— Faith ? appela-t-elle en frappant un coup discret à la porte de sa fille. C'est maman. Je peux entrer ?

— Si tu veux.

Ici comme dans les autres pièces, les murs étaient recouverts de lambris. Les stores en chintz bleu étaient assortis aux coussins disposés sur la banquette sous la fenêtre. Les étagères de part et d'autre de la porte de la salle de bains étaient remplies de livres. Un miroir surmontait la commode, et une minuscule table ronde – nappée de chintz – et deux chaises se dressaient sous le plafond en pente. Plusieurs affiches d'animaux étaient punaisées sur ce même plafond. Faith avait choisi chacune d'entre elles quelques mois auparavant, et Carolee pria pour que sa fille ne lui annonce pas que ce n'était plus de son âge.

Debout à côté du lit en cuivre, Faith l'observait.

— Ta chambre te plaît toujours ?

— Ça va.

La fillette cherchait à la provoquer, réalisa Carolee. Mais pourquoi ?

— Qu'est-ce qui se passe avec ton lit ? Qu'as-tu mis dedans ?

Faith avança le menton.

— C'est mon sac de couchage. Papa a dit que je pouvais l'apporter si je voulais. Pour me sentir plus chez moi. J'ai pris mon oreiller, aussi. Ne t'inquiète pas, le duvet a été nettoyé, et Mme Jolly m'a donné des taies.

Carolee faillit tressaillir. Elle serra les poings dans les poches de son jean. Elle remarqua un sac en plastique vide, sur la table de chevet. C'était celui que Kip avait sorti de la voiture. Il devait contenir le sac de couchage et l'oreiller. Surtout, rester calme, s'enjoignit-elle. La moindre réaction négative serait une erreur fatale.

— Tu t'es préparé un nid douillet.

— Oui.

Faith aida Digger à monter avec son os sur le quilt en chintz bleu.

Une fois de plus, Carolee se maîtrisa.

Elle s'assit auprès du chiot et lui caressa la tête.

— Tu te rappelles, quand on se cachait sous les couvertures et que je te racontais des histoires ?

Faith s'affaira ostensiblement, en quête d'une chemise de nuit.

— Je les inventais, tu t'en souviens ? Un peu comme des feuilletons. Chaque fois que j'annonçais la fin, tu me suppliais d'imaginer une suite.

J'aimerais tant pouvoir recommencer, Faith. Tu n'es pas trop vieille. J'ai envie de te câliner. J'ai eu ton âge, moi aussi, je saurais te réconforter.

Sa nuisette et ses chaussons sous un bras, Faith lui jeta un coup d'œil fuyant.

— Je m'en souviens vaguement. J'étais vraiment toute petite, marmonna-t-elle en s'approchant de la bibliothèque.

Elle choisit un livre de Thomas Hardy que Carolee avait sélectionné pour plus tard.

— Tu apprécies cet auteur ? s'étonna-t-elle.

— Oui. Je vais prendre ma douche. Ensuite, je lirai un peu avant de dormir. Bonne nuit, maman.

Un rai de lumière filtrait par la porte entrouverte de Carolee.

Le sommeil ne venait pas.

La gorge serrée, elle inspira profondément et retint un sanglot. Les enfants grandissaient, ils changeaient. C'était normal. Mais Faith était encore si jeune.

Dans sa chambre, elle avait fait son numéro, joué un rôle pour affirmer son indépendance, sa force. Mais elle avait besoin de sa maman, c'était tellement visible que Carolee en étouffait presque de douleur. Pour finir, elle s'abandonna, laissa libre cours à ses larmes, qui glissèrent sur ses tempes, jusque dans ses cheveux. Les joues humides, elle s'enfonça sous sa couette.

Faith ne cherchait pas délibérément à lui faire de la peine. Elle était malheureuse parce qu'elle aurait préféré être avec son père plutôt qu'avec une mère qui lui était devenue une étrangère.

Le mieux était de ne pas la brusquer, de faire preuve de patience. Au fil des jours, Faith se décontracterait. Carolee s'obligea à demeurer optimiste, mais elle était rongée par le doute.

Elle perçut un grincement en provenance de la chambre de Faith. La porte s'ouvrit doucement, se referma.

Carolee se mit sur le dos, se hissa sur les coudes et sourit. Faith était encore une fillette. Elle venait la retrouver.

Elle s'approcha à pas feutrés. Son ombre passa dans le couloir, et elle poursuivit son chemin jusqu'à l'escalier.

Carolee s'assit et croisa les bras autour de ses genoux. Faith avait besoin d'elle. Elle se laissa glisser du lit, chaussa ses mules, se précipita sur le palier et jeta un coup d'œil au rez-de-chaussée. Faith était invisible. La porte d'entrée était ouverte.

Elle ne pouvait l'autoriser à sortir seule. Faith lui en voudrait d'intervenir, mais tant pis.

Sur la pointe des pieds, elle descendit, poussa doucement la porte-moustiquaire. La véranda n'était éclairée que par une lueur provenant de la fenêtre de la cuisine.

Carolee distingua Faith dans l'obscurité, penchée sur la balustrade comme si elle surveillait l'allée. S'attendait-elle à voir apparaître son père ? L'espérait-elle ?

Un filet de transpiration coula le long de la nuque de Carolee. L'esprit en ébullition, elle s'avança.

— Ah, te voilà !

— Ce n'est pas la peine de faire semblant, maman. Je ne suis plus une gamine. Je savais que tu étais là. Tu fais comme si tu m'avais trouvée par hasard. Tu cherches un prétexte pour être avec moi.

— Tu as raison, concéda-t-elle. Je t'ai entendue et je t'ai suivie pour m'assurer que tout allait bien. Tu ne dois pas rester dehors toute seule.

— Pourquoi ? riposta Faith en faisant volte-face. De toute façon, la plupart du temps, tu ne sais même pas où je suis !

— Oh, Faith ! murmura Carolee en se laissant tomber sur un siège. Ma chérie, je pense à toi sans arrêt !

Faith renifla. Elle s'approcha de l'escalier et s'installa sur la première marche. Elle s'adossa contre un pilier.

— Depuis que je suis toute petite, tu es toujours partie en voyage.

— Je... oui. C'était pour mon travail.

— Ta carrière passait avant tout. Papa...

Faith se redressa nerveusement.

— Rien n'est plus important que toi, mon trésor. Tu comptes plus que tout. Depuis toujours. La musique, c'est ma façon de m'exprimer. Toi, tu fais partie de moi.

Faith se frotta le visage.

— Alors, pourquoi est-ce que tu t'en allais tout le temps ? Avant, c'était pour ton travail, mais aujourd'hui, tu ne passes plus ton temps au loin. Comment ça se fait ?

— C'est parce que j'ai décidé d'être le plus près possible de toi.

— Pourquoi tu ne l'as pas fait plus tôt ? Pourquoi tu nous laissais seuls, papa et moi ?

Carolee porta la main à sa gorge.

— Ton père et moi avions un arrangement. Au début, nous n'avions pas beaucoup d'argent. Puis, j'ai connu un certain succès, et nous nous sommes dit qu'il valait mieux en profiter tant que cela durait.

Elle s'aventurait sur un terrain dangereux. Elle ne voulait surtout pas avoir l'air de blâmer Kip.

— Viens avec moi sur la balancelle.

Faith se détourna.

— Je... je ne peux pas, hoqueta-t-elle.

— Ma chérie ! s'écria Carolee en se précipitant vers elle pour la serrer contre son cœur. Mon bébé...

Faith se dégagea de son étreinte.

— J'ai peur. Les adultes ont leurs occupations. Je le comprends bien. Tu as fait ce que tu voulais, et tu es partie.

— Faith...

— Non ! Tu ne m'entends pas ! Vous ne m'entendez jamais. Si papa n'avait pas été là pour s'occuper de moi, tu m'aurais détestée parce que j'aurais été un problème.

— Jamais de la vie ! Je t'en prie, ma chérie, écoute-moi. Nous pouvons, nous *devons* parler de tout cela.

— Papa n'a jamais pu peindre à cause de moi, souffla Faith, un peu calmée. Il n'avait pas le temps. Il a tout abandonné pour moi.

Carolee se garda de répliquer qu'elle n'avait jamais compris pourquoi Kip ne peignait pas pendant que les domestiques prenaient leur fille en charge.

— Ton papa t'a-t-il expliqué qu'il avait choisi de rester à la maison ?

— Non, renifla Faith. Mais il m'a dit qu'il fallait que je grandisse, tu l'as entendu.

— Il n'a pas dit exactement cela.

— En gros, si. Et puis, il m'a amenée plus tôt que prévu, et il est reparti aussi vite que possible. Et il ne m'a pas répondu quand je lui ai dit que je l'aimais.

Carolee n'avait pas le choix : il fallait qu'elle téléphone à Kip, pour qu'il rassure leur fille.

— Je t'ai expliqué qu'il s'était sûrement dépêché parce qu'il ne voulait pas te montrer qu'il était triste. Ton papa t'aime très fort, tu sais.

— Je sais. Et je sais que toi aussi, tu m'aimes.

Bien sûr. Elle aurait dû s'y attendre : Faith était convaincue que l'amour avait ses limites, que sa mère l'avait aimée, mais pas au point de renoncer à sa carrière, qu'elle aimait encore plus. Comment lui en vouloir de raisonner ainsi ?

— Papa devrait avoir sa chance, lui aussi. Je sais qu'il est prêt. Je le sens. Un jour, bientôt... Un jour, bientôt, il s'en ira, lui aussi.

13

Dans le bureau de Brandy, le canapé en velours côtelé violet, la banquette et le fauteuil ne laissaient que peu de place pour la table à plateau de verre. Les volets blancs étaient fermés, et les lampes diffusaient une lumière intime, alors qu'on était au tout début de l'après-midi.

En dépit des protestations de Carolee, Brandy avait mis l'un de ses disques. Carolee était allongée sur le divan, la tête calée sur une pile de coussins, tandis que Brandy avait pris sa position favorite sur la banquette, les pieds dépassant du bout, sa jupe vert foncé remontée jusqu'à mi-cuisse.

— Quelle heure est-il ?

— Cinq minutes de plus que tout à l'heure, répondit Brandy en la dévisageant. Faith est à la bibliothèque où, de toute évidence, elle se plaît beaucoup. Elle est en sécurité. Quant à toi, tu es avec ta meilleure amie. Nous avons besoin de ce moment pour nous. Détends-toi.

— Tu parles ! J'ai l'impression d'être assise sur des bombes à retardement.

Brandy se hissa sur un coude.

— Bon, ça suffit ! Dis-moi tout. Sans omettre le moindre détail.

— Je suis désemparée. Faith est malheureuse, et elle a toutes les raisons de l'être. C'est en grande partie ma faute...

— N'importe quoi !

Carolee la fixa.

— Tu vas me laisser finir, oui ou non ?

Brandy grimaça et pinça les lèvres.

— Quand j'ai eu Faith, je ne connaissais rien aux enfants. Je n'avais jamais fait de baby-sitting. Je ne me rendais pas compte que les très jeunes enfants comprennent vite en qui ils peuvent ou non avoir confiance. Qui est là pour eux, qui ne l'est pas. C'est aussi simple que cela. Je ne veux plus me contenter d'en parler. Il faut que je trouve le moyen d'arranger les choses avec elle, de préférence avant de présenter à Kip ma proposition pour une garde alternée.

Le large sourire de Brandy parut incongru, jusqu'au moment où elle s'exclama :

— Enfin ! Tu ne peux pas savoir le plaisir que tu me fais ! Tu ne cessais de me répéter que tu allais agir, mais tu ne bougeais pas.

— Non. Il fallait d'abord que je décide comment m'y prendre. Je n'ai d'ailleurs pris aucune initiative officielle. Je refuse de traîner Faith devant un juge qui lui demandera quel est son choix. Si les avocats s'en mêlent, c'est ce qui risque d'arriver. Kip ne le souhaitera pas non plus. Je pense que nous pouvons convenir d'une solution à l'amiable.

Brandy se rallongea.

— Quoi ? fit Carolee.

— Kip. Je m'efforce de ne pas penser à lui parce que c'est un imbécile. Je refuse de croire qu'il avait tout planifié. Il voulait que tu connaisses le succès, certes, mais l'ampleur de ta réussite l'a dépassé. Il s'est senti menacé.

— Non, murmura Carolee en croisant les mains sous sa nuque, les yeux rivés au plafond. Il savait très bien ce qu'il faisait. Il ne voulait plus de moi.

— Il a essayé de t'effrayer et de s'assurer qu'il avait le dessus. Il s'imaginait que tu serais assez bouleversée pour te jeter à ses pieds, ne sachant plus quoi faire pour lui. Selon moi, il a tenté de t'écarter du devant de la scène avant que tu ne tombes sur quelqu'un de plus intéressant que lui.

— C'est *lui* qui a demandé le divorce, je te rappelle. Je l'ai supplié de revenir sur sa décision. Il n'a rien voulu savoir.

— Oui, répondit Brandy en balançant ses sandales sur le bout de ses orteils. La situation a dérapé. Mais il considère que tu lui appartiens toujours. Le fait que tu lui aies donné tout ce qu'il exigeait l'en a convaincu. Il s'amuse bien, mais il a l'intention de te récupérer quand il se sentira prêt. Tu es son ticket restaurant. Il ne te lâchera jamais complètement.

Carolee se tourna sur le côté, face à son amie.

— Je savais que tu avais beaucoup d'imagination, mais là, tu exagères.

— C'est possible. En tout cas, je suis contente que tu prennes les choses en main concernant Faith. Que penses-tu de Max Wolfe ?

Carolee arrondit les yeux, interloquée.

— Tu sais bien... Max Wolfe ?

— Oui. Tu le connais ?

— C'est un ami à moi. Quand il a découvert que tu jouais ici, il est venu. Ensuite, il m'a demandé de le prévenir chaque fois que tu jouerais. Ce n'est pas un homme très sociable – du moins, plus maintenant – pourtant, grâce à toi...

Décidément, le monde était petit. *Trop*.

— Max t'a dit que nous avions passé du temps ensemble ?

Brandy prit une expression lointaine.

— Réponds-moi ! Tu parais malheureuse. C'est moi qui devrais l'être. Il a eu tort de te parler de moi.

Brandy eut un large sourire.

— Je t'ai eue. Il ne m'a rien dit. J'ai appris par hasard qu'il vous avait raccompagnés chez vous, lors de ton dernier concert. Je lui ai demandé si vous vous étiez revus. Il est resté évasif. Toi, en revanche, tu t'es dévoilée. Il te plaît ?

— Il est gentil.

— *Gentil?* s'esclaffa Brandy. Il est fantastique, oui! Et il te trouve merveilleuse.

— J'emmène Faith visiter ses bureaux, demain, avoua Carolee. Elle pourra jouer au «foosball» sur l'ordinateur. Ensuite, nous déjeunerons avec lui.

Silence.

— Ça ne signifie rien. Il vient à Lake Home voir Sam et s'occuper des chevaux que mon père a loués pour l'été.

— C'est ça, railla Brandy. Quand un homme accepte d'offrir un déjeuner à une petite fille, ce n'est certainement pas un prétexte pour passer du temps avec la mère.

— Bon, d'accord, tu as raison. Je l'intéresse.

— Et réciproquement?

— Laisse tomber, s'il te plaît.

— Impossible. C'est un bon ami, ç'a même été un *très* bon ami. Je suppose qu'il est l'une de tes bombes à retardement?

Soudain, la porte s'ouvrit. Linda apparut et se précipita pour embrasser Carolee.

— Salut, la Souris! Bonjour, Brandy! En quel honneur est-ce que tu négliges tes clients?

Brandy croisa les bras et ferma les yeux. Elle n'aimait pas Linda.

— Nous ne servons que des boissons entre le déjeuner et le dîner. Comment savais-tu que nous étions là?

— Par mon père. J'ai quitté Chicago aux aurores pour passer le plus de temps possible avec Carolee. Nous n'avons que quelques jours.

Une façon comme une autre de suggérer de repartir ensemble sur-le-champ, songea Carolee. Décidément, Linda était toujours aussi subtile.

— Assieds-toi. Je vais chercher Faith à la bibliothèque dans une demi-heure.

Linda posa son sac en cuir rouge par terre et s'installa dans le fauteuil. Elle portait une robe courte et des escarpins à talons hauts, du même rouge que son sac. Son épaisse chevelure cascadait sur ses épaules, et elle ne cessait d'y passer la main, de l'ébouriffer, de la rejeter en arrière.

— Tu m'as l'air en pleine forme, déclara Brandy généreusement.

— Merci ! fit Linda qui reporta aussitôt son attention sur sa sœur. Alors, Carolee ? Qui est ce Max ? Papa m'a dit que c'était à toi que je devais poser la question.

Carolee s'empourpra. Quand Sam apprendrait-il à tenir sa langue ? Linda fronça le nez et pointa l'index sur elle.

— Tu n'as jamais su dissimuler tes sentiments. Mon Dieu, tu rougis ! Il doit être terriblement séduisant. Je suis impatiente de le rencontrer demain.

— Il ne viendra pas demain.

— Je sais. Tu vas le retrouver en ville avec Faith, à l'heure du déjeuner. Tu m'emmènes, bien sûr ! Elle ne peut pas me laisser toute seule à la maison, n'est-ce pas, Brandy ?

Brandy eut la sagesse de ne pas répondre.

— Je suis heureuse que tu aies enfin rencontré quelqu'un, déclara Linda. Tu es jeune, il est grand temps que tu reprennes une vie sexuelle. Une vraie, pas comme avant.

— Qu'est-ce que tu racontes ? s'insurgea Carolee. Tu dépasses les bornes ! De toute façon, tu ne sais rien de ma vie sexuelle passée ou présente.

Linda parut offensée.

On frappa, et un homme aux yeux noisette saisissants passa la tête dans l'entrebâillement. Brandy cacha son visage dans ses mains. L'espace d'un instant, elle blêmit, et ses yeux s'embuèrent, puis elle poussa un cri de joie et lui tendit les bras.

— Rob Mead, te voilà enfin ! Viens ici. Je devrais te congédier pour m'avoir si longtemps ignorée. Mais je ne suis qu'une faible femme. Embrasse-moi !

Il entra, ferma la porte derrière lui. Grand, athlétique, il portait un tee-shirt blanc cassé qui rehaussait son bronzage et moulait des biceps impressionnants.

Ses épaules et ses pectoraux l'étaient tout autant.

— J'avais des affaires à régler. C'est fait, et tu es la première personne que je viens voir, annonça-t-il d'un ton presque solennel en la fixant d'un regard intense.

Carolee jeta un coup d'œil à Brandy. Il existait entre eux un lien beaucoup plus profond que de l'amitié pure ou une simple attirance physique. *Rob Mead*. Ce nom lui semblait familier, mais Carolee ne se souvenait plus où elle l'avait entendu. Après tout, c'était un nom assez banal.

Il s'agenouilla devant Brandy, posa la main sur sa cuisse et lui donna le baiser qu'elle avait réclamé. Et quel baiser ! Trop fascinée pour éprouver un sentiment de gêne, Carolee s'abandonna au spectacle. Glissant ensuite la main sous les reins de la jeune femme, il la souleva à demi de la banquette – sans le moindre effort, évidemment.

Carolee se mordit la lèvre inférieure et se tourna vers Linda.

Sa sœur examinait le nouveau venu avec un intérêt non dissimulé. Une lueur de convoitise dansait au fond de ses prunelles – cette convoitise qui avait brisé son mariage.

Brandy repoussa Rob Mead.

— Qu'est-ce que c'est que ces manières ? J'ai de la visite.

Aussitôt, il se leva et s'assit près de Carolee sur le divan.

— J'obéissais à tes ordres, Brandy, répliqua-t-il avec un immense sourire, la bouche maculée de rouge à lèvres.

— Je te présente Carolee Burns. La dame en rouge, c'est sa sœur, Linda Gordon, de Chicago.

— Linda, fit-il en lui serrant la main avant de pivoter vers Carolee. *La* Carolee Burns ? Pianiste de jazz ?

— Oui.

— Max a-t-il prévu de venir ?

C'était donc lui, le Rob Mead dont lui avait parlé Sam, le meilleur ami de Max qui avait hérité de sa place avec les Broncos après l'accident.

Et il lui demandait, à *elle*, si Max était attendu.

— Je n'en sais rien, murmura-t-elle en jetant un coup d'œil à sa montre.

En partant maintenant, elle serait en avance pour Faith, mais elle était soudain pressée de quitter les lieux.

— Il a fait allusion à vous.

Linda s'approcha du bord de son fauteuil, ses genoux frôlant presque ceux de Rob Mead, les yeux fixés sur sa bouche.

— Il m'a dit qu'il adorait votre façon de jouer. C'est un passionné de musique. Il l'est depuis toujours ; en tout cas, depuis que je le connais. Et ça fait longtemps.

— C'est gentil à vous de me le dire, merci.

— De rien. Max a eu des coups durs. Vous êtes au courant. Je suis content de savoir qu'il a quelqu'un comme vous dans son entourage.

Elle se leva.

— Excusez-moi, mais il faut que j'aille chercher ma fille.

Le regard de Brandy se fit soucieux

— Je t'appelle plus tard, promit-elle, et Carolee opina.

— Allez. Linda, la bibliothèque n'est pas loin, mais nous ferions mieux de nous mettre en route.

— Ne me dis pas que nous y allons à pied ! J'ai parcouru des kilomètres à l'aéroport. Je te retrouve directement à la maison, déclara Linda en prenant la place que venait de libérer Carolee. Je vais peut-être réussir à convaincre quelqu'un de m'offrir un verre de vin.

La bibliothèque de Kirkland était un immeuble en brique jaune au carrefour de la Seconde Avenue et de State Street. La pluie avait menacé toute la journée, mais sur le terrain derrière le bâtiment, des adolescents jouaient au base-ball. Carolee n'écouta pas les commentaires diffusés par haut-parleur, mais elle entendit les cris des garçons et de leurs supporters.

De grosses gouttes s'écrasèrent sur le sol et Carolee se précipita dans l'entrée.

À l'intérieur, toutes les places étaient prises. Elle emprunta une allée qui menait à la section réservée aux jeunes. Faith n'y était pas. Le cœur de Carolee fit un bond, à cet instant, elle aperçut le haut d'une tête bouclée qui dépassait du dossier d'un fauteuil placé face à la fenêtre. Les jambes allongées devant elle, Faith avait glissé bas sur son siège. Si son menton n'avait pas été appuyé sur sa poitrine, Carolee aurait pu supposer qu'elle contemplait le parc.

Paupières closes, les mains dans les poches de son short, Faith n'avait pas de livre sur les genoux.

— Coucou ! murmura Carolee en lui caressant les cheveux. À quoi penses-tu ?

— *Rien !* riposta-t-elle en se redressant brusquement comme si elle venait de se réveiller. Je ne faisais rien !

— Ce n'est pas la question que je t'ai posée, ma chérie. Tu paraissais perdue dans tes pensées.

— Je veux rentrer à la maison.

Carolee avait beau le redouter, elle n'était pas vraiment préparée.

— Est-ce qu'on peut en parler ?

Murée dans sa souffrance, Faith alla se planter devant la baie vitrée et marmonna quelques mots. Carolee la rejoignit.

— Je suis fatiguée, dit Faith. J'ai envie de dormir. Et de retrouver Digger.

Le soulagement de Carolee fut si intense qu'elle éprouva le besoin de s'asseoir.

— En effet, tu parais épuisée. Tu es malade ?

— Non.

Faith leva enfin les yeux vers sa mère.

— Ça fait plusieurs jours, et papa n'a pas rappelé.

— Peut-être a-t-il téléphoné pendant que nous étions sorties ?

— Il aurait laissé un message. Quand tu m'as déposée ici, j'ai essayé de le joindre, ajouta-t-elle en enfonçant les mains dans ses poches. Mme Jolly m'a répondu qu'il n'était pas là. Il est en voyage. Elle ne sait pas quand il reviendra. Elle m'a promis de lui dire que j'avais appelé – s'il donne de ses nouvelles.

14

— Nous aurions pu trouver le chemin toutes seules, dit Carolee en entourant les épaules de Faith du bras. Vous n'étiez pas obligé de nous attendre dans le parking.

— Si, répliqua Max en leur tenant la porte de l'immeuble qui abritait ses bureaux. Et non, vous n'auriez pas pu trouver le chemin toutes seules, je ne vous aurais pas laissées faire.

Il les précéda dans l'escalier.

— Pioneer Square figure sur la liste des lieux les plus fréquentés de Seattle. Mais la plupart des gens n'ont pas idée de la violence qui règne dans les rues alentour.

Les marches de chêne ciré étaient recouvertes d'un tapis vert bouteille. On avait ôté le plâtre qui recouvrait les murs pour laisser la brique apparente. Carolee appréciait l'atmosphère de ces édifices anciens. Faith et elle suivirent Max. Il portait une chemise bordeaux et un pantalon bleu marine. Quelle que soit sa tenue, songea Carolee, il avait toujours une allure folle. Quant à elle, son chemisier en soie blanc et sa jupe gris perle auraient pu la serrer un peu moins par endroits. Elle aurait tout intérêt à perdre quelques kilos et à refaire de l'exercice. Elle s'en préoccuperait le jour où cela lui importerait vraiment.

— Nous occupons trois étages, expliqua Max.

Ils avaient atteint un palier où de la musique *new age* s'échappait d'un box pour se mêler à un morceau de reggae en provenance d'un autre.

— Ici, c'est la comptabilité et la gestion des stocks. Les monstres sont plus haut.

— Les monstres ? répéta Faith, soudain intéressée. Quel genre de monstres ?

— Tu vas voir.

Il adressa un sourire à Carolee, mais elle ne put s'empêcher de remarquer qu'il paraissait soucieux. De toute évidence, elle avait du mal à dissimuler son inquiétude. Elle devait à tout prix retrouver Kip.

Max offrit sa main à Faith, qui surprit sa mère en l'acceptant sans la moindre hésitation. À les regarder gravir ensemble l'escalier, elle éprouva une étrange sensation. Sans la lâcher, Max entraîna Faith dans un labyrinthe de couloirs flanqués d'un côté de boxes sans fenêtres, et de l'autre, de bureaux avec vue sur la ville. Le bruit était assourdissant. Le cliquetis des claviers s'accompagnait des éclats de voix, cris, coups de poings dans les cloisons, musique et chutes des cannettes dans la machine à boissons.

— Attention aux fils électriques, prévint Max, en haussant le ton pour se faire entendre.

De couleurs variées – avec une nette dominante de turquoise –, les fils et les cordons en question s'entrecroisaient en un fouillis indescriptible.

Un beau jeune homme mince surgit d'une pièce en angle. Il portait des lunettes cerclées de métal et une casquette des Mariners de Seattle – à l'envers.

— Yo ! Max !

— Yo ! Brian ! Comment ça va ? On va s'en sortir ?

Son interlocuteur haussa les épaules.

— Je l'espère. Si les fédéraux nous fichaient la paix, on gagnerait du temps.

Il s'éloigna, enjambant les fils avec aisance. En passant devant la porte ouverte de son bureau, Carolee reconnut une mélodie de jazz et sourit.

— Les allusions aux fédéraux ne sont pas rares, ici. Vu le genre de produits que nous concevons, nous sommes très surveillés.

— Brian me paraît un gentil garçon.

— C'est un homme exquis, marié avec une femme merveilleuse, et papa d'un adorable bambin. Il est d'une intelligence redoutable. C'est ça le plus excitant, ce rassemblement de gens doués, pour qui le mot « impossible » n'existe pas.

— Qu'en penses-tu, Faith ? Tu aimerais travailler dans un endroit comme celui-ci ? s'enquit Carolee.

— Je ne vois pas de filles, marmonna la fillette, l'air dubitatif.

— Là ! Regarde ! intervint Max en montrant du doigt une femme de dos dans un box. Et là... et là ! Dès que tu seras prête, j'aurai un poste à te proposer.

Faith rit, et Carolee esquissa un sourire. Quelle bonne idée il avait eue de les inviter ici. C'était le moyen idéal de distraire Faith, qui s'inquiétait tant de savoir où était son père – et s'il pensait à elle.

— Attention ! Nous pénétrons maintenant dans le temple du baby-foot.

Ici, le vacarme était surtout provoqué par le choc des tiges dans les tables. Les joueurs portaient des casques audio pour écouter de la musique, mais cela ne les empêchait pas de vociférer quand les choses ne se passaient pas comme prévu. Jamais de sa vie Carolee n'avait vu autant de pantalons noirs trop courts et de chaussettes blanches. Les participants s'en donnaient à cœur joie. Chacun avait son style propre : certains, solidement ancrés dans le sol, mettaient tout leur poids dans chaque geste ; d'autres sautillaient à la moindre manipulation. Les petits bonshommes de bois alignés sur leurs barres en aluminium ressemblaient à de curieuses et macabres brochettes.

Max accrocha le regard de l'une des joueuses et lui indiqua Faith. En quelques minutes, la fillette apprit les rudiments du jeu, et Carolee retint un rire en la voyant se coiffer d'une casquette – à l'envers, bien sûr ! Max alla dire quelques mots à son employée, puis à Faith.

— À présent, je vous emmène voir les gens normaux, annonça-t-il en rejoignant Carolee.

Ils revinrent sur leurs pas et reprirent l'escalier.

— Vous connaissez Nellie et Fritz Archer ? Ils ont un restaurant à…

— Oui, à Kirkland. J'adore ce lieu.

— J'y prends mon petit déjeuner presque tous les matins. Je ne vous y ai jamais vue.

— Je n'y vais jamais très tôt. J'ai besoin de prendre mon temps, au calme, chez moi. Pas de radio, pas de télé, pas de bruit. Parfois, je lis le journal. J'ai le réveil difficile.

— Je tâcherai de m'en souvenir, rétorqua-t-il en la dévisageant d'un air rien moins qu'innocent.

Elle enchaîna, comme si elle n'avait rien remarqué.

— Je ne veux pas qu'on m'adresse la parole. Le pire de tout, c'est de me retrouver en face de quelqu'un d'humeur joyeuse. J'ai horreur de ces personnes qui se vantent fièrement d'être « du matin », comme si les oiseaux de nuit de mon espèce étaient handicapés, ou immoraux. Et s'ils ont le malheur de sourire, alors là, j'ai carrément envie de les étrangler.

Max s'arrêta au beau milieu des marches, et Carolee l'imita.

— Bon ! Je crois que j'ai compris, dit-il en l'examinant brièvement de haut en bas. Je ferai très attention – si jamais l'occasion se présente – de ne pas vous mettre en rogne.

Ces sous-entendus ne la gênaient pas. Au contraire. Carolee était flattée par l'attention que lui portait cet homme. Un peu trop, sans doute. Elle se remit en marche, et il la rattrapa. En passant, il désigna un bureau dont la porte était fermée.

— Ce que je m'apprêtais à vous dire, c'est que Steve Acton, l'un des gendres de Nellie et Fritz, travaille pour moi. Il est en conférence, sans quoi, je vous l'aurais présenté. Il est à la fois l'avocat de la société et mon bras droit. Ma tanière est tout au bout. Cette dame coiffée en choucroute, juste en face, c'est Mme Fossie. C'est mon assistante depuis des années, et je n'ai toujours pas la permission de l'appeler par son prénom. Mais c'est le meilleur chien de garde qu'on puisse rêver. Et elle est très efficace.

Il glissa la main sous son coude. La moquette vert foncé de l'escalier se prolongeait jusqu'au domaine de Mme Fossie, avant de céder la place à un marbre italien veiné de vert.

Mme Fossie était exactement telle que Carolee l'avait imaginée. Quand les talons de Max résonnèrent sur le sol, elle quitta son bureau impeccable et se mit pratiquement au garde-à-vous.

— Vous voilà enfin, monsieur Wolfe ? dit-elle avec une pointe d'irritation dans la voix. Bugoff a appelé à deux reprises.

Son visage mince était très poudré, son rouge à lèvres, d'un rose franc. De toute évidence, Mme Fossie ne supportait pas que son patron soit ailleurs que dans son bureau.

— C'est Bugulf, madame Fossie. S'il rappelle et que je suis absent, dites-lui que je prendrai contact avec lui.

Mme Fossie se redressa et dévisagea ostensiblement Carolee.

— Je vous présente, Carolee Burns, une bonne amie. Elle est venue me rendre visite avec sa fille.

Le regard bleu de la secrétaire se posa tour à tour sur Max, sur Carolee, sur sa main gauche sans alliance.

— Je vois, murmura-t-elle, visiblement pas mécontente qu'il ait une « bonne amie ».

— Voulez-vous du café ? s'enquit Max en se tournant vers Carolee.

— Volontiers.

— Je m'en occupe ! déclara Mme Fossie en s'éloignant d'un pas pressé.

— Elle est incroyable ! chuchota Carolee, tandis que Max l'invitait à pénétrer dans son antre.

— Ça vous plaît ? lui demanda-t-il avec espoir.

Elle admira les murs de brique et le parquet parfaitement restauré, recouvert de quelques tapis, les poutres et les tuyauteries apparentes.

— C'est superbe ! Cela a dû exiger un travail fou !

— Pour retrouver l'aspect ancien ? Vous avez raison. Tout était là. Il a suffi d'enlever des années de camelote.

La sonnerie du téléphone retentit. Max se dirigea vers l'imposante table en acajou et décrocha.

— Oui. Bonjour, Steve.

Il fourra la main dans sa poche et écouta.

— Que lui as-tu répondu ?

Son visage, son allure, ses manières étaient agréables. Il respirait l'assurance, et, surtout, il semblait avoir fait la paix avec lui-même pour aller de l'avant.

— Tu as vraiment besoin de moi ?

Baissant les yeux, il se balança d'un pied sur l'autre. Carolee avait noté que, de temps en temps, lorsqu'il se levait d'un siège, il fléchissait un peu les jambes. Hormis ce détail, rien ne laissait deviner qu'il avait eu un grave accident.

— Très bien.

Il raccrocha.

— Il faut que j'aille voir Steve. Je n'en ai pas pour longtemps.

On frappa discrètement.

— Entrez !

Mme Fossie apparut avec un plateau sur lequel elle avait disposé des tasses, une cafetière et une assiette de biscuits. Elle le déposa sur la table basse, devant le divan de cuir vert foncé, et s'apprêta à verser le café.

— Laissez-moi faire, je vous en prie ! s'écria Carolee. Vraiment, ça ne me dérange pas.

Sans un mot, mais avec un sourire, l'assistante de Max se retira.

— Vous savez parler aux gens. Si vous aviez eu le malheur de lui dire qu'elle avait sûrement mieux à faire, elle vous aurait expliqué gravement que s'occuper de moi fait partie de ses tâches, merci beaucoup.

Je vais voir Steve. Je reviens dès que possible. Buvez votre café tranquillement.

Lorsqu'il fut sorti, non sans lui avoir lancé un ultime regard empli de chaleur, elle s'en versa une tasse, puis se mit à errer dans la pièce. L'absence totale de photographies l'intriguait. La plupart des gens s'entouraient de portraits d'êtres chers, ou d'objets personnels. Max n'avait rien, sinon un bas-relief en bronze représentant une horde de buffles sur l'un des murs.

La fenêtre donnait sur Occidental Avenue. Hommes et femmes en costumes et tailleurs stricts se hâtaient le long des trottoirs, se faufilant entre les échoppes des artisans qui vendaient leurs produits tout autour du square. Les touristes abondaient, les SDF aussi.

À gauche du bureau, près d'une table croulant sous les dossiers, elle aperçut une porte étroite. Elle s'en approcha et découvrit une salle de bains au décor sobre, murs en pierre gris et lavabo assorti. Le parfum de Max flottait, léger, dans la pièce. Jusque-là, elle n'y avait guère prêté attention.

Mais elle avait tort de se laisser aller. Ils se connaissaient à peine.

Elle devait absolument tenter de retrouver Kip. Lorsqu'elle l'avait appelé chez lui, la veille et tôt ce matin-là, elle était tombée sur le répondeur. Même les domestiques ne répondaient plus. Sa tasse à la main, elle alla s'asseoir sur le canapé. Elle sortit son téléphone portable de son sac, composa le numéro de l'appartement de Kip, écouta le message, et raccrocha.

Bill et Ivy Lester le voyaient souvent. Elle décida donc de tenter sa chance auprès d'eux. Bill décrocha immédiatement.

— Bill ! Bonjour, c'est Carolee.

Elle eut l'impression qu'il hésitait, comme s'il semblait surpris de l'entendre.

— Ivy n'est pas là. Elle est allée chez sa mère.

— Ah. Est-ce que tu peux me consacrer deux minutes ? J'ai besoin d'aide.

Cette fois, il marqua un temps d'arrêt net.

— Tu ne viens plus nous rendre visite, lui reprocha-t-il. Je sais que tu vois Ivy de temps en temps, mais tu me manques !

— Tu pourrais l'accompagner, répondit Carolee avec douceur. Je ne mords pas, tu sais.

— Mais oui, je sais ! concéda-t-il en riant. Tu es célibataire, et je suis beau comme un dieu. Il faut que je sois fort pour nous deux.

Carolee n'était pas certaine de le trouver drôle, mais elle répliqua sur le même ton :

— C'est admirable de ta part, Bill. En fait, j'essaie de joindre Kip. Apparemment, il n'est pas chez lui. Sais-tu où je peux le trouver ?

Bill se racla la gorge. De toute évidence, il était mal à l'aise.

— Ça te pose un problème de parler avec moi ? lâcha-t-elle, peu désireuse de tourner autour du pot.

— Bien sûr que non ! affirma-t-il avec un peu trop d'enthousiasme. Quelle idée ! Tu vas bien, Carolee ? Tu devrais peut-être voir quelqu'un ?

Elle contint sa colère.

— Tu veux dire un psychiatre ? Sous prétexte que j'essaie de transmettre un message à mon ex-mari ?

— Tu sembles très anxieuse, voilà tout.

Sur ce point, du moins, il n'avait pas tort.

— Pas du tout. Faith est chez moi en ce moment, et je souhaite avoir une conversation avec son père.

— C'est pour cela que Linda le cherche, elle aussi ?

— Linda ? Elle t'a téléphoné ?

— Oui. Je supposais que tu étais au courant.

— Je ne suis pas à la maison.

Pour quelle raison Linda tenterait-elle de contacter Kip ? Elle le connaissait mal et n'avait jamais donné l'impression de l'aimer beaucoup.

— Elle cherchait sans doute à m'aider, ajouta-t-elle, perplexe.

Linda s'était présentée à sa porte, avant 8 heures, ce matin-là, mais elle n'en avait pas soufflé mot. Elle s'était contentée de la supplier de l'emmener avec Faith à Seattle.

— Je lui ai dit qu'il était sur son bateau, fit la voix de Bill.

Carolee s'adossa au canapé. Mme Jolly devait être au courant. Sans doute avait-elle reçu l'ordre de ne pas le répéter à Faith.

— Ah !

— Carolee... Je sais que ce n'est pas mon affaire, mais tu lui manques terriblement.

— Tu es gentil, mais tu te trompes.

Il soupira.

— Je suis sincère. Il s'est mis dans une situation dont il ne sait plus comment se sortir. Mais il veut te récupérer. Tends-lui la main, Carolee. Vous pourriez repartir de zéro.

— Bill, s'il te plaît, murmura-t-elle, profondément ébranlée.

— D'accord, n'en parlons plus, mais j'ai encore une chose à te dire. Tu ferais mieux d'éviter ce joueur de football. Ces types-là font collection de jolies femmes. Ne prends pas le risque de gâcher une éventuelle réconciliation avec Kip.

Elle frémit.

— Je ne sais pas de quoi tu parles. Je veux simplement discuter de Faith avec Kip

Bill soupira longuement.

— Essaie son portable.

Pour rien au monde elle ne lui avouerait qu'elle n'avait pas son numéro ! Ou qu'elle avait appris l'existence de ce fameux bateau le jour de l'arrivée de Faith.

— Bonne idée ! Merci.

— Il n'a pas de projets particuliers. Il m'a assuré qu'il resterait au port la plupart du temps.

15

Max pénétra dans son bureau sans chercher à être discret. Pourtant, Carolee ne l'entendit pas entrer. Il ferma la porte bruyamment. Elle était assise sur le divan, les jambes repliées sur le coussin, chevilles croisées. Un téléphone portable reposait dans sa main inerte.

La menace d'un concurrent qui cherchait à saboter leurs logiciels sur des sites clés était sérieuse, mais pas imminente. Cette entreprise qu'il avait bâtie, c'était ce dont il avait toujours rêvé, non ? Il n'avait de comptes à rendre à personne. Ni aucune attache. S'il était malin, il ne changerait rien à sa vie.

Mais si cette femme décidait qu'elle ne voulait pas de lui, il ne renoncerait pas pour autant. Il changerait peut-être d'avis demain, mais aujourd'hui, il était convaincu qu'il pouvait mener de front son affaire et une relation profonde.

— Décidément, tout est compliqué, murmura-t-elle en calant sa nuque sur le dossier.

— Ça va, Carolee ?

— Très bien, merci.

Traduction : ça n'allait pas du tout.

— Que s'est-il passé ?

Il s'approcha du divan, mine de rien, et se tint au-dessus d'elle.

— Je sais reconnaître des larmes quand j'en entends.

— Il n'y a rien de plus ennuyeux pour un homme que d'écouter une femme pleurer – ou geindre.

Elle posa brusquement l'appareil sur sa cuisse.

— Je ne comprends pas pourquoi je recommence à pleurer. Je m'étais débarrassée de cette sale habitude depuis des mois.

Il mordilla l'intérieur de sa joue.

— Peut-être que vous vous interdisiez de ressentir quoi que ce soit parce que cela vous semblait plus sûr. Maintenant, pour une raison ou pour une autre, vous en avez de nouveau envie.

Carolee évita son regard.

— Mes problèmes ne concernent que moi. Merci de vous occuper si gentiment de Faith. Elle en a besoin. Et elle vous aime bien.

— Elle est adorable. Mais ne changeons pas de sujet. Donnez-moi une chance de vous montrer à quel point je sais écouter.

Carolee secoua la tête.

— Non, merci. J'ai rencontré Rob Mead, hier. Chez Brandy.

— Je sais. Il me l'a dit.

À ces mots, elle leva les yeux vers lui et le dévisagea.

— Je ne savais pas que Brandy et vous étiez de vieux amis.

C'était là un sujet qui devrait immanquablement être abordé.

— Son soutien m'a été précieux. Elle a toujours été là pour moi.

— Vous avez bon goût, répliqua-t-elle en fronçant le nez. Du moins, pour ce qui est de Brandy.

— J'ai bon goût, point, rétorqua-t-il, cherchant quelle attitude adopter. Notre déjeuner va bientôt nous être livré. Mme Fossie a demandé à Faith quels étaient ses plats favoris. Nous mangerons d'ici une heure.

Carolee fourra son téléphone dans son sac et se leva.

— Je ferais mieux d'aller retrouver ma fille.

— Elle s'amuse comme une folle. C'est une bonne chose, non ? Je n'ai pas d'enfants, mais quand j'étais gamin, je détestais qu'on m'interrompe en plein jeu. Excusez-moi. Je me mêle de ce qui ne me regarde pas.

Deux grosses larmes roulèrent sur les joues de Carolee. Il la contempla, interloqué. Que dire à présent ?

— Vous avez raison, fit-elle en s'essuyant les yeux. Je suis maladroite. Je veux trop en faire.

Elle défroissa sa jupe et jeta un coup d'œil à son chemisier en cache-cœur.

S'il continuait à la scruter ainsi, et si elle s'en apercevait, la situation n'en deviendrait que plus délicate, songea-t-il. La solution ? La légèreté !

— J'aimerais savoir ce que cela fait d'être embrassé par vous.

Rire pour dissimuler sa gêne ne servirait à rien. Il se comportait comme un crétin.

Carolee le contourna, sans le quitter des yeux. Il s'attendait qu'elle s'en aille, mais elle se contenta de lui rétorquer :

— Nous nous sommes déjà embrassés. Plus d'une fois. L'auriez-vous oublié ?

— Non. C'est moi qui vous ai embrassée, et vous avez été assez aimable pour ne pas me gifler. Je voudrais que ce baiser vienne de vous... mais uniquement si vous en avez envie.

Elle eut une moue et s'écarta. Max la suivit en prenant soin de ne pas trop se rapprocher.

Soudain, elle pivota sur elle-même. Pris de court, il perdit l'équilibre, et la saisit par la taille. Carolee s'accrocha à son cou et réclama ses lèvres.

L'espace d'un éclair, Max songea que ce rêve devenant réalité risquait de lui coûter cher – en termes de culpabilité de la part de Carolee, qui pourrait choisir d'en rester là.

Mais ses baisers étaient divins. *Ne réfléchis pas, prends et donne en retour*. Elle ne rompit pas leur étreinte et il sentit son excitation grimper à la vitesse grand V. Bon sang, ce n'était plus une gamine ! Elle savait ce qu'elle faisait en l'embrassant avec une telle avidité.

Il n'entendait plus que leurs respirations, haletantes, et le froissement de son chemisier en soie contre sa chemise, de sa jupe contre son pantalon. Elle se pressa contre lui.

Il attrapa une poignée de ses cheveux et renversa sa tête en arrière. Sans la lâcher, il la fixa, savourant la lueur de désir qui dansait dans ses prunelles.

Elle le repoussa aussi soudainement qu'elle s'était jetée sur lui.

Sans hésiter, elle défit son chemisier. Elle était essoufflée. Son soutien-gorge s'attachait devant et elle le dégrafa dans la foulée.

Elle avait la peau très pâle, des seins généreux dont les pointes étaient dressées.

Max se demandait s'il rêvait. Il la regardait, fasciné.

— Fermez la porte à clé.

Il s'exécuta sans discuter.

— Enlevez votre chemise.

Il savait qu'il allait le regretter, mais il n'avait pas le choix.

— Vous cherchez à me prouver quelque chose ?

— Vous vouliez un baiser, je vous l'ai donné. Je ne vais pas vous dire ce que je veux. Vous êtes assez grand pour le deviner.

Il déboutonna sa chemise à toute allure, puis ils s'étreignirent avec ardeur, le souffle court, incapables de se retenir. Le dos arqué, elle lui offrit ses seins. Elle était merveilleuse… mais elle n'était plus elle-même.

— Carolee…

— S'il vous plaît, ne dites rien.

Elle déboucla sa ceinture, ouvrit sa braguette. Max jeta un coup d'œil circulaire. Le canapé, songea-t-il. Mais il ne voulait pas lui faire l'amour dans son bureau. Il voulait bien davantage… Un souvenir à chérir.

Carolee ne prit pas la peine de se déshabiller complètement. L'attrapant par les poignets, elle recula jusqu'à la table sur laquelle se trouvaient les dossiers. Ceux-ci s'éparpillèrent, tandis qu'elle se hissait dessus.

Elle se servit de ses pieds pour l'attirer entre ses cuisses et remonta sa jupe.

Max en avait des sueurs froides. Il contempla ses jambes nues, son slip en dentelle blanc.

— Carolee ? Il faut que j'aille chercher...

Elle l'embrassa de nouveau en l'emprisonnant entre ses jambes.

— Ce n'est pas un problème, chuchota-t-elle en mettant les mains de Max sur ses seins.

Quand elle le prit en elle, il dut s'agripper à ses épaules. Elle étouffa un petit cri et enroula les jambes autour de ses hanches. Non, ce ne pouvait être Carolee Burns, la jeune femme timide qui refusait toute relation avec un homme. Et pourtant, c'était bien elle qui l'enserrait dans les profondeurs de son intimité, paupières closes, abandonnée à son plaisir.

Lorsqu'il explosa en elle, il la sentit se contracter autour de lui.

Les mots étaient inutiles. Les bras toujours noués autour de son cou, Carolee laissa glisser ses jambes le long de ses flancs, jusqu'à ce que ses pieds touchent de nouveau le sol.

— Ne dites rien, murmura-t-elle. Faisons semblant qu'il n'y ait rien d'autre que cela – juste un petit moment. Ensuite, nous oublierons tout, parce que nous le devons.

16

— Papa est vieux, dit Linda. Il n'est pas encore mort. Cesse de le materner.

— Il monte à cheval avec ma fille, qui ne sait pas encore se tenir sur une selle. Je suis en droit de m'inquiéter de l'état de santé de Sam et de sa capacité à s'occuper d'autrui.

Linda remplit sa tasse de café et reprit sa place à la table de la cuisine.

— Tu sais qu'il a des problèmes cardiaques, continua Carolee. En plus, il souffre d'arthrose... et ça ne s'arrange pas, au contraire.

Carolee acheva de rincer la vaisselle et la rangea sur l'égouttoir. Puis elle sortit la pâte à tarte qu'elle avait mise à reposer au réfrigérateur et vint s'installer avec sa jatte près de sa sœur.

— Miss Fée-du-logis ! railla celle-ci en étirant ses jambes et en humant l'arôme de son café. Papa est solide. Il faisait beaucoup d'équitation autrefois. Il lui reste de nombreuses années à vivre.

— Je le souhaite. Il a été un père merveilleux, pour toi comme pour moi.

Linda reposa sa tasse avec précaution.

— Tu n'en parles jamais, mais tu n'as pas oublié ce que je t'ai raconté quand nous étions enfants, n'est-ce pas ? Ça ne s'efface pas comme ça.

— Tes explications étaient inutiles. J'étais là, comme toi. Je sais que Sam fuguait de temps en temps. Je ne le considère pas moins comme un homme de cœur.

Pour cacher le tremblement de ses mains, elle posa les poignets sur le rebord du bol tandis qu'elle dosait sa farine.

— Maman était du même avis, poursuivit-elle. Sinon, elle ne l'aurait pas attendu.

— Donc, tu as oublié. Ou du moins, tu fais semblant. As-tu remarqué que tu appelles Ella maman, alors que moi, je l'appelle Ella ?

Carolee se figea.

— Maman s'est occupée de toi comme si tu étais sa propre fille.

— Mais je ne l'étais pas. En revanche, toi, tu dis Sam, et moi, papa.

— Laisse tomber, Linda.

Les événements de ces jours passés avaient épuisé Carolee. Elle était à bout de nerfs.

— Tu sais que papa partait parce qu'il en avait par-dessus la tête. C'était sa façon à lui de ne pas sombrer, puisqu'il ne pouvait rien changer à la situation.

— Ça suffit ! s'exclama Carolee en lâchant le gobelet de farine pour se couvrir les oreilles. En admettant que tu aies raison, tout cela est du passé.

— Il faut bien que quelqu'un dise la vérité, insista Linda en se levant. Mon père a été accusé injustement, et tu m'en veux de mettre les points sur les I à ce sujet.

— Tu as réécrit l'histoire.

— Je sais ce que je sais, et toi aussi. Ne me dis pas que tu n'as jamais rien vu.

— Je vais faire un tour, répliqua Carolee en se ruant vers la porte. Je t'en prie, ne me suis pas.

La matinée était humide, le ciel plombé, les nuages si bas qu'ils paraissaient frôler la crête des arbres. Elle descendit jusqu'au lac et s'assit au bord de l'eau, les yeux fixés sur les vaguelettes qui venaient s'échouer sur la rive.

Sam et Faith étaient partis en promenade. Sam, qui montait le grand cheval brun, avait promis d'être prudent. Carolee était un peu inquiète de savoir sa fille inexpérimentée sur les sentiers, sans excès cependant. Linda avait raison : Sam était bon cavalier.

Ses pensées la ramenaient invariablement à Max. Après leur fougueuse étreinte dans le bureau, ils avaient déjeuné. Dès qu'elle l'avait pu, elle s'était esquivée sous le prétexte d'éviter la circulation à l'heure de pointe.

Max était resté silencieux, mais il avait refusé de laisser Carolee regagner seule sa voiture avec Faith. Le regarder était un supplice. Quand il avait accroché son regard, elle s'était empourprée. Ce qu'elle avait fait était incroyable, mais c'était exactement ce qu'elle souhaitait.

Depuis, il s'était rendu à deux reprises chez Sam pour donner son cours d'équitation à Faith. Carolee avait refusé de les rejoindre.

Elle mourait d'envie de le revoir.

C'était un comportement suicidaire. Qu'est-ce qu'un homme pouvait penser d'une femme qui lui avait littéralement sauté dessus ? Il aurait pu l'arrêter, mais il n'était pas idiot. Il en avait envie autant qu'elle. D'ailleurs, il s'était montré plein de bonne volonté – un amant attentif, comme elle le souhaitait. Désormais, elle ne devrait plus jamais se trouver seule avec lui. Mais peut-être était-ce précisément ce qu'elle avait cherché : à en finir avant que ça ne commence.

Mensonge. Ce qu'elle avait voulu, c'était le sentir en elle. Éprouver sa puissance, tandis qu'il prenait ce qu'elle lui offrait.

Une tiédeur moite régnait. Elle longea la plage, puis remonta la colline à travers le bois qui séparait sa propriété du terrain en friche voisin.

— *Tais-toi, lui avait chuchoté Linda en lui serrant la main. Marche sur la pointe des pieds, et ne fais pas de bêtises. Ne pleurniche pas, ne dis rien. Tu as compris ?*

— *Oui, avait répondu Carolee sur le même ton.*

Carolee se sentit blêmir. La tête lui tournait, et elle dut s'asseoir sur un tronc couché sur le sol. Tôt ou tard, elle serait bien obligée d'affronter le passé. Peut-être découvrirait-elle alors que ses souvenirs confus n'étaient pas réels.

Sam était de nouveau parti. Carolee regrettait qu'il ne soit pas là, car Linda était moins méchante en sa présence. Linda avait neuf ans. C'était une grande. Et Carolee, qui n'avait que cinq ans, devait lui obéir.

— Quand on sera en bas, oublie que tu as une langue, la Souris, sinon, j'attendrai que tu dormes pour te la couper avec les ciseaux à couture d'Ella.

Carolee couvrit sa bouche d'une main et secoua la tête. Elle pleurait malgré elle.

— Arrête !

Linda lui saisit une poignée de cheveux et tira de toutes ses forces.

— Aïe ! gémit Carolee.

— Viens !

Elles descendirent, marquant une pause à chaque marche pour tendre l'oreille. Linda les entraîna dans la nuit, de l'autre côté de l'allée, jusqu'à la forêt.

Carolee se rapprocha de Linda et chuchota :

— Pourquoi on fait ça ? Maman va être très fâchée.

— Elle n'en saura rien.

Elles poursuivirent leur chemin, traversèrent le pré jusqu'au vieux cottage abandonné. Linda conduisit Carolee vers la porte menant à une cuisine minuscule qui sentait mauvais.

Le cœur de Carolee battait si fort qu'elle pouvait l'entendre. Elle avait envie de partir.

Linda s'accroupit, et Carolee l'imita. Encore quelques pas, et elles furent dans la pièce unique du rez-de-chaussée.

Un feu crépitait dans la cheminée.

Carolee tenta de tirer Linda en arrière, en vain.

Un petit rire leur parvint du canapé devant la cheminée. Un rire et de drôles de bruits. Linda saisit le col du pyjama de Carolee et la força à s'accroupir. Elle tendit le doigt. Les flammes éclairaient des vêtements éparpillés un peu partout. Linda secoua Carolee et lui montra un peignoir qui ressemblait à celui de maman, ainsi qu'une chemise de nuit.

Un rire d'homme, des halètements, le grincement du canapé.

C'était maman. Maman avec un inconnu. C'était mal. Linda affirmait que Carolee ne savait rien, mais elle sentait bien que c'était mal que sa mère se soit déshabillée et couchée sur un canapé avec un monsieur. Lui aussi était tout nu. Son pantalon pendait sur le dossier d'une chaise, le reste de ses vêtements étaient dispersés sur le sol.

Linda s'éloigna à reculons en tirant Carolee par sa veste de pyjama. De nouveau, elles se retrouvèrent dehors, dans la nuit noire. Il faisait froid. Carolee frissonna. Elle se mit à pleurnicher. Linda la poussa vers le bois.

Elles partageaient une chambre et dormaient ensemble dans un lit double, parce qu'il n'y avait pas assez de place pour des lits jumeaux.

— Allez, couche-toi ! ordonna Linda en soulevant les couvertures. Et arrête de pleurer.

— Je ne comprends pas.

— Évidemment ! Est-ce que tu sais d'où viennent les bébés ?

Carolee avait envie de se cacher la tête sous l'oreiller.

— Un peu.

— Un homme et une femme se déshabillent, et puis ils s'embrassent, et tout et tout.

— Ah.

Carolee trouvait un peu vague le « et tout et tout », mais ça ne changeait rien au fait que maman n'aurait jamais dû être là avec ce monsieur.

— Tu comprends pourquoi papa s'en va, maintenant ?

Carolee se pelotonna contre elle.

— Je ne sais pas. Des fois, il en a assez d'être avec nous.

— Il n'en a jamais assez d'être avec moi, glapit Linda. Mais certaines choses le rendent si triste qu'il s'en va. À cause d'Ella.

— Non.

— Si. Elle a des amis. J'ai découvert où elle allait quand elle nous croyait endormies. C'est toujours quand papa est en voyage, mais il le sait, et c'est pour ça qu'il nous laisse.

Cette fois, Carolee plaqua l'oreiller sur sa tête. Linda le lui arracha.

— La première fois, c'était juste après ta naissance. J'ai dû réfléchir très longtemps, mais ensuite, j'ai compris. Il avait appris qu'Ella embrassait d'autres hommes, il savait que tu n'étais pas son bébé.

C'était absurde. Si Sam s'était absenté pour la première fois après la naissance de Carolee, Linda, alors âgée de quatre ans, n'aurait jamais su pourquoi.

Les vêtements de maman, par terre…

Carolee se leva et emplit ses poumons d'air tiède. Peut-être que ces vêtements n'appartenaient pas à sa mère. Peut-être qu'un couple d'amants avait découvert le cottage désert et décidé de s'y réfugier.

Elle fourra les mains dans les poches de son jean et émergea du bosquet, à deux pas de la maison. Linda avait dû subir une blessure si profonde qu'elle cherchait à se venger sur Carolee. Seule, une personne malheureuse pouvait se comporter ainsi, une personne malheureuse en quête de compréhension et de soutien.

Dans la cuisine, Linda était en train d'étaler la pâte au rouleau à pâtisserie. Sans lever les yeux, elle en déposa un cercle dans le fond de la tourtière dont elle pinça les bords. Carolee sortit un bol de rhubarbe et de fraises coupées du réfrigérateur, les versa dessus, saupoudra le tout de sucre. Linda posa un second cercle de pâte par-dessus, l'enduisit de jaune d'œuf, le fendit, puis enfourna la tourte pendant que Carolee tenait la porte du four ouverte.

— Tu veux en parler maintenant ? s'enquit-elle en se lavant les mains. À l'époque, tu étais trop jeune pour comprendre.

— Toi aussi. Et je ne veux plus jamais en parler.

Linda l'observa attentivement.

— Très bien. Mais ça sera toujours là, répliqua-t-elle en empilant les ustensiles sales dans l'évier. J'aurais dû te l'avouer plus tôt: j'ai tenté de joindre Kip.

Carolee se retint de l'embrasser.

— J'ai appelé Bill Lester. D'après lui, Kip est sur son bateau. Je ne savais pas qu'il en possédait un.

— Si, si, fit Carolee d'un ton nonchalant.

— Je me suis rendue sur place. Tout était ouvert, mais Kip était invisible. Très impressionnant, le yacht. Il y avait un homme à bord, en train de peindre. Il m'a expliqué que Kip était parti retrouver des amis et ne serait pas de retour avant plusieurs heures. Je n'avais pas le courage de patienter.

— Pourquoi voulais-tu le voir?

— Pour lui dire qu'il est injuste envers toi et qu'il est grand temps qu'il se prenne en main. En d'autres termes, qu'il cesse de se distraire en te menant une vie impossible. Faith devrait pouvoir passer avec toi autant de temps qu'avec lui.

— Tu es une merveilleuse idiote! s'exclama Carolee en la serrant contre elle. Tu fais semblant d'être une dure, mais au fond, tu es une grande sensible.

— Attention! marmonna Linda d'une voix étouffée. Garde tes compliments pour toi.

— Je te suis reconnaissante de prendre ma défense, mais je suis ravie que tu n'aies pas rencontré Kip. Promets-moi de ne plus essayer, d'accord?

Linda s'écarta légèrement et la dévisagea.

— Non, pas d'accord. Pour revivre, il faut que tu cesses d'avoir peur. Tu crains que Kip ne se fâche si tu as une relation avec un autre homme. Tu penses qu'il se servirait de ce prétexte pour t'empêcher de voir Faith plus souvent. Tu t'inquiètes trop. À propos, comment s'est passée la visite des locaux de Max? Tu ne m'as rien raconté, et je meurs de curiosité.

— C'était bien. Faith était enchantée. Écoute, ce que tu viens de me dire est peut-être vrai, mais je ne peux pas me permettre de prendre le moindre risque. Ne t'approche plus de Kip, je t'en supplie.

— De ton côté, jure-moi que tu exigeras un partage équitable de la garde de votre fille. Et recommence à sortir. Max fera très bien l'affaire, s'il te plaît suffisamment.

— Je ne jurerai rien du tout.

Linda haussa les épaules.

— Ça t'ennuie, si je joue un peu de piano ? demanda Carolee qui n'avait pas oublié combien Linda était agacée quand elle s'exerçait.

— Pas du tout.

Linda s'approcha d'un fauteuil et s'y laissa choir. Elle posa les pieds sur l'ottomane.

Digger apparut en haut de l'escalier. Il descendit tranquillement les marches en bâillant. Comme Carolee, il avait le réveil difficile.

— Tiens ! D'où sort-il, celui-là ?

— Il était sur le lit de Faith. C'est encore un bébé, il a besoin de faire la sieste.

Digger renifla le bord du tapis et extirpa le caillou qu'il avait caché dessous. Il se cala entre les jambes de Linda pour le mâchouiller à loisir.

— Il est mignon !

Carolee s'était installée au piano. Dès que ses doigts effleurèrent le clavier, elle se sentit mieux. Plus elle jouait, plus elle se décontractait.

— Je suis jalouse de toi, déclara soudain Linda. Te l'ai-je jamais dit ?

Carolee esquissa un sourire et secoua la tête. Elle entonna la chanson *Danse comme ma sœur Kate*, en remplaçant ce prénom par celui de sa propre sœur.

Linda rit aux éclats et, paupières closes, se balança en rythme.

Le téléphone sonna, et Carolee sursauta. Pourvu que ce ne soit pas Max !

— Allô ?

— Ici Leo Getz, répondit son interlocuteur de sa voix de basse. Je viens aux nouvelles.

— Leo ! Quelle bonne surprise !

En plus d'être un remarquable impresario, Leo était un ami très cher, et elle s'en voulait de l'avoir laissé tomber.

— Où es-tu ?

— À New York, bien sûr.

Bien sûr. Pourquoi en aurait-il été autrement ? Leo était un New-Yorkais dans l'âme. Son univers s'arrêtait à l'ouest de l'Hudson.

— J'ai promis de ne pas te harceler, ma chérie, mais ça fait un bon moment que je filtre les propositions de contrat. Ton public se languit de toi. J'aurais de quoi remplir ton agenda pour les deux années à venir. Es-tu prête à reprendre la route ?

La question prit Carolee de court. La dernière fois qu'ils s'étaient parlé, elle avait annoncé à Leo qu'elle ne se produirait plus en spectacle pour un temps indéterminé, sinon dans son club. Il n'était pas au courant de ses prestations chez Brandy, et d'ailleurs, cela ne l'aurait pas intéressé.

— Carolee ?

— Pourquoi me demander ça maintenant ? Je t'ai dit que je te préviendrais le jour où j'aurais envie de m'y remettre.

Linda se tourna sur son siège et haussa les sourcils.

— En effet. Écoute, mon chou, je comprends ton problème, mais j'ai une agence à gérer. Sans vouloir t'ennuyer, il faudrait que tu signes au moins un ou deux contrats.

Elle fixa Linda.

— Des contrats ?

— Même si ce n'est pas pour demain ou la semaine prochaine, nous avons des contrats d'enregistrement à renouveler.

— Je ne ferai peut-être plus jamais de disque.

Leo toussota.

— Tu en feras, crois-moi. Ceux qui t'ont rendu service dans le passé veulent s'assurer de ta fidélité.

Contente-toi de parapher la dernière ligne et d'empocher les avances.

— Je n'ai pas besoin d'argent.

— Peut-être pas aujourd'hui, mais tu as pris des engagements qui coûtent cher. Je sais combien tu tiens au fonds en fidéicommis de Faith. Si tu veux le garder, et payer tes factures, c'est le moment ou jamais de profiter de ta valeur marchande.

Carolee se détourna de sa sœur.

— Je ne sais pas...

— Réfléchis. Nous en reparlerons. En attendant, je songe à une tournée. Je m'arrangerai pour que tu puisses te reposer entre tes galas – et retrouver ta fille.

— Je ne comprends pas. Tu es au courant de ma situation, tu m'as affirmé que tu me soutiendrais. Je ne veux pas partir en tournée. Il n'en était même pas question la dernière fois que tu m'as appelée.

— Bien sûr que je te soutiendrai toujours, mon chou, mais, à mon avis, tu es trop angoissée pour agir selon tes véritables désirs.

— Où as-tu pêché ça, Leo ?

Il émit un sifflement, et elle imagina son visage rond, ses cheveux clairsemés, la façon dont il faisait rouler sa langue dans l'interstice entre ses deux incisives.

— Vas-y, accouche, insista-t-elle.

— Après tout, pourquoi pas ? Kip m'a téléphoné récemment. Il se fait du souci pour toi, Carolee. Il craint que tu ne sois déprimée – vraiment déprimée – et que tu ne fasses des bêtises. Écoute, je déteste ce type, mais il n'est peut-être pas aussi nul qu'il en a l'air.

Elle se mit à aller et venir aussi loin que le lui permettait le cordon du téléphone. Le conseil de Bill Lester lui revint à la mémoire : devrait-elle consulter ?

— Parle-moi ! gémit Leo.

— Kip te raconte que je suis au bord du suicide, et tu le crois ?

— Non. Mais je pense qu'il a raison quand il prétend que ta carrière compte beaucoup et que tu devrais la reprendre.

— Kip pense que je devrais reprendre les tournées, répéta-t-elle. Il se fiche éperdument de ce que je fais, Leo. Il a déjà obtenu la moitié de tout ce que j'ai gagné pour nous deux depuis notre mariage. Il n'aura plus rien.

— Je sais, mon chou. Je n'en reviens toujours pas que tu lui aies laissé la Porsche alors que le divorce était déjà prononcé.

— J'avais une voiture. Je n'avais pas besoin de la deuxième.

— Ce n'est pas une raison, mais passons. Tu as ouvert un compte au nom de Faith pour que son cher papa n'ait jamais à s'inquiéter de son avenir. De plus, tu lui paies une pens...

— Leo, tais-toi, je t'en prie. Je ne veux pas revenir là-dessus.

De toute évidence, la prestation compensatoire et la pension qu'elle versait à Kip l'autorisaient à s'offrir un yacht et à mener grand train sans travailler.

— Entre le club et les droits sur mes disques, je me débrouille très bien.

— Sans jamais penser à toi... J'ai été étonné par son coup de fil. J'ai même trouvé ça bizarre. Est-ce qu'il ne t'a pas reproché d'être tout le temps en tournée ? N'est-ce pas justement ce qui vous a séparés ?

Carolee regretta que Linda ne fût témoin de cette conversation.

— Il n'a pas supporté mon succès. J'y ai donc renoncé. J'ai tout tenté pour qu'il change d'opinion à mon sujet et accepte un nouvel arrangement pour Faith.

Leo toussa, siffla entre ses dents.

— Crois-tu qu'il se doute de mes intentions et cherche à me nuire ? Il veut pouvoir dire au juge : « Voyez, elle n'a pas changé. » À moins qu'il ne supporte pas que j'habite si près de lui, et qu'il essaie de se débarrasser de moi ?

— Je pense que tu as mis le doigt dessus, Carolee, mais il fallait absolument que je vérifie auprès de toi. Si Kip a menti, il s'est montré très convaincant.

— *S'il a menti?* ironisa-t-elle. Il est expert en la matière, et il est d'une patience redoutable. Il veut quelque chose, et ça me met mal à l'aise. Il y a anguille sous roche. Je ne peux pas t'en parler maintenant, mais ce qui est sûr, c'est que Kip a une idée derrière la tête.

Elle discuta encore quelques instants avec Leo, puis raccrocha avec le sentiment qu'il la rappellerait bientôt.

— Kip est une vipère, observa Linda. Quoi qu'il te dise, méfie-toi de lui.

Carolee la regarda, intriguée.

— J'ai peur, mais je ne suis pas sûre de te comprendre. Un instant, tu remues le passé et tu me rends malheureuse parce que je ne peux rien y changer. L'instant d'après, tu prends ma défense contre mon ex-mari.

Linda repoussa ses cheveux.

— Je te défendrai toujours bec et ongles. Tu étais là pour moi lorsque les autres me délaissaient parce qu'ils ne me supportaient plus. Enfin, peu importe, je t'aime, Carolee.

Elle avait vraiment choisi son moment – alors que Carolee était sens dessus dessous –, pour lui balancer une pareille déclaration, et ce, pour la première fois de sa vie.

— Moi aussi, je t'aime. Et si tu étais moins blasée, moins extravagante, je t'adorerais.

Linda éclata de rire, se leva et se mit à danser en fredonnant une mélodie sud-américaine. Elle traversa la pièce en ondulant exagérément des hanches, les bras au-dessus de la tête, la poitrine en avant.

— Tu as le sens du rythme, remarqua Carolee. Tu avais une belle voix, autrefois. Je parie que c'est encore le cas. À propos, sans vouloir t'offenser, il me semble que tu devrais déjà être repartie pour Chicago, non?

Linda s'immobilisa et sourit en désignant du doigt un point derrière Carolee.

— J'ai changé d'avis.

Carolee jeta un coup d'œil par-dessus son épaule. Derrière la porte-moustiquaire se tenait Max, son Stetson noir incliné sur les yeux, un énorme bouquet sous le bras.

— C'est lui, n'est-ce pas ? murmura Linda. Mon Dieu ! Il est sublime !

17

Carolee était visiblement à cran. Elle ouvrit un placard pour y prendre un vase en cristal, que Max rattrapa de justesse avant qu'il ne lui tombe sur la tête.

— Bravo ! s'exclama sa sœur, la fameuse Linda que Rob avait rencontrée chez Brandy. Ravie de vous rencontrer, Max. Carolee, je vous laisse. J'ai promis à papa de lui concocter un bon petit plat pour le dîner.

Carolee fit couler de l'eau fraîche.

— Ce n'est même pas encore l'heure du déjeuner.

— Papa et Faith ne rentreront pas avant au moins deux heures. Il l'a emmenée chez un de ses copains. Et ce que j'ai prévu au menu est long à préparer. J'espère que vous vous joindrez à nous, Max ?

Il lui sourit, mais n'accepta ni ne refusa l'invitation. La sœur de Carolee ne lui ressemblait en rien. Elle était plus petite, plus provocante, moulée dans un tee-shirt qui s'arrêtait juste au-dessus de la ceinture d'un pantalon tout aussi collant. Elle avait des yeux bruns perçants, et des cheveux auburn qui lui arrivaient aux épaules. Elle paraissait plutôt sympathique, malgré l'air gourmand avec lequel elle le dévisageait.

— Bon, eh bien, j'y vais ! À plus tard !

— À plus tard ! répondit Carolee.

Max agita vaguement la main, pas mécontent qu'elle s'en aille.

— Ce n'était pas la peine d'apporter des fleurs, fit Carolee.

Maintenant qu'il était là, elle avait très envie qu'il reste. Mais, en même temps, elle avait peur du tête-à-tête. Qui craignait-elle, en réalité ? Max ne lui avait jamais semblé menaçant.

— En effet, mais je suis allé au marché de Pike Place ; c'est là qu'on trouve les plus belles fleurs coupées de la ville, et rien n'est trop beau pour vous… Je sais, je parle comme un télévendeur, mais c'est la vérité.

Carolee admira le bouquet.

— Il est somptueux. J'en prendrai soin. Au lieu de vous reprocher votre geste, je devrais vous dire que tout va bien et qu'il était inutile de venir prendre de mes nouvelles.

— Très bien, à mon tour d'être franc, et au diable les conséquences ! Je rêvais de vous revoir – seul à seule – depuis que nous avons partagé ce moment, qui est sans doute ce qui m'est arrivé de mieux dans ma vie. Mais vous refusiez de me parler au téléphone, et je craignais que vous ne m'envoyiez promener si je passais. Au début, cette idée m'était insupportable. Et puis, finalement, ne pas savoir comment vous réagiriez m'a paru encore pire.

Elle ne trouva à rien à répliquer.

— Votre sœur, Sam et Faith seront absents encore deux heures. On pourrait faire une balade en voiture ? Il faut que nous parlions, vous êtes d'accord, n'est-ce pas ?

Être d'accord ? La perspective de se retrouver dans un espace confiné avec lui sans aucune échappatoire possible était terrifiante ! Et puis, qu'avait-il l'intention de lui dire ?

Il posa la main sur son bras, mais elle s'écarta.

— Je vous en prie, Carolee.

— Je viens de mettre une tourte au four.

Le prétexte idéal ! Elle retint un soupir de soulagement.

— Appelez votre sœur. Elle paraissait ravie de nous voir ensemble. Elle s'occupera de votre tourte.

— Je ne peux pas lui demander ça.

Max savait qu'elle se dérobait. Il sortit son portefeuille et en extirpa la carte sur laquelle il avait noté le numéro de Sam. En moins d'une minute, il avait réglé le problème avec Linda. Évitant le regard de Carolee, il s'empara de son chapeau.

— Voilà, c'est arrangé. Il fait beau. Vous m'indiquerez le chemin ; nous irons où vous voudrez.

Elle resta clouée sur place, les bras ballants.

— J'ai prévenu Linda. Elle trouverait étrange que nous ne bougions pas.

— Vous êtes un manipulateur.

— Nécessité fait loi, riposta-t-il.

— Très bien. À votre guise.

Elle attrapa son sac, sortit de la maison et fonça droit sur sa voiture.

Elle aurait dû s'en douter. Si Max avait été le genre d'homme qui se contente de prendre ce que lui offre une femme, puis d'attendre qu'elle donne signe de vie – sans s'inquiéter si elle ne le faisait pas –, il ne serait pas venu. Max n'était pas de ceux-là. Il devait culpabiliser, et ne se rendait probablement pas compte qu'elle avait pris l'initiative de A à Z.

— Le rose vous va bien. Il met en valeur votre teint.

Elle s'installa, posa son sac par terre et regarda droit devant elle. Max prit tout son temps avant de refermer la portière, et elle sentit qu'il la contemplait.

— Vous avez une idée de l'endroit où nous pourrions aller ?

Elle secoua la tête.

Il démarra et roula tranquillement jusqu'au sommet de la colline. Il conduisait loin du volant, les jambes très tendues. Une fois de plus Carolee s'interrogea sur la gravité de ses blessures.

Ils prirent la direction du sud, puis bifurquèrent à l'est. Ils arrivèrent à Issaquah, une ville charmante où se mêlaient avec bonheur l'ancien et le moderne.

— Nous pourrions déjeuner à Gilman Village, suggéra-t-il.

C'était le quartier touristique, où abondaient boutiques et restaurants.

— Je n'ai pas faim, avoua-t-elle. Mais surtout, ne vous privez pas pour moi.

— Dans ce cas, direction Snoqualmie !

— Je ne peux pas m'absenter trop longtemps, s'alarma-t-elle. Je veux être là quand Faith rentrera.

— Si nous sommes en retard, ce ne sera pas de beaucoup.

Elle ne se détendit que lorsqu'elle réalisa qu'ils se rendaient à la ville de Snoqualmie, à quelques kilomètres de là, et non au Col du même nom, nettement plus éloigné.

Ils filèrent sur l'autoroute vers les montagnes. Très vite, le paysage urbain céda la place aux pinèdes et aux monts verdoyants.

Max s'engagea bientôt dans une route de campagne, ralentit pour se garer dans une clairière équipée de quelques tables de pique-nique.

Carolee fut dehors avant qu'il n'ait eu le temps de contourner le véhicule pour lui ouvrir sa portière. Elle se précipita vers le sentier étroit qui se faufilait entre les arbres. Max la suivit d'un pas tranquille. Il n'était pas très content de lui, mais tant pis. Passer du temps auprès d'elle l'enchantait, et il n'avait pas l'intention de s'en priver. Il lui fallait apprendre à la connaître et à l'amadouer.

Au détour du premier virage, ils tombèrent sur un petit lac entouré d'herbes folles. Carolee s'accroupit au bord de l'eau. Max, qui l'avait rejointe, l'imita. Elle ramassa une poignée de galets pour faire des ricochets.

— Est-ce qu'on peut parler ? murmura-t-il, brûlant d'envie de la toucher sans oser s'y risquer. Il le faut. Le plus tôt sera le mieux.

— Je ne suis pas comme ça.

Elle se leva brusquement et cligna des yeux, comme s'ils lui piquaient.

— Vous n'êtes pas comme quoi ?

— Je ne... je ne suis pas une Marie-couche-toi-là, fit-elle entre ses dents. Je sais que ça peut paraître horrible, mais ce n'était rien de plus.

— Oh, que non! rétorqua-t-il, et, sans se soucier de prudence, il lui saisit la main, se contentant de resserrer sa prise lorsqu'elle tenta de se dégager. Mettons les choses au clair. Je sais que vous n'êtes pas une allumeuse... Alors, pourquoi moi? Pourquoi? Parce que j'étais là et que vous étiez d'humeur? N'importe qui aurait fait l'affaire?

— Allez vous faire voir! jeta-t-elle.

De sa main libre, elle le gifla. Max ne fit rien pour l'arrêter. Au contraire, il resta stoïque, comme s'il attendait qu'elle recommence.

— Vous auriez pu me repousser! s'écria-t-elle, en désespoir de cause.

Il rit, et Carolee se sentit encore plus désemparée.

Max savait que ce n'était pas le genre de femme à gifler un homme. Elle était à bout de nerfs, et c'était à lui de la ramener au calme.

— Bon, maintenant, c'est mon tour, déclara-t-il en l'entraînant vers une étendue d'herbe, un peu plus haut.

— Lâchez-moi.

— Non. Je vous le répète, c'est mon tour.

Elle enfonça ses talons dans la terre, mais il refusa de céder.

— Je vous ai demandé de m'embrasser comme si vous en aviez vraiment envie – si vous en aviez envie, reprit-il en la faisant asseoir près de lui. Je ne vous ai pas demandé d'aller plus loin, mais vous le souhaitiez.

Carolee pivota vers lui et abattit le poing sur sa cuisse.

— Vous aussi, vous le souhaitiez. Je vous ai donné ce dont tout homme rêve. Je vous ai forcé la main.

— Vous n'auriez rien forcé du tout si je ne vous avais pas désirée, contra-t-il, soudain en colère. Tous les hommes ne se ressemblent pas.

— Je suis désolée.

Carolee desserra le poing pour lui caresser la jambe.

— Je ne sais plus où j'en suis. Je ne prétends pas que tous les hommes se ressemblent. Vous êtes peut-être le meilleur que j'aie jamais rencontré. Mais je ne peux me permettre d'aller y voir de plus près. Et vous savez pourquoi.

— Votre ex-mari ne peut pas vous reprocher d'avoir une relation amoureuse.

— Je le croyais incapable de faire ce qu'il m'a fait quand il a voulu divorcer. Je me trompais. Aujourd'hui, ma petite fille est désorientée. Parfois, elle joue les dures, d'autres fois, elle me donne presque l'impression d'être heureuse. Le reste du temps, elle a peur, et elle essaie de le cacher en se réfugiant dans le sommeil.

— Une fille a besoin de sa mère. Faith est en pleine transformation. C'est à vous de l'aider à surmonter cette étape et à avoir confiance en elle.

— Depuis quand connaissez-vous le comportement des pré-adolescentes ?

— La plupart de mes coéquipiers avaient des enfants. Je les ai souvent écoutés, ainsi que leurs épouses. Il m'est arrivé d'être un « oncle » pour un ou deux jeunes.

— Ma situation est trop compliquée, marmonna-t-elle. Vous avez eu votre part d'épreuves, et je vous admire de vous en être ainsi sorti. Quant à moi, je suis complètement déboussolée. Je ne suis pas encore guérie d'un divorce aussi imprévu que sordide, et je m'apprête à me lancer dans un combat pour modifier les modalités de garde de ma fille. Il faudrait être fou pour s'intéresser à moi.

— Je n'ai pas pansé toutes mes plaies, vous savez, fit Max. Certes, je me suis remué, j'ai monté mon entreprise, je fais du bénévolat, mais je ne suis pas dupe. J'ai encore du mal à admettre ce qui s'est passé. J'aimerais encore courir sur un terrain. Entendre les acclamations de la foule. Tout cela est terminé, et j'en souffre. Et voilà que Rob Mead resurgit dans mon existence. Je sèche. Je ne sais pas quoi en penser.

Elle le dévisagea.

— Comment ai-je pu imaginer que vous n'aviez aucun regret ? Que j'étais la seule à me morfondre sur mon passé.

Quand il la contemplait comme il le faisait à cet instant, elle n'avait qu'une envie : l'embrasser.

— Que voulez-vous dire, au sujet de Rob Mead ? ajouta-t-elle.

Max avait du mal à se concentrer. Carolee avait raison, sa situation était trop compliquée, il fallait avoir perdu la tête pour s'intéresser à elle. Il l'avait d'ailleurs perdue dès le premier soir, lorsqu'il l'avait vue chez Brandy.

— Rob a décidé de mettre un terme à sa carrière d'athlète. Il souhaite investir de l'argent dans mon affaire et travailler avec moi. Je ne suis pas certain de pouvoir le supporter, d'autant que je le soupçonne d'être poussé par un sentiment de culpabilité.

Carolee était de ces femmes – rares – qui savaient écouter sans réfléchir à ce qu'elle allait répondre. Elle attendit patiemment qu'il enchaîne.

— Il était là, quand la camionnette est retombée sur mes jambes. Pour des raisons qui m'échappent, il se prend pour Superman et se reproche de ne pas avoir pu soulever le véhicule. Il ne supporte pas d'avoir pris ma place au sein de l'équipe. Du moins, c'est ce qu'il affirme. Mais il n'est en rien responsable du pneu crevé ou du cric qui s'est déplacé. Je ne sais pas comment réagir.

Elle laissa courir les doigts sur la couture de son jean.

— Il doit agir selon ses convictions, mais rien ne vous oblige à le prendre comme associé si vous ne le souhaitez pas. Je devine que vous l'appréciez. Vous serez content de l'avoir près de vous. Quand je l'ai vu avec Brandy l'autre jour, j'ai eu l'impression qu'ils faisaient d'énormes efforts pour ne pas tomber amoureux l'un de l'autre. Voilà un problème à résoudre qui risque de demander pas mal d'énergie à Rob. Et il pourrait se désintéresser de vous.

Max éprouvait de plus en plus de difficultés à ignorer les caresses de la jeune femme.

— Vous avez raison, dit-il. Il faut que je reste détaché. Dommage que l'être humain soit si complexe.

— Max… commença-t-elle en baissant la tête pour dissimuler son visage. Hier, j'ai dépassé les bornes. Je vous ai mis dans une position délicate.

— Abominable, renchérit-il en se retenant de sourire.

Elle leva les yeux vers lui.

— Ne vous moquez pas de moi. Je ne cesse de revoir cette scène, et j'en rougis jusqu'aux oreilles, affirma-t-elle, s'empourprant d'ailleurs sur-le-champ, au grand plaisir de Max. Il faut me croire si je vous dis que ce n'était pas prémédité.

— Ah, non ? rétorqua-t-il. Comment ? Vous n'aviez pas prévu de me séduire ? J'en suis consterné.

Elle enfonça l'index dans son ventre d'un geste taquin, et parut visiblement surprise qu'il soit aussi ferme.

— Carolee, est-ce que je peux vous embrasser ?

— Mmm…

C'était davantage une interrogation qu'un accord, mais il opta pour l'interprétation qui l'arrangeait. Il la fit pivoter, puis basculer afin que sa tête repose sur ses genoux. Ses yeux étaient d'un vert incroyable.

— Je veux vous regarder en attendant de prendre ma décision.

Elle déglutit.

— Votre décision ?

— Oui. Sur la manière dont je vais vous embrasser.

Elle changea de position pour mieux le voir.

— Il me semble que ce n'est pas raisonnable.

— Au contraire, murmura-t-il en écartant une mèche du visage de Carolee. Les cheveux tirés vous vont bien.

Elle ne le remercia pas du compliment.

— Dites-moi que vous me croyez quand je vous assure que ce n'est pas dans mes habitudes de sauter sur les hommes.

Sa sincérité lui donna envie de sourire.

— Ça ne m'était jamais arrivé auparavant, insista-t-elle.

— Je suis vraiment chanceux ! dit-il doucement. Je vous crois, et je suis convaincu que vous éprouvez des sentiments pour moi, sinon, ça n'aurait pas eu lieu.

Carolee rêvait qu'il la caresse, mais elle n'était pas certaine de pouvoir se maîtriser s'il le faisait. Il cala sa main au creux de son épaule et frotta sa clavicule du pouce. Quand il inclina la tête de côté pour la contempler, elle comprit qu'elle ne pouvait demeurer ainsi à attendre.

Max l'enveloppa de ses bras, et l'attira à lui. Elle huma les senteurs de pin, perçut vaguement le frôlement des écureuils dans les branches et le gazouillis des oiseaux. Puis il n'y eut plus que Max, ses lèvres sur les siennes.

Très vite, elle glissa les bras autour de son cou et répondit à ses baisers avec une passion égale à la sienne. Mais lorsqu'il voulut remonter son tee-shirt, elle se tortilla pour se libérer. À son grand soulagement, Max ne chercha pas à l'attirer de nouveau à lui.

Quand elle se leva, il l'imita, et ils se tinrent face à face.

— Je ne veux pas vous perdre, dit-il sans détour.

— Cela peut paraître absurde, mais nous devons faire comme s'il ne s'était rien passé entre nous hier, et avancer doucement.

Elle ôta l'élastique qui retenait ses cheveux, se recoiffa avec les doigts avant de refaire sa queue-de-cheval.

— Écoutez, voici ce que je vous propose. Vous avez votre vie et moi, la mienne. Nous avons chacun nos soucis, mais nous nous plaisons.

— En ce qui me concerne, c'est plus que cela, Carolee.

Elle esquissa un sourire, soudain intimidée.

— Merci. Donc, nous ferons ce que nous avons à faire chacun de notre côté, mais nous resterons amis.

Max n'était pas sûr d'aimer sa proposition.

— Ce que je veux dire par là, continua-t-elle, c'est que nous serons présents l'un pour l'autre dans la mesure de nos envies respectives. Pas d'attaches. Nous nous verrons parfois… en tant qu'amis.

— Amis ? J'aurai du mal à me comporter comme si j'étais l'une de vos copines.

— Ce n'est pas ce que je vous demande, Max. Des copines, j'en ai.

— Mais vous voulez que je sois votre ami sans rien de plus. Si je vous demande de venir passer la nuit avec moi parce que j'ai peur du noir, le ferez-vous ?

— Pas si Faith est là. Elle passe en premier. Mais, si c'est possible, je le ferai.

— Et vous m'appellerez au secours si vous avez besoin de moi ?

— Oui. Mais vous savez comme moi que ça ne marchera pas si nous sommes trop exigeants l'un envers l'autre. Quand l'un d'entre nous aura besoin de respirer, il ne faudra pas en faire un drame, même si cela dure un moment.

Bien sûr, mon ange, tout ce que vous voudrez.

— Pas de drame. Ensemble quand on en a envie, et chacun chez soi quand on en éprouve le besoin. C'est ça ?

— Oui.

Elle ne saurait jamais combien ce simple mot le réjouissait. Il laissait la porte ouverte à toutes les interprétations.

18

Par les fenêtres ouvertes du restaurant, la brise faisait claquer les pans des nappes jaunes fraîchement lavées. Carolee et Faith buvaient une citronnade en attendant l'arrivée de Brandy et d'Ivy.

— Comment te sens-tu, ma chérie ? Tu es pâle.

— Lâche-moi un peu, maman. Je vais très bien.

— Inutile d'aboyer. Les mamans ont le droit de s'inquiéter pour leurs enfants.

Faith remua sa paille dans sa boisson.

— Pourquoi est-ce que tu m'as obligée à venir ici ? J'aurais préféré faire une promenade à cheval avec grand-père.

— Tu pourras y aller plus tard. Brandy avait envie de te voir. Elle a pensé que ce serait une bonne idée de déjeuner toutes les quatre.

Carolee scruta la salle. Brandy lui avait dit qu'elle serait là avant elles.

— Brandy est clinquante.

Étonnée, Carolee fronça les sourcils.

— Où as-tu appris à t'exprimer de cette manière ?

— Je ne vois pas où est le mal. Clinquant, c'est très descriptif.

Onze ans seulement, et elle cataloguait déjà les gens. Elle les jugeait.

— Ce que j'aimerais savoir, c'est où tu as appris à dire, et même à penser cela.

Faith devint écarlate.

— Si tu veux tout savoir, c'est papa qui le dit, à cause de ses tenues.

— Brandy est théâtrale, riposta Carolee en baissant la voix. Les vêtements qu'elle porte correspondent à sa personnalité. Ils lui vont bien. De plus, c'est quelqu'un de généreux et d'attentionné, une amie précieuse.

Faith croisa les bras. Elle paraissait soudain terriblement jeune et vulnérable.

— Excuse-moi. J'aime mieux ta manière de t'habiller. Tu ne t'arranges que quand c'est nécessaire. Le reste du temps, tu es une maman.

Carolee mit quelques secondes à comprendre qu'il s'agissait là d'un compliment. Une joie intense la submergea, et elle dut se retenir pour ne pas étouffer sa fille de baisers.

— C'est gentil, dit-elle simplement. Je tâcherai de continuer ainsi.

La glace fondait-elle enfin ?

— Salut !

Ivy Lester surgit, vêtue d'une robe bleu clair à jupe en corolle, et se faufila entre les tables.

— Je suis affreusement en retard. Je n'en reviens pas : je suis pourtant partie de chez moi à l'heure, mais j'ai mis deux fois plus de temps que prévu pour faire toutes mes courses.

Elle s'installa le dos à la fenêtre, à côté de Faith et face à Carolee.

— On ne te voit plus, murmura cette dernière.

Ivy avala une gorgée d'eau, tapota ses lèvres avec sa serviette.

— Les journées sont trop courtes. Je suis débordée !

En effet, les journées étaient trop courtes, et chacune les rapprochait du départ de Faith. Carolee n'avait pas passé un instant seule avec Max depuis quatre jours. Elle ne l'avait pas appelé, et lui non plus. Elle l'avait aperçu chez Sam, alors qu'ils s'apprêtaient tous trois à partir en balade. Ils n'avaient échangé qu'un signe de la main.

— Tu es là ? s'enquit Ivy, qui était d'humeur radieuse, le teint éclatant, les lèvres humides, les yeux brillants. Je crois que tu as parlé avec Bill.

Carolee la fusilla du regard, pour l'avertir d'éviter ce sujet. Ivy se passa les mains sur la nuque, les remonta jusqu'à ses cheveux noués en queue-de-cheval.

— Il paraît que tu cherchais Kip ?

Carolee jeta un coup d'œil à Faith, qui avait la tête baissée.

— J'avais un problème à discuter avec lui.

— Et Linda ? Qu'est-ce qu'elle lui voulait ? D'après Bill, elle avait l'intention d'aller le voir sur le yacht.

L'insistance d'Ivy irritait Carolee, mais elle pouvait difficilement la rembarrer. Elle décida de détourner son attention.

— Comment va ta mère ?

— Toujours aussi entêtée, merci. Bill m'a dit que Linda semblait furieuse, et toi, mal à l'aise.

— Pas du tout ! protesta Carolee avec un petit rire. Quelle idée !

Faith se cala au fond de sa chaise et serra les mains sur ses genoux.

— J'imagine qu'il t'a fait part de son opinion concernant votre avenir, reprit Ivy en glissant un regard à Faith. Il a eu tort. Ça ne le regarde pas, et d'ailleurs, il se trompe. Vous vous voyez de nouveau, tous les deux... ça ne marcherait jamais !

— Vous vous inquiétez trop de moi, marmonna Carolee, alors qu'elle mourait d'envie de lui demander de s'occuper de ses affaires.

— Comme tu voudras. Kip est sur son bateau depuis deux semaines, du moins, c'est ce qu'on m'a dit. Si tu avais laissé un message à son appartement, il t'aurait sans doute rappelée.

— Moi, j'en ai laissé, intervint Faith, le souffle court, l'air affolé.

Ivy haussa les sourcils.

— Où est Brandy ? C'est elle qui cuisine ?

— Elle ne va pas tarder.

— Bon ! déclara Ivy en s'éventant avec sa serviette. Autant aller droit au but. Après tout, Faith est une grande fille. N'est-ce pas, Faith ?

L'estomac de Carolee se noua. Elle observa la petite, qui dévisageait Ivy gravement.

Vêtue de sa robe turquoise préférée, les cheveux joliment ébouriffés par le vent, ses mules à talons martelant le sol, Brandy fit son apparition.

— Bonjour, la belle, la belle et la belle. Désolée, j'ai eu une réunion de dernière minute. C'est infernal, à la fin. Ce groupe ne comprend pas que je refuse leur proposition de partenariat. Pourquoi ne pas créer une chaîne, pendant qu'ils y sont ? Quelle bande de clowns ! Personne ne m'a demandé comment j'envisageais mon avenir. Burley ! cria-t-elle à l'intention du gérant. Peux-tu annoncer en cuisine que nous sommes prêtes ? J'ai déjà commandé le menu. Et apporte-nous une bouteille de champagne, veux-tu ? C'est la fête !

Elle s'assit et posa une étroite boîte rouge sur la table.

— Qu'est-ce qu'on fête ? murmura Faith.

— Toi, mon trésor, répliqua Brandy, l'air aussi grave qu'elle. Nous t'aimons, nous sommes heureuses de t'avoir parmi nous. Entre tes visites, ta mère est malheureuse comme les pierres. Je ne la vois jamais sourire comme lorsque tu es là.

Carolee avala sa salive. Faith était trop jeune pour ce genre d'aveux.

— Comment va ce Max Wolfe ? intervint Ivy, dans l'espoir de détendre l'atmosphère. J'ai interrogé Linda, mais elle est restée muette comme une carpe, ce qui signifie qu'il se passe quelque chose. Justement, je voulais t'en parler.

Brandy s'adressa à Faith.

— Tu sais ce que c'est qu'une joute ?

Faith secoua la tête. Les taches de rousseur de Brandy semblaient se détacher sur sa peau pâle – cela se produisait lorsqu'elle était en colère. Comme Faith.

— Je t'offrirai un livre là-dessus. Au Moyen Âge, les hommes se battaient à cheval avec des lances. Ils portaient les couleurs des dames pendant le combat, autrement dit des écharpes ou des rubans aux couleurs de leur maison. Tiens ! Ouvre ça.

Elle poussa la boîte vers Faith. À l'intérieur, il y avait trois foulards tressés ensemble, un turquoise, un violet et un jaune, et noués à chaque bout par un cordon doré. Faith parut décontenancée.

— Ce sont mes couleurs, expliqua Brandy en souriant. Je voulais te faire un cadeau original. Je me suis rappelé que tu apprenais à monter avec Max et ton grand-père. Ce n'est pas vraiment une joute, mais peu importe ! J'aimerais que tu les portes pour moi. Il faut les attacher à ton bras.

— Merci. Ça me plaît. C'est... *mirifique* !

Brandy et Carolee se mirent à rire.

— Alors, tu montes avec Max Wolfe ? demanda Ivy, ignorant le coup de genou de Carolee.

— Il est très gentil, dit Faith.

— Tu es triste, constata Ivy. Ton papa te manque. Je suis sûre qu'il s'ennuie de toi, lui aussi.

Faith rangea les écharpes dans la boîte et replaça le couvercle avec soin.

— J'ai beaucoup réfléchi, pendant que j'étais chez ma mère, enchaîna Ivy. Je sais que tu me prends pour une écervelée, Carolee, mais j'ai une âme et un cœur... et même un brin de cervelle.

— On pourrait peut-être se voir plus tard pour en bavarder toutes les deux ? suggéra Carolee.

— D'ici là, je crains de ne plus avoir le courage de te parler. Pourquoi, à ton avis, n'avez-vous eu aucune nouvelle de Kip ? Parce qu'il est désemparé. Il souffre. Lui aussi, il a peur.

Faith fouilla dans sa poche en quête d'un mouchoir en papier et se moucha.

— Une réconciliation est inenvisageable, annonça Ivy.

Un silence pesant suivit cette déclaration. Brandy, le dos très droit, s'accrocha au bord de la table. Faith fixa toute son attention sur Ivy.

— Vous allez me torturer jusqu'au bout ? gémit Ivy. Vous ne voulez pas me faciliter les choses en en discutant avec moi ? Faith a besoin de ses deux parents, Carolee, mais pas sous le même toit. Ce serait intenable.

— Kip est mon ex-mari, riposta Carolee d'un ton glacial. Je n'ai aucune envie de me remettre avec lui.

— C'est possible, mais tu souhaites continuer à faire partie de sa vie.

— Faux !

— Carolee, tu peux avoir une liaison avec lui, si tu en as envie. Vous vous entendiez bien sur le plan sexuel, non ?

— *Ivy !* s'indigna Brandy, tandis que Carolee tentait de se ressaisir.

— Je t'interdis de t'exprimer ainsi devant ma fille. Plus jamais, tu as compris ?

Ivy haussa les épaules, mais eut la bonne grâce de paraître désolée.

— J'y suis peut-être allée un peu fort. Mais je connais suffisamment Kip pour me faire du souci et vouloir vous aider tous les trois.

— Qu'est-ce que tu racontes ? s'écria Faith en se levant, sa boîte serrée contre sa poitrine. Quand tu viens, tu ne t'adresses jamais à moi. Tu ne me connais pas, tu ne connais pas mon père. Il ne veut plus de moi, c'est pour ça qu'il fait semblant d'être parti en voyage.

Carolee et Brandy se levèrent à leur tour.

— Ton père t'adore ! assura Carolee. Ivy cherche seulement à...

— Merci de m'avoir invitée à déjeuner, dit Faith à Brandy. J'ai mal au ventre. Je veux rentrer à la maison.

Elle posa sur sa mère un regard suppliant.

Carolee regagna Lake Home en un temps record. Dès que la voiture s'immobilisa, Faith en descendit et courut vers la maison. Digger bondit de la véranda et se jeta sur sa maîtresse, qui accepta ses coups de langue enthousiastes.

— Merci, maman, murmura-t-elle quand Carolee l'eut rejointe. Je suppose qu'Ivy voulait arranger les choses, mais elle n'a fait qu'empirer la situation. Je ne savais pas que papa était sur son bateau. Pourquoi est-ce qu'il ne m'a pas téléphoné ?

— Je pense qu'il a besoin de faire le point. Il s'est toujours occupé de toi… Malheureusement, j'ai compris trop tard que j'aurais dû renoncer à ma carrière pour rester près de vous. Bref… c'est la première fois que vous êtes séparés aussi longtemps. Il est bouleversé.

— Tu ne dis jamais de mal de papa. Contrairement à d'autres… Bon, je crois que je vais aller dormir un peu.

Elle entra dans la maison, Digger sur les talons.

Carolee décida de rester dehors, le temps que Faith s'assoupisse. Pendant une heure, elle s'activa dans ses plates-bandes. Les fleurs étaient magnifiques, la température supportable grâce à la petite brise qui soufflait. Pour se protéger du soleil, Carolee avait coiffé un large chapeau de paille noué sous le menton.

Tout était paisible. Sauf elle-même. Elle était furieuse contre Ivy. Certes, elle n'avait pas d'enfants – parce qu'elle n'en avait pas voulu –, mais ce n'était pas une raison pour aborder des sujets aussi douloureux devant Faith. Ivy était adulte, elle aurait dû comprendre la souffrance de cette petite fille qui rêvait d'un retour à une vie « normale ».

Faith et Digger dormaient sûrement, à présent.

Carolee entra, se lava les mains, se tourna vers son piano. Elle n'aurait jamais dû avoir à choisir entre sa famille et son art. Elle aurait dû trouver un point d'équilibre entre les deux. Mais, aux yeux de Kip, ce devait être tout l'un ou tout l'autre. Affronter la vérité était positif. Et la vérité l'obligeait à constater qu'il l'avait poussée à s'impliquer totalement dans sa carrière. Selon lui, espacer les galas aurait nui à son succès. Elle ne s'était pas doutée une seule seconde qu'il la manipulait.

La musique lui apportait – et lui apporterait toujours – du bonheur. Pourquoi abandonner complètement ?

Une assiette de biscuits recouverte d'un film transparent trônait sur la table. Chaque gâteau était décoré d'une fleur différente. Encore un geste de Linda. Elle avait changé, ou du moins se comportait comme si c'était le cas. Elle était là depuis dix jours déjà, et n'avait pas évoqué son départ. Quand Carolee lui avait rappelé la grande soirée qu'organisait son ami Albert en son honneur, elle avait rétorqué que c'était annulé et s'était murée dans un silence morose.

Carolee monta l'escalier sur la pointe des pieds. Au fond, la présence de Linda ne lui était pas désagréable. À cette pensée, elle esquissa un sourire. Après une enfance tumultueuse et des années de disputes, elle découvrait enfin une sœur qui lui était proche. Et c'était tant mieux.

Carolee s'approcha de la chambre de Faith. La porte était ouverte. Digger dormait profondément sur le lit. Faith n'était pas là.

Elle n'était pas non plus dans la salle de bains.

Céder à la panique ne servirait à rien. Carolee redescendit rapidement. Faith était peut-être sortie sans qu'elle s'en aperçoive pour aller chez Sam. Dans ce cas, pourquoi n'avait-elle pas emmené Digger ? D'ailleurs, Sam n'était pas là. Il était parti avec Linda acheter du bois pour son tout nouveau projet, une sorte de tourelle dans laquelle il voulait installer son télescope.

Carolee remonta, s'immobilisa sur le palier, tendit l'oreille. Elle entendit des sanglots étouffés, des mouvements, et songea aussitôt que Faith faisait sa valise.

Carolee retourna dans la chambre de sa fille, puis dans sa salle de bains. Personne. Intriguée, elle vérifia le placard du couloir, puis gravit l'escalier menant au grenier et poussa la porte. Les vieilles malles contenant un demi-siècle de trésors oubliés se dressaient dans la pénombre. Mais toujours pas de Faith.

Carolee sentit une sourde terreur s'emparer d'elle. Son tee-shirt lui collait à la peau. Paupières closes, elle se concentra sur les bruits. Ils provenaient de sa propre chambre. Elle y fonça. Faith ne s'y trouvait pas, mais ses pleurs étaient parfaitement audibles. La porte de la salle de bains était fermée. Carolee frappa doucement.

— Faith ? Est-ce que je peux entrer ?

Pas de réponse.

— Ma chérie, je t'en supplie, ne me repousse pas. Laisse-moi t'aider.

Faith sanglota de plus belle. Carolee refusait d'envisager qu'elle puisse faire une bêtise, mais elle ne pouvait prendre le moindre risque. Elle tourna la poignée. Faith était assise sur les toilettes, le contenu de plusieurs tiroirs éparpillé à ses pieds. Elle leva vers sa mère un visage rouge et gonflé.

— Excuse-moi. J'ai voulu me dépêcher, et j'ai mis le bazar. Je vais tout ranger.

— Ce n'est pas grave. De toute façon, il était grand temps que je fasse le tri là-dedans. Qu'est-ce qu'il y a, Faith ? Qu'est-ce qui te préoccupe ?

Une grosse boîte de Kleenex sur les genoux, la fillette secoua la tête. Elle paraissait accablée.

— Je n'ai rien trouvé, expliqua-t-elle d'un ton anxieux. Sauf ça. Je ne sais pas si ça ira.

C'était donc cela ! Carolee était tellement soulagée qu'elle dut s'asseoir sur le sol.

— Tu as tes règles ?

Faith renifla.

— Je crois que oui.

— Et tu as mal au ventre ?

— Oui. Très.

— Ça arrive parfois. Pourquoi ne pas me l'avoir dit ?

— Je me sentais trop bête, et puis, je pensais pouvoir me débrouiller toute seule.

— C'est la première fois ?

— Oui, et j'aimerais bien que ça s'arrête. J'ai l'impression que tout le monde le saura rien qu'en me regardant.

Carolee dissimula un sourire.

— Ça ne s'arrêtera pas, mais tu t'y habitueras. Et personne ne peut le deviner. Ne t'inquiète pas. Nous irons à la pharmacie choisir ce qui te convient le mieux.

Faith se laissa glisser sur le sol et étreignit sa mère.

— Merci, maman, fit-elle d'une voix étouffée. Je suis contente d'être avec toi. Papa aurait été gêné.

Carolee ne prit pas la défense de Kip, cette fois. De toute façon, elle n'avait aucune idée de la manière dont il aurait réagi. Mais Max avait raison en affirmant qu'une fille de cet âge avait besoin de sa mère. Surtout dans des moments comme celui-là. Il était sage, il était merveilleux, et il lui manquait terriblement.

Mais elle devait apprendre à ne le voir que de loin en loin sans s'effondrer. Faith passait avant lui.

19

Le lendemain, en fin d'après-midi, Kip surgit dans la cuisine de Carolee, un sourire timide aux lèvres. Il n'avait pas pris la peine de frapper, et il avait dû se garer au bord de la route pour poursuivre à pied, car Carolee ne l'avait pas entendu arriver.

— Je suis complètement déboussolé, Carolee. La seule qui puisse m'aider à y voir clair, c'est toi.

— Ta confiance me flatte. Je suis désolée que tu passes un moment difficile.

— Ne sois pas si froide, ma chérie. Donne-moi une chance. Je sais que je me suis comporté comme un mufle en disparaissant sans vous donner de nouvelles, mais c'était la seule solution. J'avais besoin de réfléchir.

« À quoi ? » se demanda Carolee. Elle venait de prendre une douche et se sentait mal à l'aise, nue sous son peignoir.

— Tu es ce que qui m'est arrivé de plus merveilleux.

Elle retint un soupir. Il manquait d'inspiration.

— Tu es si belle ! Pas étonnant que le public te réclame.

— Je préfère penser qu'il apprécie ma musique.

— Ça aussi, bien sûr. Tu as un talent fou, ma chérie. Je n'aurais jamais dû intervenir.

— En m'imposant un divorce et en me faisant passer pour Cruella aux yeux du monde entier ? En me privant de mon enfant et en t'assurant que je la vois le moins possible ?

Il fixa le bout de ses chaussures et secoua la tête.

— Tu as appelé Leo pour lui suggérer que je reparte en tournée. À quoi joues-tu ?

— Bon sang ! Je lui avais pourtant dit de ne pas te parler de mon appel. Je l'ai fait parce que je m'inquiète pour toi. Je sais que tu es malheureuse. Et ce n'est pas seulement à cause de Faith, c'est aussi à cause de la carrière que tu as cru bon d'abandonner pour m'amadouer.

Elle lui en voulut d'énoncer aussi crûment qu'elle était sa marionnette.

— Tu t'es bien gardé de me le dire, à l'époque.

Il se rapprocha, et elle eut un mal fou à ne pas reculer.

— J'ai besoin de toi, murmura-t-il.

Ce serait tellement facile de se laisser envoûter par ces yeux noisette et ces lèvres sensuelles.

— Je vais m'habiller.

Le regard de Kip s'assombrit. Il l'examina de haut en bas.

— Si cela peut te rassurer, vas-y.

Carolee monta le plus nonchalamment possible. Heureusement que Faith était avec son grand-père, songea-t-elle en sortant un pantalon et un tee-shirt propres de l'armoire.

Elle se planta devant la glace pour se brosser les cheveux. Ce n'était pas le moment de commettre une erreur qui risquait d'être fatale.

La porte s'ouvrit, et Kip apparut. Elle se figea. Il l'observa dans le miroir.

— Ne sois pas fâchée, je t'en prie. Nous ne nous sommes pas vus depuis des siècles. Tout ça, à cause de moi. Mais ça peut changer.

Son estomac se noua. Elle rêvait ! Il n'avait tout de même pas l'intention de…

Il vint se placer derrière elle.

— Quitte cette pièce, s'il te plaît.

Il resta où il était, souleva sa chevelure encore humide, l'embrassa sur la nuque en murmurant des paroles inintelligibles.

Carolee ravala une nausée.

— Lâche-toi, bébé. Viens avec moi, nous pouvons recommencer de zéro. Nous nous entendions plutôt bien, tous les deux, non ?

— Je ne le nie pas. Mais c'est fini.

Il glissa les bras sous les siens et plaqua les mains sur ses seins.

— Ne me touche pas, Kip.

Il chercha à entrouvrir son peignoir, mais elle l'en empêcha.

— Tu n'as pas envie que je m'en aille. Ton désir est aussi fort que le mien.

Il lui caressa la poitrine, puis le ventre, et tenta d'introduire les doigts entre ses cuisses. Elle poussa un cri et, pivotant vers lui, le repoussa violemment.

— Chut ! fit-il d'une voix pressante en emprisonnant ses poignets dans une de ses mains. Tu verras, ça va être bon.

— Kip, arrête, maintenant !

Elle voulut lui faire lâcher prise, sans succès. Il l'écrasa contre lui avec une telle brutalité qu'elle en eut le souffle coupé. Le visage cramoisi, il fixa ses seins.

— Ils ont toujours été magnifiques. C'est ce que j'ai remarqué en premier chez toi, au lycée. Dans le vestiaire, les copains fantasmaient tous dessus, mais ils étaient à moi. Déshabille-toi, que je puisse les admirer.

Épouvantée, Carolee se débattit. En réponse, Kip posa brutalement ses lèvres sur les siennes, essayant de la forcer à les ouvrir. Elle lui donna des coups de pied dans les tibias. Il rit, la poussa contre le mur, tâtonnant vers l'un de ses seins.

Elle lui mordit l'avant-bras de toutes ses forces. Kip l'écarta vivement, lui tira les cheveux de façon à lui plaquer la tête contre le mur.

— Arrête ! haleta-t-elle. Arrête immédiatement. Qu'est-ce que tu cherches ? À me dégoûter totalement ? Tu veux coucher avec moi, mais je ne suis pas d'accord. Dégage !

— Épargne-moi le mélodrame ! riposta-t-il, une lueur éloquente au fond des yeux.

Visiblement, le fait qu'elle lui résiste l'excitait, mais si elle cessait de lutter, il n'hésiterait pas à la violer pour obtenir ce qu'il voulait.

Il la lâcha, puis, lentement, sans la quitter des yeux, déboutonna sa chemise et la laissa glisser à terre. Son torse était aussi athlétique que dans son souvenir. Carolee aurait voulu disparaître dans un trou de souris pour ne plus avoir à supporter ce regard brûlant posé sur elle.

— Je veux te parler de l'arrangement concernant la garde de Faith, attaqua-t-elle, sans savoir comment elle trouvait le courage d'aborder ce sujet en un pareil moment. Elle est à un stade crucial de son développement. Elle a autant besoin de sa mère que de son père. Je compte sur toi pour faire passer son bien-être en premier et négocier une garde alternée. Cela n'aura aucune répercussion sur ses études ou ses activités, puisque je suis aussi capable que toi de l'accompagner ici et là.

Il défit sa ceinture.

— Nom de nom, Kip ! s'exclama-t-elle, la bouche sèche. Ça suffit ! Terminé ! Remets ta chemise et sors d'ici. C'est Faith qui compte. Elle est l'unique raison pour laquelle je continue à te parler.

— Tu aimes faire l'amour autant que moi, bébé. Tu n'as pas oublié comment c'était, toi et moi.

Il la plaqua de nouveau contre le mur, et elle détourna la tête.

— Ne fais pas ça ! gronda-t-il en se frottant contre elle, sa bouche cherchant son cou.

Le cœur de Carolee battait si vite qu'elle avait du mal à respirer.

— Non, Kip ! *Non !*

— Tu en as besoin et moi aussi. Qu'y a-t-il de mieux que de se donner à son mari ?

— Tu n'es plus mon mari, rétorqua-t-elle d'une voix suraiguë, au bord de l'hystérie. Tu es mon ex-mari parce que c'est ce que tu as voulu.

— C'est ce que je croyais vouloir, imbécile que j'étais. Mais je suis de retour, et je ne te laisserai plus jamais.

— Et Faith ? Est-ce que tu…

— Tais-toi, la coupa-t-il. Tu sais ce que j'aime.

Elle lutta, le frappa, se tortilla. Kip se contenta d'éclater de rire.

— Ma parole, tu me rends fou. Tu es tellement sexy, et tu es à moi. Souviens-t'en. Si une occasion se présente, rappelle-toi combien les passades peuvent être dangereuses. Elles ne sont qu'illusions.

Passades. Illusion. Il avait entendu parler de Max et craignait qu'elle n'ait une relation avec lui. *Trop tard*, songea-t-elle en s'efforçant de se concentrer sur Max.

— Reviens avec moi, murmura Kip.

— Ça ne marcherait pas. Tu le sais aussi bien que moi.

Carolee se figea en percevant un bruit de pas sur le palier, mais Kip, de plus en plus excité, n'y prêta aucune attention.

— Faith, chuchota-t-elle. Faith doit être là.

— Elle grandit, tu me l'as fait remarquer toi-même. Tu ne peux pas la couver indéfiniment.

— Elle a peut-être entendu.

— Dans ce cas, elle sait que nous nous aimons encore. Ça devrait la rendre heureuse.

Il était égoïste et irresponsable. Comment ne s'en était-elle pas rendu compte plus tôt ?

— Carolee, j'ai tellement envie de toi ! marmonna-t-il en poussant son genou entre ses jambes.

Elle fixa les lambris, puis le plafond, s'obligeant à rester impassible.

— Bon sang, qu'est-ce qui se passe ici ? fit la voix de Max derrière Kip.

Carolee eut un frisson glacial.

— Fichez le camp, hurla Kip. Vous ne voyez pas qu'on est occupés ?

Elle ne voulait pas que Max imagine une seconde qu'elle était consentante.

— Aidez-moi, Max, fit-elle faiblement.

— C'est bien mon intention, répondit-il d'une voix sans timbre en tirant Kip en arrière avant de le jeter à terre. Ça vous arrive souvent de prendre les femmes de force ?

Kip se releva en titubant.

— Elle était d'accord. Dis-lui que tu étais d'accord.

— C'est faux, se défendit-elle en rapprochant les pans de son peignoir. Tu es entré ici sans ma permission, tu m'as fait part de *tes* désirs et de ceux que j'étais censée éprouver. Je ne veux plus jamais avoir affaire à toi, sinon pour discuter de la garde de Faith.

— N'y compte pas, espèce de garce !

Le poing de Max partit comme un boulet. Kip vacilla, mais réussit à ne pas tomber. Se tenant la mâchoire d'une main, il tenta de riposter ; Max esquiva.

— Dans ce cas, j'engagerai le meilleur avocat qui soit, répliqua Carolee. En attendant, je t'interdis de remettre les pieds ici avant la fin du séjour de Faith !

— Je l'emmène maintenant.

Carolee eut l'impression que la pièce se mettait à tourner.

— Non. Si tu essaies quoi que ce soit, je porterai plainte pour non-respect de notre accord.

— Et moi, je dirai que tu as tenté de me séduire pour m'extorquer une promesse. Comment réagiront-ils, à ton avis ?

— Décidément, vous êtes bouché, déclara Max, très calme, avant de lui décocher deux directs dans l'estomac.

Kip agita futilement le bras en direction de Max, puis s'écroula, le souffle coupé.

— N'oubliez pas que je suis témoin, poursuivit Max. Je suis venu voir si Faith voulait prendre un cours d'équitation. J'ai entendu Carolee crier. J'ai fait ce que n'importe quel homme aurait fait à ma place : je suis monté lui porter secours.

— Allez-vous-en ! ordonna Kip. Dis-lui de partir, Carolee. Nous n'avons pas fini de discuter.

Il allait transformer en enfer le peu de temps qu'il lui restait à passer avec Faith. Elle se détourna.

— Dis-lui de partir ! vociféra Kip.

Elle refusa d'un signe de tête, les yeux fixés sur Max, qui la dévisagea, l'air interrogateur. Il voulait qu'elle lui demande de rester. Brusquement, il pivota sur ses talons et se dirigea vers la porte.

— Ne partez pas ! lança-t-elle. S'il vous plaît. J'ai besoin de vous.

Il s'immobilisa.

— Qu'est-ce qu'il y a entre vous deux ? grommela Kip en remettant sa chemise.

Max lui fit face. Kip était grand, mais il l'était plus encore. Il le toisa avec mépris.

— Carolee et moi sommes amis.

— C'est ça ! railla Kip. J'ai de bonnes raisons de croire que vous couchez ensemble, et j'ai bien l'intention de trouver le moyen d'utiliser cette information. Je vous laisse.

— Tu es indigne d'élever ma fille.

Kip fila jusqu'au palier, puis repassa la tête par la porte et lâcha :

— Amis ? Un homme et une femme ne peuvent pas être amis.

20

Faith et Digger avaient réussi à gagner la grange sans être vus. Elle avait fermé la porte derrière eux et traîné des bottes de paille sous une rangée de petites fenêtres, le long du mur du fond.

— Je ne peux pas retourner avec papa, parce qu'il ne veut pas vraiment de moi, expliqua-t-elle au chiot en se construisant une sorte d'escalier de paille pour atteindre la fenêtre. Et je ne peux pas rester ici. Ils se disputent à cause de moi.

Digger l'observait, la tête inclinée, en mâchouillant son caillou préféré.

Elle aimait Digger. Quoi qu'il arrive, il fallait qu'ils restent ensemble. Chaque inspiration lui brûlait la gorge. Papa avait essayé de forcer maman à faire quelque chose qu'elle ne voulait pas. Faith avait entendu sa voix, ses hurlements et les choses horribles qu'il disait. Elle avait aussi entendu maman pleurer, le supplier d'arrêter… et lui demander de la laisser, elle, Faith, passer plus de temps avec elle.

Elle grimpa jusqu'au sommet de son perchoir improvisé et s'agenouilla. À l'aide d'un mouchoir, elle essuya la vitre. Elle s'aplatit. Papa fonçait vers sa voiture. À la façon dont il se tenait, elle comprit qu'il était fou de rage.

Lentement, elle se redressa pour le suivre des yeux. La Cadillac de Max était sur son chemin. Il donna un grand coup de pied dans la portière. Puis il sortit un objet de sa poche et racla tout le côté du véhicule avec.

Faith aurait voulu mourir. Son père se comportait comme certains gamins, à l'école.

Le moteur de la Porsche rugit, mais Faith ne la regarda pas s'éloigner. Elle se laissa retomber sur la paille.

Combien de temps pleura-t-elle ? Elle n'en avait aucune idée, mais quand elle se fut suffisamment calmée pour renifler et s'essuyer la figure, Digger s'était lové contre elle. Il gémit, et les trois chevaux s'agitèrent dans leurs boxes. Elle avait toujours aussi mal au ventre, mais maman l'avait bien rassurée.

Elle descendit et attrapa une pomme destinée aux bêtes. Elle l'essuya sur son pantalon, la coupa en deux avec le couteau suisse de grand-père. Le fruit était amer, mais elle était affamée. De nouveau, sa gorge se noua. Elle avait du mal à avaler. Vers qui se tourner ? Si elle tentait de s'échapper, son père la récupérerait.

La situation allait redevenir intenable. Maman voulait l'avoir plus souvent. Papa refusait la garde partagée.

Elle était en sueur, la poussière lui collait aux joues. Oncle Tom, le mari de tante Linda, l'aimait bien. Tante Linda n'était plus amoureuse de lui, et ils étaient divorcés, mais oncle Tom lui avait confié un secret qu'elle garderait toujours – il lui avait avoué qu'il ne cesserait jamais d'aimer tante Linda.

Il habitait à Chicago ? Elle savait qu'il ne s'était pas remarié, qu'il n'avait pas d'enfants. Pourquoi ne pas s'adresser à lui ? Peut-être qu'il la recueillerait chez lui ?

En entendant les cris de papa et les pleurs de maman, elle avait compris qu'elle devait partir. Maman prétendait qu'elle ne voulait plus de papa, mais lui essayait de lui faire dire le contraire. Le peu d'argent qu'elle possédait était au fond de sa poche. Il ne lui restait plus qu'à trouver un autocar.

Josh Williams, un de ses camarades d'école, s'était tiré une balle dans la tête avec le pistolet de son père. Il avait écrit un message dans lequel il disait qu'il avait besoin de tranquillité, qu'il ne voulait plus penser, qu'il ne savait plus quoi faire. Il n'avait qu'une solution, s'endormir pour toujours. Faith eut un frisson. Josh était un garçon gentil et doux, et sa mort l'avait rendue très triste. Les élèves avaient déposé des fleurs devant son casier. En tout cas, il avait obtenu ce qu'il cherchait : la paix.

Digger fourra son museau humide dans sa main repliée et y laissa tomber son caillou.

— Merci pour ce cadeau, murmura-t-elle en le caressant entre les oreilles. Tu veux me consoler.

Avait-elle envie de dormir pour toujours ? Souvent, quand elle était malheureuse, elle se réfugiait dans son lit, mais souhaitait-elle s'endormir et ne plus jamais se réveiller ?

Le poney la contemplait, remuant la tête de temps à autre. Elle le trouvait beau.

Les autocars ne s'aventuraient pas jusqu'à Lake Home, mais il y avait un arrêt à quelques kilomètres, sur la route principale. Étoile mangea le reste de la pomme et se laissa seller sans protester.

— Toi aussi, tu viens, Digger. Reste près de nous.

Elle attacherait le poney dans un endroit sûr. Quelqu'un le retrouverait. Ici, elle n'avait plus rien à espérer.

Elle ouvrit les portes de la grange, vérifia que l'estafette de grand-père n'était pas là. Elle ne vit que la voiture de Max. Grand-père et Linda étaient partis acheter du bois, mais elle avait refusé de les accompagner. Étoile se laissa guider dehors, et Faith prit appui sur une bûche pour se hisser sur son dos. Digger se mit à bondir et à japper, mais se tut dès que Faith le lui ordonna.

— Tu es un bon chien, lui dit-elle avec douceur. Allons-y !

Max et Carolee filèrent en direction du cottage de Sam.

— Elle était bouleversée. Elle vient de vivre une journée épouvantable.

— Elle est sûrement chez Sam, déclara Max d'un ton confiant.

Il faillit lui prendre la main, mais se ravisa, mieux valait la laisser tranquille. Elle s'immobilisa.

— Sam et Linda devaient aller acheter du bois. Faith a peut-être décidé de ne pas les accompagner.

— Du bois pour sa tourelle, acquiesça Max. Je vais lui donner un coup de main pour la construire. J'ai de l'expérience en ce domaine.

Elle lui jeta un coup d'œil intrigué et poursuivit son chemin. Ils émergeaient du bosquet séparant la maison de Carolee de celle de son père, quand un bruit de sabots leur parvint.

Carolee fronça les sourcils. Max s'élança, déboulant dans le pré juste à temps pour repérer Faith sur son poney, qui filait à vive allure droit vers la route. Digger courait à leurs côtés.

— Faith ! s'écria Carolee en agitant les bras. Faith, non ! Où est ton casque ?

Max ne perdit pas de précieuses secondes à lui expliquer que sa fille était trop loin pour l'entendre. Il se rua dans la grange et sella le grand cheval noir en un temps record. Lorsqu'il passa devant elle au galop, il cria :

— Par où est-elle allée ?

— Par là !

La dernière fois qu'il avait poussé ainsi un cheval, il vivait encore chez ses parents. Il éprouva la même sensation de puissance, mêlée à une vague frayeur. Debout sur les étriers, couché sur le cou de sa monture, il lui lâcha la bride et enfonça les genoux dans ses flancs pour l'inciter à augmenter l'allure. Faith n'avait pas pu aller très loin. Elle n'était pas encore assez habile pour dépasser le trot. Max transpirait abondamment, mais soudain, il eut un frisson. Faith était débutante, elle ne connaissait presque rien aux chevaux.

Il parcourut un bon kilomètre avant de repérer le poney et sa cavalière, chevelure au vent. Elle portait un pull rouge vif, et une sorte d'écharpe multicolore au bras gauche.

— Faith ! cria-t-il. Ralentis. On va se promener ensemble !

Elle ne ralentit pas. Lorsqu'elle jeta un coup d'œil par-dessus son épaule, elle glissa si visiblement de sa selle, qu'il crut qu'elle allait tomber. Elle parvint néanmoins à se redresser, puis, changeant brusquement de direction, traversa la route pour s'enfoncer dans un sentier abrupt, envahi par les mauvaises herbes. Digger les imita.

— Allez, mon vieux ! fit Max à son cheval. Rattrape-moi ce moustique !

Le moustique en question se cabra.

Max poussa un juron et éperonna sa monture. Faith avait lâché les rênes, elle s'accrochait désespérément à la crinière du poney, qui partit soudain au galop.

Faith était lucide. Elle savait qu'elle devait s'agripper au cou d'Étoile jusqu'à ce qu'il s'arrête. Il finirait bien par s'arrêter, non ? Les gravillons giclaient sous ses sabots, les talus se brouillaient. Elle aperçut vaguement Digger, qui commençait à tirer la langue.

Le poney trébucha.

Faith poussa un cri et resserra son étreinte. Le poney émit un hennissement strident. Elle frémit, à bout de forces.

Étoile grimpa tant bien que mal jusqu'à une corniche, marqua à peine un arrêt, puis dévala la pente, les naseaux écumants. Le terrain était de plus en plus raboteux, les cailloux avaient cédé la place à de petites pierres, Étoile semblait voler tant il galopait.

Waouh !

Le mot résonna dans la tête de Faith. Étoile ne pouvait pas l'entendre.

Autour d'elle, tout bruissait. Les arbres oscillaient, les herbes aussi. La campagne était de plus en plus sauvage.

Max n'était pas loin. Elle l'avait vu, et entendu. Mais il ne l'appelait plus.

Les yeux révulsés, Étoile remuait la tête de droite à gauche.

Impossible de le calmer.

Soudain, le poney quitta le chemin et se précipita vers un bois.

— *Au secours !* hurla Faith.

Les sapins étaient déjà loin. Étoile respirait bruyamment, comme s'il était sur le point de s'effondrer.

Une haie surgit devant eux, irrégulière, épineuse. Faith s'agrippa de toutes ses forces et, par miracle, réussit à reprendre les rênes. Elle tira dessus. Étoile ralentit.

— C'est bien, le rassura-t-elle. Gentil cheval... Holà !

Il dérapa, mais paraissait moins agité. Elle lui caressa le cou.

— Gentil, gentil cheval.

Tout s'arrangeait. Elle se débrouillait très bien.

Digger aboya, courut entre les jambes avant du poney, bondit sur lui.

— Non, Digger !

Étoile se cabra en hennissant, effectua une ruade et se précipita sur la haie. Il sauta, son ventre frôla les épines.

Le sol se rapprocha de Faith à toute vitesse. Vacillant au bord d'un creux, le poney fut déséquilibré.

La fillette décolla de la selle, son pied droit hors de l'étrier. Elle s'éleva dans les airs, mais sa jambe gauche était prise.

Elle allait mourir.

Elle ne voulait pas s'endormir pour toujours.

Max avait eu peur dans sa vie. Gisant sous une camionnette qui lui broyait les jambes, il avait eu si peur qu'il s'était évanoui. Mais jamais il n'avait été aussi terrifié qu'aujourd'hui.

Faith demeurait invisible. Seul, le bruissement des feuilles troublait le silence. Il avait atteint la corniche, et s'était mis debout sur les étriers pour scruter les alentours. Il en était à sa troisième vérification.

Elle n'avait pas pu se volatiliser ainsi.

Il fit avancer son cheval lentement.

— Faith ! Faith, où es-tu ?

Rien. Pas un bruit.

Cette petite souffrait. Carolee n'était pas en cause, bien qu'elle ait trop longtemps accepté les caprices de son ex-mari. Elle avait décidé de se battre, mais Faith ne pouvait pas le savoir.

Il avait le pressentiment qu'il s'était passé quelque chose de grave. Il ôta son Stetson et s'essuya le front. Il avait mal aux jambes. Il avait bien récupéré, grâce aux interventions chirurgicales et à la rééducation, mais il n'était plus l'athlète qu'il avait été.

Le sentier devant lui s'étirait jusqu'à l'horizon. Il avait du mal à croire que Faith ait pu s'éloigner jusqu'à être hors de vue. Il ne lui restait donc plus qu'à choisir entre prendre à droite, ou à gauche. Bon sang, comment savoir ?

À droite. Il irait aussi vite que le lui permettait l'état du terrain, puis il répéterait l'opération à gauche. Il finirait bien par la retrouver.

Quelques minutes plus tard, alors qu'il se dirigeait vers un bosquet, il entendit un chien aboyer, puis pousser un hurlement qui lui donna la chair de poule.

Il fonça en direction du son – un hurlement à la mort. Le lieu était peu propice pour une cavalière débutante. Il aurait dû la pousser à prendre davantage de leçons.

Il avait beau chercher, il ne voyait rien, pas la moindre trace de rouge, pas le moindre mouvement. Mais les aboiements persistaient.

La colère lui redonna du courage. Une enfant manipulée par un père prêt à violer son ex-épouse. Il ne pouvait repenser à la scène qu'il avait surprise à Lake Home, sans avoir envie d'étrangler Burns. Il fallait à tout prix retrouver Faith, la ramener à Carolee. Ensuite, il aurait une petite conversation avec Kip Burns. Il espérait ne pas en venir aux mains, mais si ce sale type refusait de coopérer, il n'hésiterait pas à témoigner contre lui devant le juge.

Les aboiements étaient tout proches. Mais Max ne vit qu'un écureuil bondissant de branche en branche.

Soudain, il remarqua le poney, de l'autre côté d'une haie.

— Faith ? Faith, c'est moi, Max.

Il mit pied à terre et tenta de se faufiler à travers les branchages, sans se soucier des égratignures.

La peau brûlante, ensanglantée, il parvint enfin de l'autre côté. Aussitôt, Digger, lui sauta dessus, le saisit par la chemise, déchirant l'étoffe dans son agitation.

— Du calme, du calme, Digger ! Où est Faith ? lui demanda-t-il d'une voix étranglée.

Étoile était un peu plus loin, en train de manger de l'herbe. Ses flancs luisaient de sueur.

Il avait dû sauter l'obstacle. Faith avait-elle eu peur et décidé de s'enfuir à pied ?

Non. Le chiot l'aurait suivie.

Il tomba sur un creux rempli de cailloux et d'herbes folles. Faith était toujours invisible.

Digger y plongea la tête la première, reparut presque aussitôt, hurla.

Max blêmit.

Digger revint vers lui, repartit. Les poings crispés, Max se rapprocha du bord.

Il aperçut d'abord le pull rouge, puis l'écharpe enroulée autour du bras gauche de la fillette. La végétation masquait sa tête, ses jambes étaient pliées bizarrement.

— Faith, chuchota-t-il en se laissant glisser jusqu'à elle. Ma chérie. Tout va bien, je suis là.

Elle resta inerte.

Il s'agenouilla et écarta les herbes. Son visage reposait sur les rochers, sa chevelure était maculée de sang.

21

Sam et Linda patientaient dans la salle d'attente de l'unité de pédiatrie à l'hôpital Olympic Memorial. Ni l'un ni l'autre n'assaillaient Carolee de paroles de commisération, et elle leur en était reconnaissante.

Brandy – aidée de Rob – était arrivée avec du pain, du fromage, des fruits et des Thermos de café. Ils étaient repartis presque aussitôt. Ils n'avaient pas touché à la nourriture, mais Sam et Linda, assis au bord d'une banquette en skaï à rayures orange et vertes, buvaient du café.

Chaque fois qu'un membre du personnel passait devant l'ouverture vitrée percée dans la porte, Carolee retenait sa respiration, puis baissait la tête. Ils étaient là depuis moins de deux heures. Une éternité.

Kip surgit. Il la fixa un instant, s'avança, laissa la porte claquer derrière lui.

— Vous deux, dehors ! ordonna-t-il à Sam et à Linda.

— Restez, s'il vous plaît, leur demanda Carolee, avec le plus de douceur possible. Nous sommes tous à bout, mais nous avons besoin les uns des autres.

— Je n'ai besoin que de toi, rétorqua Kip.

Elle n'avait aucune envie de se retrouver seule avec lui.

— Je suis contente que les Lester aient enfin réussi à te joindre.

Kip détourna le regard, mais posa une main ferme sur son épaule. Elle la repoussa. Elle n'oublierait jamais ce qu'il avait tenté de lui faire.

— Vous voulez du café ? proposa Sam d'un ton bourru.

— Oui, merci. Où est Wolfe ?
— Aux urgences. On est en train de nettoyer ses plaies et de le recoudre.
— Au diable ses égratignures. Il ferait mieux de penser à Faith.
— Tu ne devrais pas te soucier de ce qu'il pense, dit Carolee. Faith est au bloc opératoire et tu n'as même pas demandé de ses nouvelles.
Il se mit à arpenter la pièce.
— Qu'est-ce qu'ils lui font ?
— Elle souffre d'un éclatement de la rate. On ne nous a pas tout dit, sinon que ce sera long. Son visage est lacéré. Un chirurgien plastique est présent, ainsi que d'autres spécialistes. Ils doivent opérer sa jambe gauche. D'après eux, son pied a dû rester coincé dans l'étrier au moment de la chute. Elle a de nombreuses fractures.
— Ses cours de danse ! murmura-t-il, les larmes aux yeux. Elle aimait tant ça.
— L'essentiel, c'est qu'elle vive, intervint Sam, une lueur de colère dans les prunelles. Qu'elle ne meure pas, puis qu'elle puisse remarcher.
La tasse de Kip glissa entre ses doigts et atterrit sur la moquette. Il regarda la tache de café comme s'il se demandait d'où elle sortait.
— Ce n'est rien, le rassura Linda en se précipitant avec des serviettes en papier.
— Comment ça, qu'elle ne meure pas ? s'écria Kip en fonçant droit sur Carolee, qui dut reculer. Ne me dis pas que ma fille risque de mourir.
Carolee tressaillit, mais parvint à garder son calme.
— Elle a chuté lourdement, et elle s'est cogné la tête sur les rochers. Si Max ne l'avait pas rattrapée, elle serait sans doute déjà morte.
— Il l'a ramenée de là-bas à dos de cheval ?
— Il n'avait pas le choix.
— Il a bougé une enfant gravement blessée ?
— Tout s'est passé très vite. Nous avons eu de la chance de la voir s'enfuir de Lake Home. Il n'avait pas

son téléphone portable sur lui, et quand il l'a découverte, il n'y avait personne alentour. Il ne pouvait prendre le risque de la laisser là pour aller chercher de l'aide.

Kip pivota sur lui-même et abattit le poing contre le mur vert kaki.

— Si elle meurt, ce sera sa faute. Il n'a pu qu'empirer la situation en la déplaçant. À dos de cheval, pour l'amour du ciel ! Elle pourrait être paralysée à cause de lui !

— Tais-toi ! s'indigna Linda en bondissant de son siège. Espèce d'imbécile. Tu as déjà fait assez de mal à Carolee et à Faith. Tu ne les mérites pas. Tu n'as aucun amour-propre. Tu n'en as jamais eu. Quelle sorte d'homme es-tu, pour avoir accepté de te faire entretenir par ta femme pendant des années, avant d'inventer des prétextes fallacieux pour la quitter tout en t'assurant une pension confortable ?

Carolee se laissa tomber sur une chaise et cacha sa figure dans ses mains.

— Kip a peur, comme nous. Merci quand même, Linda.

Elle ne supportait pas ces querelles, alors que Faith luttait contre la mort, quelque part dans cet hôpital.

Kip s'effondra sur le sol, près de Carolee, le front sur les genoux, les épaules secouées de spasmes. Il pleurait.

Linda fit signe à Sam de la suivre, puis elle leva cinq doigts, indiquant à Carolee qu'ils ne s'absentaient pas plus de cinq minutes. Carolee faillit les retenir, puis acquiesça.

Restée seule avec Kip, elle se déplaça.

— Tout ce qui compte, c'est Faith. Uniquement Faith. *Rien* d'autre ne m'importe.

Il leva les yeux vers elle.

— Je suis terrifié.

— Nous le sommes tous les deux.

— Elle est tout ce que j'ai, Carolee. J'ai commis beaucoup d'erreurs que je regrette, mais nous devons nous soutenir l'un l'autre dans cette épreuve.

Elle s'en voulait de ne pas réussir à le prendre au sérieux. Certes, il s'inquiétait pour Faith, mais il y avait autre chose...

— Elle ne mourra pas ! s'exclama-t-il soudain d'une voix forte. Elle ne va pas mourir. Elle est jeune, elle est en bonne santé, elle se remettra.

— Oui.

Mais Carolee était à peine convaincue. Elle était déjà aux urgences, quand les ambulanciers avaient amené Max et la petite. Le spectacle l'avait épouvantée.

— Sans toi, je ne m'en sortirai jamais, fit Kip.

Carolee eut un sentiment de malaise, de peur presque.

— Dis-moi que tu veux revenir. Nous nous remarierons. Tu sais bien que tu n'as jamais cessé de m'aimer. Nous avons la responsabilité de créer un foyer stable pour Faith.

— C'est toi qui as décidé de bouleverser son existence.

Jamais cinq petites minutes ne lui avaient paru aussi longues.

— C'est vrai. Mais tu m'y as poussé.

Elle se leva, lui tourna le dos.

— Une réconciliation ? Tu ne pourrais pas t'empêcher de me rappeler – régulièrement – combien tu me trouves égoïste, combien je te suis redevable. Je ne comprends toujours pas ce que je te dois. Je t'ai tout donné, et tu as tout pris.

Un frémissement la parcourut. Il s'approchait d'elle.

— Je t'aime, murmura-t-il en la prenant aux épaules pour l'attirer contre lui. Tu m'aimes. Avoue-le. Il n'y a jamais eu un autre homme dans ton cœur, et il n'y en aura jamais. Dis-le, Carolee.

Depuis quand s'était-il transformé en prédateur ? Il était désespéré. Son désarroi était palpable. Il était prêt à faire n'importe quoi pour la récupérer. Mais il ne l'aimait pas.

— *Dis-le !*

La porte s'ouvrit derrière eux, et l'un des chirurgiens que Carolee avait rencontrés avant l'intervention entra.

— Monsieur et madame Burns ?

— Oui, répondit Kip en libérant Carolee. Vous êtes… ?

— Le Dr Lee. Je fais partie de l'équipe qui s'occupe de votre fille. Nous en avons encore pour au moins trois heures, mais je tenais à vous tenir au courant de la situation.

— Pourquoi l'avez-vous laissée ? s'indigna Kip. Vous n'allez pas réussir à la sauver, n'est-ce pas ?

D'un geste, le Dr Lee invita Carolee à s'asseoir, puis il en fit autant. Kip resta debout.

— Nous sommes confiants. Faith se remettra, à moins de complications imprévisibles. Mais elle aura un long et douloureux parcours à accomplir.

— Mon Dieu ! Merci ! souffla Carolee en s'agrippant aux accoudoirs chromés de son fauteuil. Elle aura tout ce dont elle aura besoin.

— Qu'entendez-vous par un « long et douloureux parcours » ? voulut savoir Kip.

— Nous pensons que sa tête – ou son visage – a heurté le sol en premier, mais elle a eu de la chance, peut-être parce qu'elle a eu le réflexe de tendre les bras pour amortir sa chute. Elle souffre d'un traumatisme crânien, mais elle n'a pas sombré dans le coma. Madame Burns, je vous ai déjà expliqué qu'un chirurgien plastique est sur place. Il a fait intervenir un spécialiste maxillo-facial, qui lui a réparé la mâchoire. Pour le reste, il faudra procéder par étapes. En ce qui concerne les lésions internes, elles ne nous inquiètent pas vraiment, sauf infection éventuelle.

Carolee était incapable de réagir. Elle se balançait d'avant en arrière sans quitter le médecin des yeux.

— Conclusion, elle est dans un état pitoyable, mais elle survivra, marmonna Kip.

Le Dr Lee le dévisagea.

— Ce ne sont pas les mots que j'aurais employés, mais…

— Et sa jambe ? interrompit Carolee.

— Nous avons convoqué deux orthopédistes. Les fractures sont multiples. Ils parent au plus pressé, mais les hématomes sont trop importants. Il va falloir immobiliser sa jambe en traction. Ensuite, on pourra envisager le plâtrage. Au bout de quelques jours, il faudra de nouveau l'opérer. Par ailleurs, elle s'est déchiré le ligament du genou droit. Nous sommes sidérés que ses bras soient intacts.

— Et sa colonne, murmura Carolee.

Le médecin lui tapota la main.

— Oui. C'est un miracle. Quelqu'un viendra vous voir un peu plus tard.

Elle le remercia, mais il l'écouta à peine et sortit, laissant la porte ouverte pour Sam et Linda.

Kip s'installa près de Carolee et lui serra la main si fort qu'elle ne pouvait se rétracter sans provoquer une scène.

— Nous sommes sous le choc, annonça-t-il aux nouveaux venus. Elle va survivre, mais elle est cassée de partout. Carolee et moi surmonterons cette épreuve ensemble. Parfois, il faut un drame pour qu'on se réveille et qu'on découvre ses erreurs, et ce qui est important.

— Quel est le pronostic ? demanda Sam, affreusement pâle. J'ai eu tort d'insister, pour les chevaux.

— Il ne s'agit pas de blâmer qui que ce soit, répondit Carolee.

— Bien sûr que si ! répliqua Kip. Au contraire ! Quand ce cauchemar aura pris fin, nous réfléchirons à ce qu'il faut changer.

Carolee leva la tête et aperçut Max derrière la vitre. Elle lui fit signe d'entrer. Il semblait mal en point, et alla se percher au bord d'une table. Linda arrondit les yeux en le voyant, et, tout en s'adressant à Carolee, elle lui prit le coude pour l'emmener vers le canapé :

— Le médecin. Donne-nous des détails, s'il te plaît.

Kip commença par refuser, mais Carolee intervint et leur rapporta les propos du Dr Lee avec précision. À ses côtés, Kip s'était raidi. Il s'était encore rapproché, et avait entouré ses épaules d'un bras possessif.

Les deux mains de Max étaient bandées. D'autres pansements apparaissaient là où son jean et sa chemise avaient été déchirés. Les égratignures dans son cou et sur son visage ne semblaient pas trop profondes.

— Faith est une petite fille très courageuse, déclara-t-il sans quitter Carolee des yeux. Si elle avait été plus entraînée, elle aurait évité ce chemin. Vu son manque d'expérience, c'est incroyable qu'elle se soit aussi bien débrouillée.

— Personne ne m'a demandé si j'autorisais ma fille à monter sans surveillance, glapit Kip.

— Ça n'a jamais été le cas, répliqua Carolee. Faith était bouleversée, elle voulait s'enfuir.

Elle priait pour qu'il n'insiste pas.

— Nous sommes tous bouleversés, fit-il, à sa grande surprise. Mais nous guérirons, et tout va changer. Les enfants sont vulnérables. Sur qui Faith peut-elle compter, sinon ses parents ?

Kip s'était mis à masser le haut du dos de Carolee, et l'impassibilité de Max la terrifia.

— Je sais que c'est moi qui ai voulu ce divorce. J'ai toujours regretté mon initiative.

— Pourquoi ne pas avoir cherché à réparer les dégâts, alors ? s'interposa Sam. Carolee était contre. Elle vous a supplié de changer d'avis. Vous ne vous êtes pas contenté de la quitter, vous l'avez humiliée, accablée. Vous avez fait tout ce que vous pouviez pour lui gâcher l'existence. Vous prenez, vous prenez, vous prenez, mais vous ne donnez jamais rien. Vous ne faites rien. Non seulement ma fille vous entretient ainsi que Faith, mais en plus, elle prévoit son avenir. Parce que, s'il lui arrivait quoi que ce soit, vous seriez incapable de lui assurer de bonnes études et de l'aider à démarrer dans la vie.

— Fermez-la ! vociféra Kip. Si vous n'étiez pas là à l'encourager, Carolee n'irait pas voir ailleurs... Si elle a ouvert un compte spécial pour Faith, c'est parce qu'elle le souhaitait. C'est ce que font les parents. Ils ne s'incrustent pas comme des sangsues sur la propriété de leurs enfants parce qu'ils ont tout raté !

Carolee s'écarta de Kip. Comme il ne la lâchait pas, elle lui écrasa le pied, et il poussa un hurlement.

— Je t'interdis de parler à mon père sur ce ton ! explosa Linda en se levant d'un bond.

Max était déjà debout. Le menton en avant, Kip s'avança vers lui.

— Non ! protesta Carolee. Pas ici.

— Pauvre ringard ! Les Broncos savaient ce qu'ils faisaient en se débarrassant de vous.

Max inspira profondément, mais n'entra pas dans son jeu.

— Carolee n'est pas du tout votre genre, enchaîna Kip. Les hommes de votre espèce veulent une femme brillante. Elle ne l'est pas, mais elle est célèbre, et c'est mieux que rien quand on n'est plus soi-même sous les projecteurs !

— Tais-toi ! C'est toi, le bon à rien !

Sam voulut se jeter sur Kip.

— Sam, murmura Max en s'interposant. Il ne sait plus ce qu'il dit. Faith traverse un enfer, et il ne peut pas l'aider. Ce doit être terrible pour un père.

— N'allez pas prendre ma défense ! gronda Kip. Espèce d'ordure ! Tout ce qui vous intéresse, c'est d'impressionner Carolee. Qu'est-ce qui se passe ? Vous êtes à court d'argent ? Oubliez ça. Ma femme ne sera jamais votre banque.

Max demeura muet, et Carolee retint des larmes de gratitude.

— Elle ne peut pas être à la fois la sienne et *la tienne*, hein ? rétorqua Linda. Max est un homme bien, et ses affaires marchent. Il n'a pas besoin d'une femme pour l'entretenir.

Le poing de Kip atteignit Max au menton. Un filet de sang s'écoula de l'une de ses égratignures, et il l'essuya d'un revers de la main.

— Les médicaments anti douleur m'abrutissent, expliqua-t-il avec un sourire penaud.

Le coup suivant de Kip partit dans le vide. Quant au troisième, Max l'esquiva.

— Nous sommes dans un hôpital ! protesta Carolee, tremblante. Faith est en salle d'opération !

— Et lui, il va sortir. Tout de suite, précisa Kip en allant ouvrir la porte pour Max. Il a sa part de responsabilité dans cet accident. Et il a déplacé Faith, alors qu'il aurait dû en laisser le soin à des professionnels. À cause de lui, elle ne pourra peut-être plus jamais marcher !

— Ça suffit ! tonna Max. Je ne vous frapperai pas, pour deux raisons. Premièrement, vous ne rêvez que de cela, de manière à pouvoir m'en accuser ensuite. Deuxièmement, je serais capable de vous tuer.

— Laissez ma famille tranquille ! Ma femme et ma fille n'ont pas besoin de vous !

L'attitude de Max changea soudain du tout au tout, et Carolee eut un sursaut de frayeur. Il se dirigea vers Kip, le poussa contre le mur.

— Vous êtes responsable de ce qui est arrivé à votre fille. Si elle s'est enfuie, c'est à cause de vous.

— Tu parles ! railla Kip. Elle cherchait probablement à me rejoindre.

— Sachant que tu l'ignorais délibérément ? argua Linda.

Ignorant ce commentaire, Max plaqua la main sur le cou de Kip pour l'empêcher de bouger.

— Faith vous a entendu agresser sa mère, et elle a pris peur. L'homme en qui elle croyait le plus au monde se comportait comme une bête. Elle est partie. Comment lui en vouloir ? À présent, je m'en vais. Carolee, si vous avez besoin de quoi que ce soit, appelez-moi. Vous aussi, Sam.

Sur ces mots, il le lâcha et se dirigea à reculons vers la sortie.

— Qu'est-ce qu'il a fait ? gronda Sam, écarlate. Max, ne partez pas sans nous avoir expliqué de quoi il s'agit !

Max garda les yeux rivés sur Kip.

— Faith est assez grande pour comprendre ce qui se passe, quand elle entend un homme essayer de violer une femme.

22

Convaincu qu'on finirait par le laisser voir Faith, Max n'avait pu se résoudre à quitter l'hôpital de la nuit. Il s'était réfugié dans la salle d'attente de l'aile de pédiatrie, espérant une nouvelle encourageante.

Il n'avait jamais eu l'intention de révéler ce qu'il avait vu dans la chambre de Carolee. Prétexter l'égarement momentané serait vain : il était trop fort pour se laisser aller ainsi. En fait, ce qu'il avait voulu, c'était anéantir Kip Burns. Pourvu que Carolee lui pardonne cette humiliation.

Elle avait repoussé Burns. Elle s'était débattue. Dans le bureau de Max, elle n'avait pas lutté, sinon pour se rapprocher le plus près possible de lui. Il ébaucha un sourire à ce souvenir.

Il souffrait beaucoup. Il n'avait pas dormi – ça ne lui était même pas venu à l'esprit.

Burns était un salaud de première. Il n'aimait plus Carolee, mais il ne voulait pas qu'un autre l'ait. Par ailleurs, il se servait de sa propre fille comme d'une arme. Un pion. Kip tenait-il vraiment à Faith ? Max avait du mal à le croire.

Il savait ce que c'était que d'être rejeté, ou, plus précisément, de décevoir ses parents. Son père ne buvait pas souvent, mais lorsqu'il avait descendu un verre ou deux, il se murait dans un silence encore plus profond que d'habitude. À plusieurs reprises, cependant, il était devenu complètement fou et avait frappé Max – ainsi que sa mère. Durant ces épisodes, il se répandait sur l'inefficacité de son fils et reprochait à sa femme de ne pas lui avoir donné une ribambelle de garçons pour l'aider à la ferme.

Lorsque Sam avait découvert Max, ce matin-là, dans la salle d'attente, il lui avait proposé de prendre son propre tour de visite auprès de Faith. Il lui avait aussi suggéré qu'il serait mieux dans son lit, mais lui avait assuré qu'il avait le droit de voir la petite avant de partir, puisque c'était lui qui l'avait sauvée. Carolee et Kip étaient à son chevet en ce moment même.

Les unités de soins intensifs ne lui étaient pas étrangères : murs de verre sur le corridor, petits boxes équipés de matériel de pointe et conçus pour recevoir urgence sur urgence, personnel affairé et visiblement fatigué…

Il appuya sur le bouton pour y pénétrer, s'attendant à être refoulé vers la sortie à tout instant.

— Est-ce que je peux vous aider, monsieur ?

L'infirmière qui l'avait interrogé surveillait un mur d'écrans numériques. Il la gratifia d'un sourire.

— Je souhaite voir Faith Burns, dès que l'un de ses parents s'en ira.

Il la regarda sortir le dossier de Faith et décida d'aller droit au but.

— Je suis Max Wolfe. C'est moi qui l'ai découverte et amenée ici.

L'infirmière au joli visage lui sourit.

— En général, on demande aux gens de patienter à l'extérieur, mais vous pouvez aller au bout du corridor. C'est la dernière chambre sur votre droite. Vous pouvez vous y glisser, si vous voulez.

Pour se retrouver face à face avec Kip Burns ? La perspective n'était guère réjouissante. Par respect pour tous ceux qui luttaient contre la mort, Max parcourut le couloir d'un pas vif, regardant droit devant lui.

Il trouva Faith, non parce qu'il la vit et la reconnut, mais parce que Kip était assis d'un côté du lit, le visage entre les mains, tandis que de l'autre, Carolee, les cheveux flottant librement sur les épaules, avait les yeux rivés sur la frêle silhouette sous le drap.

Max dépassa le box, et se fit le plus discret possible. La dernière fois qu'il avait vu Faith, elle était en sang et gémissait au moindre mouvement. Jamais il n'oublierait le cauchemar du retour à cheval. Il avait grimpé la pente en maintenant la fillette contre lui, sachant qu'elle avait pu se briser une vertèbre et qu'en la sauvant, il la condamnait peut-être à une vie en fauteuil roulant – ou pire. Alors qu'il amorçait le dernier tiers du chemin, et que la route était en vue, la camionnette de Sam était apparue. Carolee et Linda étaient serrées sur la banquette avant. Elles s'étaient empressées d'étaler des couvertures à l'arrière et avaient dit à Max de monter, avant d'y coucher Faith sur le dos.

Sam avait redémarré, tout doucement, pendant que Linda appelait les urgences sur son portable. Jamais de sa vie Max n'avait été aussi soulagé d'entendre une sirène.

Une sonnerie retentit, suivie d'une annonce à laquelle il ne comprit rien, et une équipe en blouse blanche se rua dans une chambre avec un défibrillateur. Max ravala une nausée et essuya son front moite.

Kip regardait Carolee, qui secoua la tête à plusieurs reprises. Elle se leva et se tint près de la jambe gauche de Faith, qui était en traction. Son visage était anormalement pâle, et elle avait des marques noires sous les yeux. Kip agita les bras, puis se leva à son tour. Il se pencha au-dessus du lit, pointant le doigt sur Carolee.

Max se contint avec effort. Ce crétin s'attaquait une fois de plus à Carolee, profitant de sa faiblesse.

Elle se détourna, et aperçut Max. Il ne put s'empêcher de remarquer son air soulagé, et le pas qu'elle fit dans sa direction. Une lueur de supplication dans les prunelles, elle se mordit la lèvre.

Kip pivota, vit Max, et se raidit.

Carolee s'empressa d'ouvrir la porte.

— Entrez. Venez la voir.

Il s'exécuta. À son grand étonnement, Kip ne lui ordonna pas de déguerpir.

— Elle est dans un état pitoyable, se contenta-t-il d'observer. Ça fait des heures, et elle n'a toujours pas repris connaissance.

— Elle a bougé la tête, intervint Carolee en portant son regard de l'un à l'autre. Si, si ! Cela signifie qu'elle émerge, non ?

— Je suppose que oui, répondit Max, qui aurait voulu pouvoir l'étreindre et la réconforter.

— Depuis quand êtes-vous médecin ? jeta Kip. Vous n'êtes pas sans savoir qu'on n'autorise que deux visiteurs à la fois ?

— Restez, murmura Carolee en le prenant par le coude et en le poussant vers Faith. J'ai l'impression qu'elle oscille entre la conscience et l'inconscience. Quand elle se réveille, c'est pour une durée si courte qu'elle est incapable de communiquer.

— Communiquer ! railla Kip. Comment veux-tu qu'elle communique ? On lui a immobilisé la mâchoire.

— D'après le Dr Lee, elle apprendra à parler assez vite entre ses dents. Pour l'heure, on la nourrit par perfusion, mais bientôt, elle devrait pouvoir s'alimenter avec une paille.

— Vous avez de la chance, Wolfe. On a évité la paralysie.

— Il me semble que nous avons tous de la chance, répondit Max calmement.

Il se pencha sur Faith.

— Salut, camarade, chuchota-t-il. L'hôtel est somptueux, mais ce ne sera pas drôle tant que tu ne nous rejoindras pas. Faith ? Tu es là ?

— Évidemment qu'elle est là ! dit Carolee en effleurant le front de sa fille. Elle est là !

— Wolfe, je veux que vous sortiez, déclara Kip. Vous perturbez Carolee.

Max l'ignora et caressa l'un des bras nus, couvert d'hématomes, de Faith. Ses doigts frémirent, et elle émit un son.

— Elle revient à elle. Coucou, Faith ! dit-il en s'approchant tout près de son oreille. Tu t'en sors très bien. Ta santé s'améliore de seconde en seconde. Ton papa et ta maman sont là. Moi, c'est Max.

Sa tête roula sur le côté, mais elle ne chercha pas à ouvrir les yeux. Les bandages masquaient presque tout son visage. Les parties visibles étaient boursouflées, bleutées, tachetées de sang. Ses yeux étaient noirs et enflés, et Max songea qu'elle n'aurait sans doute pas pu les ouvrir même si elle en avait eu envie. Sa jambe droite paraissait immobilisée, elle aussi, à cause du ligament déchiré.

— C'est épouvantable, lança Kip. Vous ne pouvez pas le nier, n'est-ce pas ?

Max le dévisagea sans ciller.

— Ça lui donne un air mystérieux. Très intéressant, ajouta-t-il en fusillant Kip du regard.

Kip ouvrit la bouche, mais Max leva la main pour lui intimer le silence. Il savait qu'il marchait sur des œufs, mais tant qu'il serait là, il ferait de son mieux pour soutenir Carolee.

Faith geignit, tenta de bouger.

— Ça va, ma chérie, murmura Carolee en lui prenant la main.

La fillette s'agita, battit des bras et poussa un cri.

— J'appelle l'infirmière, annonça Kip en se ruant sur la sonnette.

— Tout va bien, mon trésor. Tu es tombée de poney et tu t'es fait mal, mais tout va s'arranger.

Faith tourna la tête d'un côté et de l'autre, arqua le dos, gémit de nouveau.

— Expliquez-lui, pour sa mâchoire, intervint Max. Elle ne comprend pas pourquoi sa bouche ne s'ouvre plus.

Deux fentes minuscules révélèrent les iris gris de Faith. Elle fixa Max.

— On a réparé ta mâchoire avec du fil de fer, ma chérie, expliqua Carolee. Tu l'as brisée dans ta chute. Tu vas apprendre à parler, mais de toute façon, ce ne sera pas très long. Imagine un peu ? Pendant quelque temps, tu vas avoir droit à tout ce que tu aimes, avec une paille !

L'attention de Faith se porta sur sa mère. Puis elle aperçut son père. Elle ferma les yeux.

Un infirmier entra, vérifia le dossier de la petite, l'air sûr de lui.

— Elle est consciente, annonça Carolee. C'est sa mâchoire qui la gêne.

— C'est normal, répliqua-t-il en prenant le pouls de la fillette. Au début, ça choque, mais tu verras, tu auras des compensations. D'ici peu, tu auras l'air d'une actrice de cinéma. Moi-même, j'y songe : ce serait sans doute le seul moyen de m'empêcher de manger trop de frites. Remarque, il ne faut pas que tu maigrisses trop.

Faith tourna la tête de l'autre côté et rouvrit les yeux. Un son s'échappa de sa gorge, puis un chuchotement. Carolee s'approcha, acquiesça.

— Qu'est-ce qu'elle dit ? voulut savoir Kip, visiblement mal à l'aise.

Carolee le fusilla des yeux.

— Elle dit que Mme Jolly et toi, vous serez ravis parce qu'ainsi, elle respectera son régime.

L'infirmier avait terminé son examen. Il accorda un sourire à Faith, mais sortit les lèvres pincées. Carolee considéra Kip avec haine.

Max s'interposa en s'adressant à Faith. Ce n'était pas le moment d'échanger des méchancetés.

— Un point pour toi ! Tu as conservé ton sens de l'humour, bravo ! Regarde-moi. Tu as vu comme je suis moche ?

Les paupières de Faith étaient lourdes. Elle était sur le point de se rendormir, pourtant, elle examina Max, puis tira sur la manche de sa mère.

— Faith veut savoir ce qui vous est arrivé. Je vais le lui dire. Tu te rappelles avoir quitté Lake Home avec Étoile ?

Faith secoua faiblement la tête.

— C'est pourtant ce qui s'est passé. Max t'a poursuivie, parce que nous étions très inquiets. Tu es partie au galop, et Étoile a voulu sauter une haie pleine d'épines. Max a dû passer au travers pour te retrouver. C'est là qu'il a eu toutes ces égratignures.

— Ma chérie, tu ne seras plus jamais malheureuse au point de vouloir t'enfuir, intervint Kip. Ta maman et moi te le promettons.

Max évita le regard de Kip Burns. S'il obtenait ce qu'il voulait, Max n'aurait plus qu'à s'incliner. Peut-être était-ce la meilleure solution, mais il n'y croyait guère. Kip n'avait rien à offrir à Carolee, mais il n'hésiterait pas à se servir de leur fille pour la récupérer. Question : pourquoi ce revirement soudain ? Parce qu'il avait appris – comment ? – la présence de Max dans la vie de Carolee ? Était-il de ces hommes qui rendent la vie infernale à leur femme et les quittent, mais ne supportent pas qu'elle puisse connaître le bonheur avec quelqu'un d'autre ?

— Merci pour votre aide, Wolfe, dit Burns en faisant un mouvement en direction de la porte.

Faith s'agita. Elle tira de nouveau sur la manche de Carolee.

— Elle a quelque chose à vous dire, Max. Je crois que vous êtes son héros.

Max prit la place de Carolee et se percha au bord du fauteuil. Il décocha un clin d'œil complice à Faith, souleva sa main et l'embrassa.

— Tu es mon héroïne, affirma-t-il. Tu t'es accrochée comme une championne.

— Où... Digger ? Et... les... che... vaux ?

Max eut un large sourire.

— Le cerveau fonctionne à cent pour cent ! L'amie de ta maman, Brandy – c'est mon amie aussi – et un autre de mes amis, Rob Mead, sont venus chercher Digger. Ils vont s'occuper de lui. Nous avons dû attacher Guy et Étoile à un arbre, mais quelqu'un est allé les récupérer.

— Qui est Digger ? s'enquit Kip.

— Notre chien, rétorqua Max. Ne t'inquiète pas, Faith, il va très bien.

Elle fixa son père, puis jeta un coup d'œil furtif vers sa mère. Sa main était minuscule et glaciale, mais elle bougea dans celle de Max : elle voulait lui parler.

— Dis-moi tout ! déclara-t-il d'un ton enjoué en croisant les bras sur le matelas, la tête inclinée vers la fillette.

— Max... s'il te plaît... protège... maman.

23

Max appuya sur le bouton de l'interphone pour laisser entrer Rob. Il tombait mal, mais Max n'était pas du genre à repousser un ami qui semblait désemparé.

Quelques instants plus tard, Rob était à sa porte. Il lui saisit la main et le gratifia d'une bonne tape dans le dos.

— Entre ! dit Max en retenant un gémissement de douleur. J'allais justement boire une bière en regardant le match de base-ball.

En fait, incapable de rester dans son lit, il s'était installé sur le canapé.

— Bon sang ! s'exclama Rob en ouvrant des yeux ronds.

Max était torse nu, car la moindre pression sur sa peau lui était insupportable.

— Brandy m'a dit que tu t'étais écorché. Elle t'a vu ?

— Non. Vous êtes passés avant que je ne revienne. Depuis, Brandy m'a laissé tranquille. C'est une fille sensible.

Le visage aux traits fins de Rob s'assombrit. Il jeta un coup d'œil vers la baie vitrée et la terrasse. Le lac Washington était visible au-delà des toits, de l'autre côté de la rue.

— J'ai dit quelque chose qu'il ne fallait pas ? interrogea Max.

— Brandy n'est pas seulement sensible. Elle m'a plu au premier regard. Depuis, c'est devenu une obsession. Mais je n'ose pas aller plus loin.

— Assieds-toi. Je te sers une bière ?

— Volontiers. Tu as suivi la partie jusqu'ici ?

— Non. Je n'ai même pas allumé le poste, et je n'en ai aucune envie. Viens par ici.

Il le conduisit dans la salle de séjour, où trônait un écran géant équipé d'un système de son ultrasophistiqué. Rob s'enfonça dans un fauteuil et le fit pivoter vers les fenêtres.

Max se rendit dans la cuisine américaine tout de granit noir et d'inox. Adepte de la simplicité, il en profitait rarement, se contentant de réchauffer des plats surgelés au micro-ondes.

Il sortit les canettes du réfrigérateur, deux verres, un paquet de cacahuètes, l'hôte parfait, quoi !

Pour Carolee, il se mettrait avec plaisir aux fourneaux, songea-t-il. Il s'immobilisa pour observer Rob de loin. Elle lui manquait affreusement. Il avait envie de la voir, de l'entendre, de la toucher. Et surtout, il voulait que Faith guérisse.

— Et une bière, une ! annonça-t-il d'un ton faussement enjoué. Pose tes pieds sur ce pouf et cesse de ruminer. Qu'est-ce qui te tracasse, mon vieux ?

— Sais-tu s'il reste des appartements à vendre dans ce complexe ?

— Aucune idée.

Max était intrigué. Qu'est-ce qui poussait Rob à vouloir être si près de lui, tout à coup ?

— Je vais me renseigner, dit Rob. Ça me plaît, et je sais que Brandy aime bien cet immeuble.

Max se laissa tomber sur le canapé, et allongea les jambes.

— Voilà ! Je suis à peu près à l'aise. Alors ? Je t'écoute. Qu'est-ce qui te préoccupe ? Tu veux quitter l'équipe des Broncos. Tu veux travailler avec moi. Tu veux habiter ici. Tu veux savoir si tu peux tenter ta chance avec Brandy. Bon sang, explique-toi !

— Je t'ennuie…

Rob n'avait jamais été du genre à se plaindre.

— Je n'ai pas envie de me disputer avec toi, rétorqua Max. Mais réfléchis à ce que tu viens de dire, et tu te rendras compte que tu es ridicule.

— Merci !

Rob avala une gorgée de bière, engloutit une poignée de cacahuètes, alla se planter devant la baie vitrée.

— D'ici, on distingue presque le restaurant de Brandy.

— En effet.

— J'ai l'impression qu'elle a encore des sentiments pour toi, Max.

— Brandy est amoureuse de l'amour. Nous avons eu une liaison pendant quelques semaines, mais ça n'a pas marché – du moins de mon côté.

Rob se retourna brusquement, heurtant une lampe, qu'il rattrapa de justesse.

— Elle n'est pas assez bien pour toi, c'est cela ?

— Écoute, mon vieux, tu choisis le mauvais moment. Remarque, je ne sais pas s'il peut avoir un bon moment. J'aime beaucoup Brandy, mais pour moi, ça s'arrête là.

— Excuse-moi, marmonna Rob. Mais, tu comprends, je suis dingue d'elle, et jusqu'ici, je n'ai pas réagi.

— Dis-le-lui. Je sais qu'elle pense beaucoup de bien de toi.

— Oui, peut-être que je le ferai.

Rob prit une profonde inspiration. Le teint cuivré, les yeux brun-vert, c'était ce qu'on appelle un beau garçon. Et, ce qui ne gâtait rien, il était intelligent.

— N'hésite pas, lui conseilla Max. Fonce. Discute avec elle avant de repartir, laisse-lui un peu de temps pour réfléchir.

— Je t'ai déjà dit que je ne rentrerais pas.

— Je serai témoin à votre mariage, plaisanta Max. Et, avec un peu de chance, Faith pourra être votre demoiselle d'honneur.

— Merci. Je ne retournerai pas là-bas. Jamais.

— D'accord, grommela Max en croisant et en décroisant les jambes. Revenons-en à ma première question. Qu'est-ce qui te tracasse ?

Le téléphone sonna, et il décrocha aussitôt.

— Max ? C'est Carolee.

— Je sais. Comment allez-vous ? Comment va Faith ?

— Je ne devrais pas vous le dire, mais j'aimerais tant être auprès de vous.

Il eut l'impression que son cœur cessait de battre.

— Quand vous voudrez, murmura-t-il en se levant pour se réfugier du côté de la cuisine. Il suffit de le demander, je viendrai vous chercher.

— Nous ne sommes toujours pas rentrés à la maison. Je n'arrive pas à quitter son chevet.

Nous.

— Il s'est passé quelque chose ?

— Elle ne se réveille plus, lui confia Carolee, et sa voix se brisa. Les médecins assurent que tout va bien, mais je sens qu'ils sont perplexes. Ils lui ont fait subir un test. D'après les résultats, tout est normal. Mais ils ne peuvent affirmer qu'elle n'est pas dans le coma.

Max crispa les mâchoires.

— Vous êtes là ?

— Oui, oui, bien sûr. Où vous trouvez-vous... précisément ?

— À la cabine téléphonique de la salle d'attente. Ivy est dans la chambre avec Kip. Linda s'est endormie sur la banquette, Sam aussi. Il m'inquiète, il n'est pas assez solide pour supporter un tel stress.

— N'essayez pas de le materner, mon ange, il a horreur de ça. Il a besoin d'être là où est sa place : près de sa petite-fille qu'il aime.

— Oui. Vous êtes sage. Et je ne devrais pas me montrer égoïste au point de vous impliquer dans cette histoire. C'est un fardeau que vous ne méritez pas. Mais je crains d'être comme ma... Je crains de ne pas être assez forte.

Elle n'avait pas terminé l'une de ses phrases, mais il préféra ne pas insister pour le moment. Il tourna le dos à Rob.

— J'ai envie et besoin de vous. Si c'est égoïste de ma part, tant pis ! Ça m'effraie, parce que je n'ai encore jamais rien éprouvé de tel dans ma vie. Mon défi, c'est de me retenir de réduire votre ex-mari en bouillie avant de m'enfuir avec Faith et vous.

Son petit rire n'allégea pas la tension.

— Dommage que ce soit impossible. Vous savez parler aux femmes.

— C'est impossible *pour le moment*, rectifia-t-il.

— Si Kip obtient gain de cause, ce le sera toujours. Non seulement il ne cesse de proposer une réconciliation, mais il en parle comme si c'était inévitable. Et quand je m'y oppose, il me regarde d'une façon étrange. Il ne veut toujours pas entendre parler d'une garde alternée.

Max se rappela la requête de Faith et abattit le poing sur le plan de travail.

— Rien ne vous oblige à rester seule avec lui. Ne vous laissez pas influencer par ses belles paroles. Vous ne devez pas être seule avec ce type.

— Je ne le veux pas, avoua-t-elle tout bas.

— Alors, vous vous débrouillerez pour ne pas l'être, d'accord ?

— Je m'y efforcerai, mais il tient absolument à ce que nous allions boire un verre et parler… de nous.

— Il n'y a plus de « nous ».

— Non, mais vous me comprenez. Tout est dans les sous-entendus. Dès que j'aborde le sujet de la garde conjointe, il me rétorque que nous devons être tranquilles pour en parler.

— Il est avec Ivy en ce moment ?

— Oui. Elle est adorable, de même que Brandy et Linda.

— Sans vouloir ajouter à vos soucis, que signifie ce commentaire à propos de Mme Jolly et d'un régime ?

Croyez-vous qu'ils l'aient obligée à perdre du poids ?
— Je crains que oui. Quelle catastrophe ! Oui, je pense qu'il s'agit bien de cela.
— Ils sont malades !
Carolee renifla, puis toussa.
— Ça ne va pas durer. Je prends des notes. À mon tour de présenter Kip sous un jour peu favorable.
— C'est la loi du plus fort, observa-t-il. Mais il faudrait que vous preniez un peu de repos, mon ange. Maintenant.
— Ça fait deux fois que vous m'appelez « mon ange ».
Il fixa ses pieds nus sur le tapis turc.
— Ah, oui ? C'est parce que j'en ai envie. Laissez-moi venir vous chercher. Nous nous arrangerons pour que vous soyez joignable à tout instant, et pas trop loin de l'hôpital.
— C'est-à-dire… ?
Max plissa les yeux.
— Ici. J'habite à deux pas de l'hôpital. J'ai l'intention de vous border dans un lit douillet.
— Et Kip ?
— Il n'y a pas de chambre pour lui.
Carolee laissa échapper un rire.
— Il n'y a que vous pour plaisanter en un moment pareil. Je voulais dire…
— Je sais ce que vous vouliez dire. Vous pouvez aller où vous voulez, ça ne le regarde pas, compris ? Cet homme est une plaie, et il est de mon devoir de prendre soin de vous…
Elle n'était pas au courant de la requête de Faith, et il ne lui en parlerait pas à moins d'y être contraint.
— Je viens vous chercher, ajouta-t-il.
— Non, non, Max ! Pas tout de suite. Et ce n'est pas à vous de prendre soin de moi. Je voulais surtout entendre votre voix, et vous tenir au courant de l'état de Faith. Quand je serai prête, je vous préviendrai. Si vous n'êtes pas chez vous, puis-je vous appeler au bureau ?
— Je n'irai pas avant de vous avoir revue.

— Max…

— Téléphonez-moi dès que possible.

Il raccrocha sans lui laisser le loisir de protester et retourna au salon finir sa bière.

— Ton sourire ne me dit rien de bon, murmura Rob. Tu cherches les ennuis, c'est ça ?

Max l'effaça aussitôt.

— Je déteste les ennuis. Nous le savons tous deux. Faith n'a pas encore douze ans, sa jambe est en miettes, elle a le visage comme un melon trop mûr, la rate abîmée, la mâchoire brisée, un traumatisme crânien, et elle ne se réveille plus, ce qui signifie que le pire est peut-être à venir.

— Pardonne-moi, dit Rob en fronçant les sourcils. Je n'ai pas oublié ce que j'ai ressenti quand… Ç'a été le cauchemar quand j'ai vu cette camionnette te rouler dessus sans pouvoir rien faire ! Je suppose que tu vis la même chose, bien que tu ne sois en rien responsable de cet accident.

— Pas plus que toi. Tu continues à t'en vouloir parce que tu n'as pas pu me sortir de là. Oublie ça, veux-tu ?

Rob passa la main dans ses cheveux coupés ras.

— Je n'ai pas vraiment le choix, fit-il en évitant son regard. Mais quand tu as raccroché, tu souriais. Tu en pinces pour Carolee, n'est-ce pas ?

— Je manque d'expérience en ce domaine. Je ne sais pas trop quoi faire, mais je crois que je l'aime.

24

— Je ne veux pas la laisser, protesta Carolee.

Kip l'entraîna fermement vers la sortie.

— Faith est entre de bonnes mains. Tu as besoin de prendre l'air et moi aussi. Ivy et Linda veilleront sur elle pendant notre absence. Elles nous appelleront si besoin est.

Elle savait qu'elle avait tort de le suivre. Il avait réussi à la convaincre de quitter l'hôpital pour discuter de l'avenir. Max l'avait suppliée de résister, et elle redoutait ce tête-à-tête. Pourvu que Kip garde son calme !

Avant l'agression à Lake Home, il ne s'était jamais montré violent avec elle.

Ils croisèrent l'une des infirmières du service des soins intensifs.

— Il est grand temps pour vous de dormir.

— Elle a raison, déclara Kip à Carolee. J'ai réservé une chambre au Widmark, à Kirkland. Tu verras, ça te plaira. C'est un excellent hôtel, et il est tout près.

Elle retint son souffle. Une chambre d'hôtel ? Quelle subtilité ! Le mufle ! Il avait l'intention de l'attirer dans son lit, puis d'exiger une réconciliation. Mais pourquoi ? Pourquoi ce brusque revirement ? En tout cas, quelles que soient ses motivations, il n'y aurait plus jamais de rapports intimes entre eux.

— Je sais ce que tu penses. Tu te trompes. Ce qui m'importe pour le moment, c'est que tu dormes et que tu cesses de penser à tout cela. Tu crois que je me fiche de ce qui t'arrive. Là encore, tu te trompes. Je tiens beaucoup à toi.

Chacune de ses paroles sonnait faux. Peut-être était-elle trop méfiante ? Elle n'y pouvait rien. Elle flairait le piège.

— C'est gentil, mais je ne vais pas me coucher. Tu as pris une chambre simple, ou une suite ?

— Une suite, confirma-t-il, un soupçon de colère dans la voix.

— Tant mieux. Je donnerai le numéro à Sam, au cas où il chercherait à nous joindre.

Le premier flash crépita à l'instant précis où ils poussaient les portes vitrées, obligeant Kip à ravaler toute riposte. Les reporters se ruèrent sur eux, les aveuglant complètement. Les questions fusaient de partout, mais Carolee était incapable de se concentrer. Un sentiment de désespoir la submergea. Les paparazzi, elle connaissait : elle les avait supportés de bonne grâce pendant ses années de célébrité ; mais ces requins, ceux-là mêmes qui l'avaient assaillie au moment de son divorce, étaient uniquement à l'affût d'un scandale.

— Souris, ma chérie, lui conseilla Kip en glissant le bras sous son coude et en marquant une pause au sommet des marches. Évite de leur donner des munitions, cette fois. Souris, salue-les d'un signe de tête et laisse-moi parler.

Comment ces gens avaient-ils appris que Kip et elle se trouvaient ensemble à l'hôpital ? Comment avaient-ils su qu'ils s'apprêtaient à sortir à cet instant précis ?

— Vous ressemblez à un vrai couple, lança un journaliste. Vous avez l'intention de revivre ensemble ?

— Le salaud, grommela Carolee. Il n'a même pas la décence de demander des nouvelles de Faith.

— Il fait son métier.

Carolee avait envie de hurler de rage.

— Ne leur dis rien, s'il te plaît.

Ils descendirent quelques marches.

— Vous nous manquez, Carolee ! s'écria une jeune femme. Allons-nous vous revoir bientôt sur scène ?

Elle ne répondit pas.

— Allez ! Ne soyez pas timide ! Votre mari vous a quittée et vous avez arrêté votre carrière. Vous voilà réconciliés. Est-ce que vous nous préparez un come-back ?

— Mon épouse ne souhaite pas s'exprimer, annonça Kip, mais il était tout sourires.

— Et vous, Kip ? Qu'avez-vous à nous dire ?

— Les enfants ont besoin de leurs deux parents. Notre fille a terriblement souffert de notre séparation. Je m'en tiendrai là.

— Mmmm... murmura la journaliste en gribouillant sur son carnet. Alors, vous allez vous remarier ? Après tout ce que vous avez raconté au sujet de Mme Burns à l'époque du divorce ?

— Savoir évoluer est un signe d'intelligence, rétorqua-t-il.

Cliquetis des appareils photos.

— Et l'enfant ? Elle va s'en sortir ?

— Bien sûr ! affirma Kip en serrant plus étroitement le bras de Carolee.

— Allons-nous-en d'ici, supplia-t-elle.

— Qu'entendez-vous par « évoluer » ? s'enquit quelqu'un.

Kip caressa l'avant-bras de Carolee et lui pressa la main.

— Cela signifie qu'on peut changer, apprendre à pardonner.

Carolee se boucha mentalement les oreilles. Kip était en train de leur expliquer quel homme bon et généreux il était ! Elle scruta les alentours. Quand ce cauchemar prendrait-il fin ?

Max était adossé à un arbre, sur une pelouse toute proche. Son attitude était nonchalante, mais en apparence seulement. Il fixait Carolee, et jamais elle ne l'avait vu aussi furieux.

Ils atteignirent enfin le trottoir.

— Kip… Continue sans moi. Je sais où te retrouver, mais je veux remonter jeter un coup d'œil sur Faith.

— Tu viens à peine de la quitter, siffla-t-il.

— Peu importe. Lâche-moi, sinon je fais une scène.

Il s'exécuta aussitôt.

— Tu me rejoindras ?

— J'ai besoin d'être seule avec Faith. Tu comprends ?

— Je te demande si tu me rejoindras.

Si elle refusait, il s'incrusterait.

— Oui.

— Très bien. Je te fais confiance.

Avant qu'elle puisse réagir, il l'embrassa sur la bouche, puis se précipita vers sa Porsche.

Carolee n'attendit pas qu'il ait démarré. Elle revint sur ses pas. Max n'était plus là, et elle pénétra dans l'hôpital, le cœur lourd. Elle aurait voulu qu'il la voie tourner le dos à Kip. Mais il avait décidé qu'elle ne méritait pas qu'il reste plus longtemps dans les parages. Et comment lui en vouloir ?

Lorsqu'elle reparut dans l'unité de soins intensifs, personne ne sembla étonné. Avec un peu de chance, Faith se serait réveillée. À la porte, elle constata qu'Ivy était encore là mais que Linda était partie.

— Du nouveau, Ivy ? chuchota Carolee en s'approchant sur la pointe des pieds.

— Toujours rien. Parfois, elle s'agite, mais elle n'ouvre jamais les yeux. Elle n'essaie même pas. Remarque, ça ne doit pas être facile.

Carolee ignora ce commentaire.

— Où est Linda ?

— Elle a dit qu'elle ramenait Sam chez lui pour qu'il dorme. Je suis de garde jusqu'à son retour.

— Je suis là, et j'ai l'intention de rester. Merci quand même.

Elle avait envie de parler à sa fille, de lui caresser les bras et les mains, de retaper ses oreillers. Elle avait envie de l'embrasser, de démêler ses cheveux.

— Faith… Faith, c'est maman. Est-ce que tu m'entends ?

La fillette demeura inerte.

— Je te l'avais bien dit, murmura Ivy d'une voix étranglée. Pauvre chérie ! Mais ne t'inquiète pas. Elle s'en sortira. Elle ne mourra pas.

— Tes intentions sont louables, Ivy, mais pour l'heure, rien ne me consolera. J'aimerais être seule avec Faith, d'accord ? Je te téléphonerai plus tard.

— Je suis maladroite, convint Ivy en se penchant pour ramasser son sac. Je… je n'ai pas été une vraie amie pour toi. J'ai voulu être impartiale, et je n'ai été qu'injuste. Oh, Carolee ! Si tu savais comme je m'en veux !

Pour la première fois, Carolee nota qu'elle avait les yeux rouges. Pourtant, son air tendu, sa façon de se tortiller les mains la laissèrent de glace.

— Surtout, ne te remets pas avec Kip. Jamais. Si tu fais cela, tu le regretteras. Bill m'avait déconseillé d'intervenir, mais, tu me connais, je suis une tête de mule.

— Ça suffit, coupa Carolee. Tu m'as déjà dit tout cela chez Brandy. Je refuse d'en parler ici. Faith nous entend peut-être.

— Elle est inconsciente. Quant à moi, il faut que je te parle maintenant, pendant que j'en ai le courage. Je n'ai pas tout dit, chez Brandy.

— Dehors, ordonna Carolee en allant lui ouvrir la porte. Dehors ! Tout de suite !

Ivy fonça dans le couloir et se tourna vers elle.

— Il n'a jamais été celui que tu croyais. Je ne sais pas s'il a changé, ou s'il a simplement appris à mieux dissimuler sa véritable personnalité.

— Et quel genre d'homme est-ce, selon toi ?

Ivy saisit Carolee par les poignets.

— J'ai peur de te le dire. S'il découvre que je t'ai parlé de lui, il pourrait devenir méchant. Il est impitoyable.

— Je connais Kip depuis le lycée. C'est un homme doux.

Elle prenait sa défense, pourtant, il ne ressemblait en rien à celui qu'il était autrefois.

— Il était doux, quand il s'est emporté contre toi après le bal de fin d'études ?

Carolee ouvrit la bouche, mais aucun son n'en sortit.

— Quand il a cru que tu avais des vues sur un autre et qu'il t'a poussée contre le mur ?

— Baisse le ton, sinon on va nous prier de partir. Je n'aurais jamais dû te raconter tout cela.

— Ce n'est pas toi qui as révélé à Bill que Kip était fier de sortir avec la fille qui avait les plus gros seins du lycée.

— C'était des discours d'adolescents.

— Bill n'était pas présent, à l'époque. Kip et toi aviez vingt et un ans quand nous nous sommes connus, et Kip ne s'est confié à Bill qu'au moment de votre divorce. C'est ignoble, de parler comme ça.

— Ignoble et stupide, renchérit Carolee. Il s'est ridiculisé. Cela me laisse totalement indifférente.

Ivy haussa les épaules.

— Les hommes qui se vantent à propos de leur femme, c'est courant, ajouta Carolee en contemplant Faith à travers la vitre.

Quand la petite avait eu deux ans, Kip s'en était pris à Carolee parce qu'ils ne pouvaient plus avoir d'enfants. Sans qu'elle le lui demande, il avait subi un test de fertilité. Lorsqu'il avait reçu les résultats, il lui avait déclaré que c'était elle, le problème, qu'elle n'était pas une femme à part entière. Plus tard, il s'était excusé, mais il avait évité de la toucher, voire de lui parler, et ne s'était laissé fléchir que lorsqu'elle l'avait supplié de lui pardonner. Sa colère avait duré plusieurs mois.

— Il n'est pas tendre avec Faith, remarqua Ivy.

Elle croisa les bras et se détourna.

— S'il m'entendait, il me tuerait.

— Il ne le saura pas, assura Carolee en s'efforçant de garder l'esprit clair, car c'était l'occasion ou jamais de glaner des informations contre Kip. Dis-moi ce que tu sais.

— C'est une enfant adorable, et elle le vénère, mais ce sont Mme Jolly et les domestiques qui l'élèvent.

— Est-ce qu'il a fait allusion à un régime ?

— Oui. Il lui répète sans cesse qu'elle est trop grosse, mais qu'il l'aime malgré tout.

— Seigneur ! s'exclama Carolee, le cœur au bord des lèvres.

— Elle se fait vomir, ajouta Ivy.

— Comment, elle souffre de boulimie, et tu n'as pas jugé utile de m'en avertir plus tôt ?

— Encore une fois, je crains les sautes d'humeur de Kip. Mais à présent, tu es au courant. C'est mieux que rien, non ?

Un frémissement de rage parcourut Carolee. Comment cette femme qui se prétendait une amie avait-elle pu lui cacher une information qui prouvait que la vie de sa fille était en danger ? Surveiller son alimentation était une chose, se faire vomir en était une autre.

— Mon pauvre bébé ! Je ne savais pas... Je ne voulais pas qu'elle souffre. Tout ce que j'ai essayé, dans sa petite enfance, c'est de gagner suffisamment d'argent pour que nous puissions mener une existence agréable.

— Tu y es parvenue, tu n'as rien à te reprocher. Écoute, Kip avait tort, et toi, tu mérites d'avoir Faith autant que lui. Bats-toi !

— C'est bien mon intention, répliqua Carolee, bien qu'elle n'ait cure des conseils d'Ivy.

Malheureusement, elle serait obligée d'en passer par la justice.

— Si tu restes seule avec lui, tu risques de te retrouver en position de faiblesse.

— Je préférerais régler ce problème à l'amiable.

Ivy lui fit face.

— Ce n'est pas pour en discuter qu'il veut te rencontrer. Il veut avoir une liaison avec toi et te maintenir en haleine pour Faith. Il ne cédera jamais, parce qu'il ne veut pas renoncer à son principal atout.

Le pouls de Carolee s'accéléra.

— Pourquoi en aurait-il besoin ?

— Je ne sais pas vraiment, répondit Ivy en s'humectant les lèvres. Ne me demande pas comment il s'y prend, mais il semble tout savoir à propos de Max et de toi. L'idée que tu puisses refaire ta vie lui est insupportable. À moins qu'il ne soit malade, et ne veuille en même temps son ex et cette autre femme ? Ou qu'il ne veuille te soutirer davantage d'argent ? Il a des goûts de luxe. Et, il ne s'est toujours pas remis à peindre.

— Quelle autre femme ? J'avais cru comprendre qu'il n'avait personne.

— Je les ai vus, affirma Ivy, les yeux baissés. Ils passent leur temps à bord du yacht, pendant que Faith reste seule à l'appartement. Remarque, tu peux le remercier. Au moins, il se montre discret et ne couche pas avec sa maîtresse chez lui.

L'absurdité de la situation prêtait presque à rire. Kip était divorcé, il n'avait pas à se cacher ! Carolee sourit. Apparemment, ce bon vieux Kip avait deux poids deux mesures dès lors qu'elle était concernée.

— Faith est au courant, précisa Ivy. Mais il faut que j'arrête. Il lui a dit que si jamais elle racontait avoir vu son père au lit avec une autre femme, il ferait ce qu'avait fait sa mère, il l'abandonnerait.

25

Sur son chemin, Max croisa Ivy Lester, qui feignit de ne pas le reconnaître et continua à marcher, le visage impassible. Lorsqu'il jeta un coup d'œil par-dessus son épaule, il la surprit en train d'en faire autant. Cette fois, son regard exprimait la contrariété.

Lui aussi était contrarié. La fureur et la déception qu'il avait éprouvées en apercevant Kip Burns et Carolee sur les marches de l'hôpital n'étaient pas saines. Et duraient.

Dans la chambre, Carolee coiffait la chevelure de sa fille, la rassemblant au sommet du crâne. Elle scrutait la pièce, sans doute en quête de quelque chose pour l'attacher, lorsqu'elle vit Max derrière la vitre. Il lui fit signe qu'il revenait tout de suite et disparut en direction du poste de surveillance.

Il reparut peu après avec une barrette.

— Et un élastique, un ! Elle a des cheveux superbes. Elle a de la chance, je connais des dizaines de filles qui se torturent pour avoir de telles boucles.

— Je crois que Faith commence enfin à apprécier les siennes.

Il fut sensible à l'angoisse qui transparaissait dans sa voix, mais ne trouva rien à dire pour la réconforter. Il voulait lui demander des explications sur la scène dont il avait été témoin un peu plus tôt, puis se ravisa.

— Qu'est-ce que c'est que ça ? s'enquit-il, se rappelant la tresse d'écharpes multicolores qu'il portait encore sur lui. Elle l'avait autour du bras quand je l'ai trouvée. Ce serait joli, pour sa coiffure.

— Allez-y ! l'encouragea Carolee. Elle pourra s'en prendre à vous de l'avoir déguisée.

— Vous ne m'en croyez pas capable, n'est-ce pas ?

Il fit un gros nœud autour du geyser de boucles.

— Là ! Elle est superbe. Ne me dites pas que vous auriez mieux fait.

— Impossible. Elle est magnifique.

Un silence tomba entre eux. Carolee s'assit sur le lit de sa fille et entreprit de lui frictionner les bras et les mains. Max n'avait pas l'habitude de rester inactif. Il alla se placer de l'autre côté du lit pour masser l'épaule de la fillette.

Au bout de quelques minutes, ils échangèrent leur place, et continuèrent ensemble, chacun de son côté. Ils œuvrèrent ainsi plusieurs minutes, Carolee encourageant sans cesse sa fille à se rétablir afin qu'elle puisse reprendre ses cours d'équitation avec Max. Elle lui dit combien ils admiraient son courage et sa volonté. Elle lui assura que Digger bondissait hors de la maison dès que quelqu'un arrivait à Lake Home, et qu'il repartait tristement en découvrant que ce n'était pas Faith. Tout le monde attendait son retour avec impatience.

Carolee parlait, parlait, ponctuant ses phrases de baisers sur le front de sa fille.

— Elle va se réveiller, n'est-ce pas ?

Max mit un quart de seconde à réaliser qu'elle lui avait adressé la parole.

— Oui. *Oui !* Bien sûr ! Je ne suis pas un expert en la matière, et le cerveau est un organe complexe. Il paraît que lorsqu'on reste inconscient, c'est le cerveau qui prend le temps de guérir.

— Croyez-vous que le cerveau est atteint ? Que les médecins ont fait une erreur de diagnostic ?

Se reprochant sa maladresse, Max croisa son regard.

— Non, je n'en crois rien. Comment pourrais-je savoir ce genre de choses ?

— J'ai peur, Max.

— Je sais, murmura-t-il en posant la main sur celles de Carolee et de Faith réunies. Je suis là.

Il se pencha pour effleurer de ses lèvres les doigts de la petite, puis déposa un baiser sur la main de Carolee. Paupières closes, il s'imagina qu'elles étaient sa femme et sa fille.

Le plus sage était de rester où il était, et de cacher son émotion. Soudain, il sentit que Carolee passait la main dans ses cheveux avec tendresse, et c'était comme s'il avait attendu cela toute sa vie.

— Max, murmura-t-elle.

Il se redressa à regret.

— Vous m'avez aidée à redevenir forte. Je ne replongerai jamais comme avant.

— Vous étiez en voie de guérison. Il faut être patiente.

Sans frapper, deux médecins surgirent, entourés d'une armée d'étudiants. Une infirmière arriva derrière eux et fit signe à Max.

— Monsieur Wolfe, téléphone.

Il vérifia son portable. Il n'avait pas de messages en attente.

— Je reviens tout de suite, promit-il à Carolee.

— Voici le Dr Lamont, dit le Dr Lee en désignant un homme grand et austère à ses côtés. Il est neurologue. Nous l'avons sollicité pour un second avis.

Le Dr Lamont gratifia Carolee d'un sourire forcé.

— Madame Burns, fit-il en hochant brièvement la tête avant de se rendre au chevet de Faith. Étiez-vous présente la dernière fois qu'elle a repris connaissance ?

— Oui. Je ne sais pas pourquoi…

— Dites-moi ce que vous avez constaté.

— Son père et moi étions là… ainsi qu'une bonne amie, Ivy…

— Oui, oui, mais la patiente ?

Le Dr Lee s'avança.

— Décrivez-nous l'état de Faith lorsqu'elle était éveillée. Avez-vous remarqué un signe qui aurait pu vous avertir que quelque chose était en train de se passer ?

— Elle nous regardait sans parler. Puis elle a fermé les yeux. Et elle ne les a pas rouverts depuis.

— Un instant, elle était réveillée et consciente… Elle était bien consciente ?

— Absolument.

— Et l'instant d'après, elle était ainsi ? Inerte ?

— Eh bien… oui.

Le Dr Lamont souleva l'une des paupières de Faith et braqua une petite lampe de poche dans son œil à plusieurs reprises.

— Hmmm, fit-il en auscultant le second. Nous allons effectuer d'autres tests, madame Burns. Je vous suggère d'aller boire un café. Nous en avons pour une bonne heure. Si vous revenez après notre départ, faites-nous appeler, je vous prie.

Il se concentra de nouveau sur Faith, tout en donnant des ordres à son collègue.

Carolee sortit et erra le long du couloir. Une infirmière qui poussait un chariot avec du matériel entra dans la chambre de Faith.

— M. Wolfe est dans l'une des salles d'attente réservées aux familles, lui signala une aide-soignante du poste de surveillance.

Elle la remercia. La voix de Max lui parvint, indistincte. Carolee hésita sur le seuil de la pièce. Kip l'attendait à l'hôtel. Pour s'assurer qu'il ne viendrait pas la chercher ici, elle l'avait appelé en disant qu'elle le rejoindrait dès que possible. Il lui avait répondu qu'il patienterait aussi longtemps qu'il le faudrait.

— C'est tout, madame Fossie ? demanda Max. Oui, je sais, vous êtes débordée. Mais vous êtes efficace, et j'ai confiance : vous vous débrouillez parfaitement sans moi. Telle que je vous connais, nous aurons encore plus de clients à mon retour.

Carolee ravala un petit rire.

— Non, marmonna-t-il, apparemment à cran. Non, je ne veux pas parler à Steve… Je sais que c'est mon avocat…

On le réclamait au bureau. Par sa faute, il négligeait ses affaires.

— Bon sang, Steve ! Je viens de dire à Fossie que je ne voulais pas te parler... Ouais, d'accord. Tu l'as obligée à te passer l'appareil. C'est ça !

Il écouta son interlocuteur un moment avant de répliquer :

— Je reste à l'hôpital, auprès de mes amis. Je ne peux pas revenir tout de suite... Oui, oui, et oui ! Écoute, Steve, sommes-nous au bord de la faillite ?... Non ? Dans ce cas, à plus tard !

Carolee s'avança et ferma la porte derrière elle. Son air abattu bouleversa Max.

— Qu'est-ce qu'ils ont dit ?

— Rien, encore. Ils refont des tests. Ils ont fait appel à un neurologue pour un deuxième avis. Il n'est pas très optimiste.

Max fourra son téléphone dans sa poche et croisa les mains derrière le dos pour s'empêcher de la prendre dans ses bras.

— Mais, puisqu'ils ne vous ont rien dit.

— J'ai bien compris, d'après les questions qu'il me posait, la façon dont il lui examinait les yeux. Ensuite, il m'a demandé de sortir.

Elle s'assit sur une banquette et se frotta les cuisses.

— Ce n'est pas juste pour vous. Rien ne vous oblige à rester ici. Vous avez votre vie, votre travail.

Max approcha une chaise et se plaça face à elle.

— Écoutez-moi attentivement, s'il vous plaît, et ne dites rien jusqu'à ce que j'aie terminé.

Carolee baissa les yeux, lissant machinalement sa jupe. D'un doigt il lui caressa le poignet, persuadé qu'elle aurait un mouvement de recul. Elle ne bougea pas.

— En quelques semaines, mon existence s'est transformée, reprit-il. Ce que j'ai dit à Steve est vrai. Je ne partirai pas d'ici avant d'être assuré que ceux auxquels je tiens vont bien. Vous passez avant tout, vous et Faith.

Elle le fixa, et de grosses larmes roulèrent sur ses joues.

— Depuis que je vous connais, j'ai changé. Je ressens des choses que je n'avais jamais ressenties ou même soupçonnées auparavant. Je m'exprime mal, mais c'est difficile. Il paraît que les femmes aiment parler, expliquer leurs sentiments, contrairement aux hommes. C'est possible, parce que j'ai du mal à me reconnaître...

Il lui sourit.

— Je veux être auprès de vous et de Faith pour toujours, Carolee. Nous pourrions former une famille. Je le sais. Je vous aiderai à obtenir ce qui vous revient de droit, la garde alternée. Nous serons heureux.

— Max, souffla-t-elle en posant l'index sur sa bouche. Vous ne savez pas ce que vous dites.

— Je suis en train de te dire que je t'aime, fit-il en écartant sa main.

— Mais vous... tu ne me connais pas.

— Oh, que si ! Et même très bien.

Elle baissa la tête.

— Parce que je me suis conduite comme jamais cela ne m'était arrivé ? Et parce que c'était bon ?

— Ce doit être cela, murmura-t-il, le cœur battant. Soyons réalistes. Si tu t'es servie de moi, c'est parce que je l'ai voulu. Certes, c'était un excellent début, et ça m'a permis de comprendre que je ne voulais pas en rester là. Mais pourquoi raisonnes-tu ainsi ?

— J'ai mes faiblesses. Je ne sais pas si j'oublierai jamais à quel point je me suis ridiculisée.

— N'oublie jamais cet épisode, mais ne te le reproche pas non plus. Et ne succombe pas à la peur. Car c'est de cela qu'il s'agit, n'est-ce pas ? Tu es terrifiée à l'idée de souffrir, tu n'oses même pas y songer. Tu veux la sécurité à tout prix, et refuses de te frotter au moindre danger.

Malgré lui, il lui souleva le menton et captura ses lèvres. Son baiser fut à la fois doux et ardent. Ils se séparèrent à regret.

— Je ne suis pas dans cet hôpital pour me faire plaisir, dit-elle.

Il l'embrassa de nouveau, très vite, avant qu'elle puisse se dérober.

— Mais mes baisers te font plaisir. C'est bon signe. Je ne peux plus vivre sans toi. Si tu me rejetais, je serais perdu.

— Max, je t'en prie...

— Tu ne veux pas que je te dise à quel point tu m'as montré que la vie pouvait être merveilleuse ? Tu souhaites que je fasse comme si nous ne nous étions jamais rencontrés ? Comme si nous n'avions jamais essayé de nous connaître, comme jamais je n'ai eu envie de connaître une femme ? Je ne crois pas à la chance. Je suis convaincu que nous sommes destinés à rester ensemble aujourd'hui, demain, et jusqu'à la fin de nos jours. Je veux que tu m'épouses.

Décidément, le destin était cruel. Elle n'osait imaginer la vie sans lui, mais, en réalité, elle n'avait jamais pensé qu'un avenir commun était possible.

On frappa discrètement. Les deux médecins entrèrent.

— Nous souhaiterions vous parler, dit le Dr Lee en jetant un coup d'œil à Max.

— Max est presque un membre de la famille. Je tiens à ce qu'il reste près de moi.

Les médecins acquiescèrent.

— Qui était avec Faith au moment où elle a cessé de réagir ? demanda le Dr Lamont.

— Son père, une amie et moi-même.

— Il ne s'est rien passé d'anormal ? Vous avez juste eu l'impression qu'elle se rendormait ?

— Oui. Enfin, non, pas vraiment. Kip et moi étions contrariés.

— Vous avez crié, peut-être ?

— Je ne crie jamais.

— Et votre mari ?

— Si, fit-elle d'une voix altérée. Nous étions sous pression, c'est arrivé comme ça.

— Avez-vous échangé des menaces, des accusations, quelque chose qui aurait pu inciter votre fille à vouloir s'emmurer pour se protéger ?

— Écoutez, intervint Max. Où voulez-vous en venir ?
— La situation a-t-elle dérapé, madame Burns ? insista le Dr Lamont.
— Je suppose que oui. M. Burns et moi sommes divorcés. Des mots cruels ont été dits. Ce matin, nous nous sommes emportés, mais cela ne se reproduira plus.
— Les enfants sont excessivement sensibles, expliqua Lamont. Un sentiment d'insécurité, ajouté à ses blessures physiques... Qui sait ce qui a pu se passer dans la tête de Faith ? Les examens ne montrent aucun signe de lésion du cerveau. On pourrait même imaginer – bien que ce soit peu probable – qu'elle n'est pas inconsciente, qu'elle refuse tout simplement de réagir. Vous avez du pain sur la planche, et nous aussi. Mais il ne faut en aucun cas la perturber, car il se peut qu'elle entende tout.
— C'est insensé ! s'exclama Max.
Carolee avait du mal à comprendre que Faith puisse faire semblant.
— Vous pensez qu'elle en serait capable ? demanda-t-elle.
— Cela requiert un certain don d'actrice, répondit le Dr Lee, mais elle ne serait pas la première à nous jouer un tour pareil. Pour l'heure, il lui faut du repos et du sommeil. Selon moi, elle est épuisée. Cependant, avec votre permission, nous voudrions qu'un psychiatre passe un peu de temps auprès d'elle.
— Pourquoi ?
Carolee s'accrocha au regard de Max, qui lui adressa un sourire rassurant.
— Juste pour être certains de ne pas passer à côté de quelque chose d'important.
— Tout à fait, renchérit le Dr Lamont. En attendant, laissons-la seule avec ses pensées. Et espérons qu'elle s'endormira naturellement.
— En somme, vous êtes certains qu'elle ne dort pas en ce moment ?
— Nous ne pouvons rien affirmer, mais c'est possible. Elle devrait déjà avoir quitté les soins intensifs

et entamé sa rééducation. Mais il n'en est pas question, tant que nous ne saurons pas si elle est consciente ou non. Ne vous éloignez pas trop, madame Burns. Nous nous reverrons tout à l'heure.

Le Dr Lamont sortit, son collègue sur ses talons, telle une demoiselle d'honneur.

— Je vais patienter ici, déclara Carolee. Retourne donc à ton bureau. Ne t'inquiète pas pour nous. Si le Dr Lamont a vu juste, ce n'est qu'une question de temps.

— Sur ce dernier point, tu as raison. Mais je ne m'en irai pas.

Elle se leva, et Max l'imita.

— Tu ne comprends pas.

— Ce que je comprends, rétorqua-t-il, c'est que tu fuis tes sentiments – et les miens.

Carolee le regarda fixement.

— Je n'aime pas Kip Burns. J'ai cessé de l'aimer depuis longtemps, et, à présent, je n'ai plus aucun respect pour lui. Il me donne la nausée, et il me met mal à l'aise parce qu'il est devenu un étranger. Me voilà donc condamnée à apaiser un homme qui pourrait devenir violent, sous le prétexte qu'il est le père de ma fille et qu'elle a besoin de lui.

Max plissa les yeux.

— Je ne discute pas cela. Dans un monde idéal, tous les enfants auraient deux parents. Qu'est-ce que cela change pour nous ? Je ne suis pas Kip. Mes motivations sont claires, sincères. Je te le répète : c'est toi que je veux. Uniquement toi. Et je ferai mon possible pour Faith.

— Je ne mets pas en cause ton honnêteté. J'aimerais beaucoup accepter ton offre, et j'espère le pouvoir un jour. Quoi que fasse Kip, quoi qu'il prétende, je ne retournerai jamais avec lui.

— Pas possible ! railla Max, surpris par sa propre agressivité, mais incapable de ne pas ajouter : En tout cas, tu devras me passer sur le corps si l'idée t'en prend.

26

— J'espère que c'est pour une bonne cause, Sam, attaqua Max.

Sam n'avait cessé de l'appeler depuis la veille au soir, heure à laquelle, d'après Max, il avait dû apprendre ce qui s'était passé entre Carolee et lui.

— Laisse-moi souffler, d'accord ? répliqua Sam, qui venait d'arriver, le souffle court.

Ils avaient pris place à une table chez Nellie et Fritz Archer. Dehors, le ciel s'était obscurci, et un vent fort agitait les cimes des arbres plantés le long des trottoirs. Même Darby, le vieux setter irlandais d'Archer, était venu se réfugier à l'intérieur.

— Alors ? relança Max en pointant sa fourchette sur Sam. Je dormais quand tu as téléphoné.

— Chaque fois ?

— Pas d'interrogatoire. Je dormais la dernière fois.

Depuis qu'il avait quitté Carolee à l'hôpital, il aurait voulu ne plus se réveiller avant qu'elle ait trouvé le moyen définitif de chasser Kip Burns de son existence.

— À 19 heures, tu dormais ?

— Laisse tomber, tu veux ? Je sais que tu es sous tension, mais moi aussi.

— Parce que ma fille est désemparée et que tu ne l'aides pas à y voir plus clair ? Il ne faut surtout pas qu'elle se remette avec ce... ce raté.

— Elle ne veut plus de lui, dit Max, qui ne s'était jamais senti aussi fatigué. Elle ne reviendra pas là-dessus… Nellie ! Pouvons-nous avoir du café, s'il vous plaît ?

— Tout de suite ! Vous êtes prêt à passer votre commande ?

— Non, merci. Je n'ai pas faim.

— Vous commencez à radoter, riposta-t-elle. Sam, vous allez manger, n'est-ce pas ?

Il fronça les sourcils, renifla.

— Je vais prendre un sandwich jambon fromage. Ça, au moins, personne ne peut le rater.

Max secoua la tête, mais Nellie avait déjà disparu dans les cuisines sans relever la pique de Sam.

Les rares clients restants s'étaient rassemblés pour regarder la télévision derrière le comptoir. De temps en temps, ils grognaient ou encourageaient une action de la partie de base-ball.

— J'ai des choses à te dire au sujet de Kip Burns, déclara Sam, qui ne paraissait pas au mieux de sa forme. C'est une vipère. Je le connais depuis longtemps – trop longtemps. J'ai toujours pensé qu'il était rusé. Si tu voyais son train de vie, alors qu'il n'a jamais gagné un sou, tu comprendrais. Je suis nul en dessin, mais si j'étais un artiste, bon sang de bon sang, si j'avais pu travailler dans ses ateliers, je serais devenu le nouveau Liberace ! Celui qu'il occupe actuellement a été photographié pour les magazines. On ne peut pas en dire autant de ses tableaux.

Max l'écoutait distraitement.

— Liberace ?

— Euh… excuse-moi, Picasso. Enfin bref, quelqu'un de célèbre.

— Voici le café ! annonça Nellie Archer. Max, je peux vous le réchauffer un peu, si vous voulez.

Il la fixa d'un air innocent.

— Vous n'oseriez tout de même pas servir du café froid ?

— Je veux bien corser le mien, intervint Sam.

— Contentez-vous de ce que je vous apporte, rétorqua Nellie. Max, je suis heureuse de constater que vous n'avez pas complètement perdu votre sens de l'humour. Quant à vous, Sam, non seulement vous nous perturbez tous en venant à cette heure-ci, mais en plus, vous réclamez un remontant. Vous savez pourtant que vous n'avez pas le droit de...

— Je plaisantais, coupa Sam. Mon sandwich arrive bientôt ?

Nellie tourna les talons sans un mot.

— Rabat-joie, marmonna Sam.

— Combien de temps est-ce que ce cauchemar va durer, Sam ? Je n'en peux plus.

— Oui, je sais, Carolee non plus. Faith souffre affreusement. Linda survit bon gré mal gré, mais je sens que l'accident de Faith lui sert de prétexte pour fuir ses soucis personnels.

— C'est possible, murmura Max, mais il ne songeait qu'à Carolee et à Faith. Est-ce que Kip Burns a pu maltraiter sa fille ?

— Pas physiquement. Pas ouvertement. Mais elle est malheureuse et ce, parce qu'il l'a persuadée que Carolee l'aimait moins que sa musique. Un père digne de ce nom...

Il se tut brusquement, avala plusieurs gorgées de café.

— Il lui a fait croire qu'il était absent et s'est arrangé pour qu'elle ne puisse pas le joindre. C'est odieux. À mon avis, il les manipule toutes les deux.

« Burns est un malade. D'abord, il se comporte comme s'il ne pouvait pas se débarrasser assez vite de Faith. Il affirme haut et clair qu'il ne veut plus de Carolee. Puis il resurgit et prétend ne pas pouvoir vivre sans elle. Carolee affirme que, le jour de l'accident, il s'est simplement montré un peu nerveux. C'est ta version des faits qui me paraît la plus probable, pas la sienne. Et, maintenant, il la fait chanter maintenant, ajouta-t-il.

Ses lèvres avaient une teinte bleutée, et il avait du mal à tenir sa tasse.

— Elle lui a demandé de modifier la garde, il a répondu qu'ils devraient se remettre ensemble. Inutile de s'appeler Einstein pour comprendre qu'elle aura ce qu'elle veut si elle lui donne ce qu'il veut. Mais ce qui m'intrigue, c'est la raison de ce revirement. Je suis sûr qu'il a une idée derrière la tête.

— Seule, Carolee pourra décider. Je ne peux pas l'obliger à changer d'avis. Je lui ai avoué mes sentiments. La balle est dans son camp.

— Qu'est-ce que tu lui as dit ?

— C'est personnel.

— Tu lui as dit que tu l'aimais ? Il n'y a pas de honte à l'admettre, si c'est la vérité.

— Je n'ai pas honte d'aimer Carolee. Ce que je regrette, c'est cette sensation désagréable que quelqu'un cherche à m'étrangler.

Sam allait répondre quand Fritz Archer apparut avec deux assiettes.

— Vous voilà promu chef de rang, Fritz ? le taquina Max.

— Ha ! ha !

Il déposa un sandwich géant devant Sam et une platée d'œufs frits-pain grillé devant Max.

— Je n'avais rien commandé.

Fritz croisa les bras.

— Et moi, on m'a ordonné de profiter de toutes les occasions pour vous nourrir.

— Je... Merci.

Sam sauta du coq à l'âne :

— Tu n'as pas la nostalgie de ta carrière de footballeur ?

— Si, un peu. Grâce au football, j'ai eu des opportunités que je n'aurais jamais eues autrement. Je pense souvent à l'accident.

— Je m'en doutais. Tu sais ce que je crois ?

— Quoi ?

— Que tu n'y penserais plus du tout, si tu avais Carolee.

L'étau autour de sa gorge parut se resserrer, et Max posa ses couverts. Une chevelure auburn et un caleçon vert pomme attirèrent son attention. Brandy, sur le trottoir, s'apprêtait à traverser la rue. Rob Mead la rejoignit au pas de course, lui parla. Elle pivota vers lui et enfonça l'index dans sa poitrine.

Ils se disputaient. Ou plutôt, Brandy agitait les bras, le visage déformé par la colère. Rob secouait la tête, plaçait un mot ici et là quand Brandy marquait une pause pour reprendre son souffle. Soudain, tous deux se turent et se regardèrent dans les yeux. Puis Rob prit Brandy dans ses bras et la serra contre lui.

— Tu vois ça ? dit Sam, qui avait observé la scène, lui aussi. Brandy tient à ce type, et réciproquement. C'est palpable. Jamais je n'ai vu Brandy dans un état pareil. Tu sais qui c'est ?

— Rob Mead.

— Quand on parle du loup ! s'exclama Sam. Rob Mead, ici, à Kirkland ?

— Il veut s'y installer. Je ne sais pas ce que Brandy pense de lui, mais il est fou amoureux d'elle.

— C'est curieux, j'ai cru un moment qu'elle en pinçait pour toi.

— Sam, tu as une imagination très fertile.

Main dans la main, Brandy et Rob traversèrent la rue. Sam mordit dans son sandwich.

— Revenons à nos moutons. Tu n'es pas obligé d'intervenir. Je me contente de te transmettre une information, d'accord ?

— Tout dépend de l'information.

— Carolee est épuisée. Elle parle sans arrêt à Faith, mais la petite ne sort pas de son sommeil. Kip est revenu hier soir, et il a passé presque toute la journée d'aujourd'hui auprès d'elle. Carolee ne m'a pas rapporté leurs conversations, mais elle dépérit à vue d'œil.

Et puis, il y a les médecins, des questions, encore des questions. Elle va craquer.

Max contempla un tableau représentant la tour Eiffel, près de l'entrée. Ce peintre-là ne serait jamais célèbre.

— Elle préfère que je reste à l'écart de tout cela, pour ne pas risquer de compliquer les choses. Que puis-je faire, sinon patienter, tout en lui rappelant que je suis là pour elle ?

— C'est à toi d'en décider, mais le Dr Lee l'a convaincue de rentrer chez elle ce soir. Elle est toute seule.

Bill Lester avait dix ans de plus qu'Ivy, mais il n'était pas difficile de deviner pourquoi elle l'avait choisi parmi (selon elle) la horde de ses admirateurs. Sosie de Robert Redford jeune, il avait un regard intelligent, d'un bleu limpide, derrière des lunettes cerclées d'or qui lui allaient particulièrement bien.

Debout devant la cheminée, il s'efforça de sourire, mais il était visiblement mal à l'aise. Ivy et lui étaient venus à Lake Home sans prévenir. Ils avaient trouvé Carolee en chemise de nuit, en train de se préparer une tisane. Leur visite ne l'amusait pas. Elle avait hâte qu'ils s'en aillent.

Comme à son habitude, Ivy avait pris les choses en main. Elle avait versé l'eau bouillante dans sa tasse et rempli deux verres de vin rouge pour son mari et elle.

— Nous sommes passés sur un coup de tête, expliqua-t-elle en apportant le tout au salon. Enfin, plus ou moins. Nous avons essayé de te contacter à l'hôpital, et ils nous ont dit que tu étais là. Il ne faut pas que tu restes seule en un moment pareil.

Carolee n'avait que trois désirs : la guérison de Faith, Max, et une bonne nuit de sommeil.

— Je n'ai pas peur.

Ivy s'installa tout près d'elle, et Carolee eut un mouvement de recul.

— Nous devons parler sans détour. Tu as une liaison avec ce joueur de football.

Silence.

— Ex-joueur de football. Le sujet est clos.

— Ivy, ce ne sont pas nos affaires, intervint Bill avec un sourire indulgent.

— Chut ! Les hommes ne comprennent jamais rien à ces choses-là ? Donc, tu as une liaison avec cet ex-joueur de football. Il te plaît ?

— J'aime beaucoup Max. Je te le répète, je n'ai pas envie d'en discuter. Si tu continues, je vais devoir vous demander de partir.

— Tu n'es pas dans ton état normal, reprit Ivy. Si tu l'étais, tu ne t'adresserais jamais sur ce ton à tes meilleurs amis. Le problème, c'est que Kip et toi êtes bouleversés par ce qui est arrivé à Faith. Il est fou d'angoisse et s'imagine qu'il suffit que vous reviviez ensemble pour que tout s'arrange. Quant à toi, tu es sur le point d'accepter parce que tu ferais n'importe quoi pour être auprès de Faith. Tu n'aimes pas Kip. Je ne suis pas sûre que tu l'aies jamais aimé.

— Ivy... murmura Bill.

Carolee était trop lasse pour se fâcher.

— Tu es tellement à côté de la plaque, Ivy, que j'en suis gênée pour toi, répliqua-t-elle.

Ivy poursuivit, bille en tête :

— Parfois, les gens feignent d'être amoureux pour ne pas créer de vagues.

— J'ai aimé Kip passionnément. Il a commis une erreur en me cachant qu'il était malheureux *avant* de demander le divorce.

— Mais tu ne l'aimes plus, insista Ivy. Vous ne pourriez jamais recommencer de zéro.

— Ce n'est pas à nous de donner des conseils à Carolee, décréta Bill. Si elle veut renouer avec Kip pour le bien de Faith, pourquoi pas ? Nombre de couples le font.

— *Chut !* Nous ne sommes pas experts en la matière,

notre mariage est une réussite. Et si nous n'avons jamais eu d'enfants, c'est parce que nous n'en voulions pas. Si Carolee prend assez de recul, elle obtiendra ce qu'elle voudra sans bousiller sa vie. Elle ne peut pas être heureuse avec lui.

Carolee avait les paupières lourdes. Elle pensait à Faith. À Max. Il représentait un danger, dans la mesure où il avait le pouvoir de détourner son attention. Il lui manquait tant !

— Étends-toi, fais une petite sieste, lui conseilla Ivy. Je monte te chercher une couverture. Nous serons là quand tu te réveilleras. Surtout, ne t'inquiète de rien.

— Je ne veux pas de couverture, je veux que vous partiez. Laissez-moi tranquille.

Bill leva la main.

— J'entends une voiture.

Carolee tendit l'oreille et reconnut le ronronnement du moteur de la Porsche. Elle s'obligea à sourire.

— C'est Kip. Il vaut mieux vous en aller.

Les yeux d'Ivy se remplirent de larmes.

— Je n'en reviens pas de la façon dont tu nous traites !

— Carolee a raison, trancha Bill. Kip est là pour Carolee, pas pour nous. Nous le saluerons sur le chemin.

Une portière claqua. Kip monta les marches en courant et entra sans frapper.

— Ah, te voilà ! Je t'attendais dans la chambre de Faith. Pourquoi ton écervelée de sœur ne m'a-t-elle pas dit dès mon arrivée où tu te trouvais ?

— Elle a dû penser que tu étais là pour voir Faith, rétorqua Ivy.

Kip ne répondit pas, mais il était visiblement agacé.

— Carolee, nous devons parler.

Elle se retint de riposter qu'ils avaient déjà parlé, parlé, parlé – trop souvent –, et qu'elle ne souhaitait qu'une chose : dormir.

— Ivy, allons-y, dit Bill.

— Pas question ! répliqua sa femme en se levant et en glissant le bras sous celui de Kip. Pardonne-moi, mais je suis sur les nerfs. Je vais te chercher un verre de vin.

— Non, merci.

Bill porta son verre à la cuisine.

— Viens, Ivy !

— As-tu songé que Carolee et Kip étaient peut-être heureux de nous avoir à leurs côtés en un moment pareil ?

— J'en doute, riposta Bill en observant Carolee à la dérobée.

— Nous préférons rester seuls, confirma Kip. Faith est dans un état stationnaire, ma chérie.

— Je ne comprends pas, murmura Carolee. Elle allait bien, et maintenant...

— Kip, interrompit Ivy, je n'ai pas de conseils à te donner, mais Carolee ne peut pas prendre de décisions importantes à l'heure qu'il est. Vous êtes tous deux sous pression, vous ne savez plus où vous en êtes.

Cette fois, Bill saisit son épouse par la main.

— On vous appelle demain ! Prenez soin de vous ! lança-t-il en l'entraînant hors de la maison.

Kip demeura immobile, impassible et silencieux, jusqu'à ce que la BMW des Lester ait démarré.

— Je veux bien un verre de vin, maintenant. Et toi ?

— J'ai ma tisane, merci.

Ignorant la bouteille de vin, Kip fouilla dans les placards et finit par y trouver du whisky. Il s'en servit un grand verre et en avala une bonne lampée, sans ciller.

Ils étaient seuls. La veille, elle s'était débrouillée pour ne pas avoir à le rejoindre à l'hôtel. Elle avait peur de lui, et pour cause.

— Tu as autorisé un psy à voir Faith, lança-t-il à brûle-pourpoint. Je ne serais pas au courant, si ta sœur avait tenu sa langue.

Carolee avait du mal à se concentrer.

— C'est le Dr Lamont qui l'a suggéré. Je n'y ai pas repensé depuis. Si c'était à refaire, je n'hésiterais pas.

— Ce n'était pas à toi de prendre cette décision. Ma

fille n'est pas débile. Elle a de la volonté, peut-être qu'elle fait semblant d'être inconsciente, mais toutes ces histoires de réaction psychique, c'est du blabla.

— Ils n'ont rien affirmé. Laisse tomber, s'il te plaît, Kip.

— D'accord, d'accord... Linda m'a interrogé à propos de mon bateau. Elle ne m'a jamais aimé, et ferait tout pour me rabaisser à tes yeux.

Carolee se contenta de humer sa tisane sans répondre.

— Tu savais que j'avais acheté un bateau. Il était d'occasion – je suis le cinquième propriétaire –, mais en excellent état.

— Je ne le savais pas.

— J'ai du mal à le croire. Faith a dû te le dire.

— Non. Oublie cela. Ça n'a aucune importance.

— Si, au contraire. À en croire Linda, tu te serais demandé comment je pouvais me permettre une telle acquisition. Elle avait l'air de suggérer que je m'étais servi de l'argent de la pension de Faith. C'est absolument faux. Mes tableaux se vendent bien, et je gagne beaucoup d'argent.

Ce n'était pas ce qu'avait prétendu Ivy. De son côté, elle n'avait encore jamais eu vent d'une exposition Burns.

— À nous deux, nous pouvons mener une existence formidable avec notre petite fille.

— Pourquoi ne se réveille-t-elle pas ?

— Tu sais bien que je ne peux pas répondre à cette question, marmonna-t-il en allant se planter devant le piano pour en effleurer le bois. Mais ils assurent qu'elle n'a aucune lésion cérébrale.

Carolee alla s'asseoir dans un fauteuil – au cas où Kip aurait l'idée de la rejoindre sur le canapé.

— Et si c'était un problème émotionnel ? Imaginons que la situation lui soit tellement insupportable qu'elle préfère se réfugier dans le sommeil pour ne pas avoir à l'affronter.

— C'est grotesque ! glapit Kip, qui avait déjà vidé la moitié de son verre. Qu'est-ce qui pourrait l'angoisser ?

— Ne fais pas l'autruche. Elle est en pleine transformation, elle a subi le divorce de ses parents, on l'a encouragée à croire que je ne voulais plus d'elle...

— Pas de coups bas, s'il te plaît. Elle croit ce qu'elle sait. Et ce n'est encore qu'une fillette.

Carolee se leva d'un bond.

— Elle croit ce que *tu* lui as dit ! J'ai commis des erreurs, mais toi aussi. Et elle change. Elle a eu ses premières règles, Kip. C'est un événement important pour une petite fille de onze ans. Elle est perdue, et c'est à nous de l'aider. Si elle était convaincue que je l'ai toujours aimée, que j'ai toujours voulu être auprès d'elle, si tu ne l'avais pas déposée chez moi comme un vulgaire paquet... Tu... tu ne l'as pas embrassée. Tu ne t'es même pas retourné quand elle t'a appelé. Ensuite, tu as ordonné à ta gouvernante – la dernière d'une série d'employées que tu as toujours eues à ton service quand tu étais M. *Carolee Burns* –, tu lui as ordonné de ne pas révéler à ta propre fille où tu étais !

— Tout ça n'est que pure invention. Ce qui compte, c'est le présent. Faith a besoin de nous deux. Ensemble.

La terreur avait cédé à la fureur. Carolee dévisagea cet inconnu, consciente que le pire restait à venir.

— Ma chérie, minauda-t-il, les yeux humides. Nous vivons un cauchemar, nous sommes à bout. Tu as raison, je me suis mal comporté ce jour-là.

— En effet. Tu l'as fait délibérément. Tu n'es qu'un égoïste. Tu cherchais à la déstabiliser. Le coup du sac de couchage, pour qu'elle se sente comme chez elle – mais surtout, pour mieux lui rappeler que « chez elle », ce n'est pas chez moi. Quand je pense que tu lui as imposé un régime ! Elle a onze ans, elle a encore ses rondeurs d'enfant. Sais-tu qu'elle a commencé à se faire vomir ?

Il posa bruyamment son verre vide sur le piano et vint vers elle.

— Comment peux-tu le savoir ? Le régime, comme tu dis, c'était uniquement pour qu'elle apprenne à manger sainement.

— Ah, oui ? C'est pour ça que juste avant de la quitter, tu lui as recommandé de ne pas gâcher les efforts de Mme Jolly ?

— Le problème n'est pas là ! hurla-t-il.

Carolee tressaillit, mais ne battit pas en retraite.

— C'est un tout. Elle a besoin d'être encouragée, pas démolie. Et sa santé... À cause de toi, elle était en train de se rendre malade ! C'est intolérable. Je ne te laisserai pas faire !

Kip ferma les yeux et inspira profondément à plusieurs reprises. Quand il la regarda de nouveau, il paraissait un peu plus calme.

— Je suis désolé. Si j'ai fait des erreurs d'éducation avec Faith, c'est parce que tu n'étais pas là pour m'aider... Viens près de moi, ajouta-t-il en lui tendant les bras. J'ai envie de te serrer contre moi. Nous avons perdu tant de temps !

Elle demeura clouée sur place.

— Si je n'étais pas là, c'est parce que tu m'avais chassée.

— Je t'en prie, Carolee... Je t'aime.

— Non, tu ne m'aimes pas ! cracha-t-elle. Tais-toi !

— Je ne peux pas. L'enjeu est trop important. Je ne veux pas te presser, mais sache que nous pouvons recommencer. Je veux que tu reviennes. Pour le bonheur de Faith.

— Ce serait l'idéal, mais tu as raison, inutile de précipiter les choses. Si tu acceptes de modifier les modalités de garde – dès à présent –, je pourrai peut-être croire en ta sincérité.

Kip crispa les poings.

— Céder ? Comme ça ? Jamais de la vie ! Je veux me remarier avec toi.

— Pourquoi ?

Il ouvrit la bouche, mais ne dit rien.

— Tu ne me supportes pas. Pourquoi voudrais-tu m'épouser de nouveau ?

— Pour Faith. Ce ne serait pas normal qu'elle passe la moitié de son temps avec toi alors que tu traînes avec ce raté.

— En revanche, elle peut rester tout le temps avec toi alors que tu couches à droite à gauche ? Elle t'a surpris avec une femme, Kip. Tu trouves ça normal ?

— Qui... ?

Il abattit la main sur le clavier, provoquant une cacophonie de sons discordants.

— Ce n'est pas Faith ! cria Carolee. Elle ne m'a rien dit. Elle est trop loyale. Mais tu ne le nies pas.

Quelqu'un frappait bruyamment à la porte.

Moite de transpiration, le visage écarlate, Kip s'essuya les mains sur son jean.

— Ce n'est pas le moment ! grommela-t-il.

Carolee se dirigea vers la porte le plus calmement possible et l'ouvrit en grand.

— Mon Dieu ! s'écria Max en l'étreignant avec ferveur. Je ne supporte pas de te voir ainsi. Faith va s'en sortir, mon ange, tu verras. J'en ai la certitude.

— Kip est ici, chuchota-t-elle.

Max le savait déjà. Sans la lâcher, il referma la porte d'un coup de pied. Burns se dressait à quelques mètres de là, et Max fut soulagé de constater qu'il n'était pas armé.

— Ça va aller, Carolee. Pourquoi ne pas...

— Pourquoi ne pas ôter vos pattes de ce qui ne vous appartient pas ? vociféra Burns. Allez-vous-en ! Vous avez vu la Porsche, vous savez qu'elle m'appartient. Pourquoi insistez-vous ?

— Avant d'apercevoir votre Porsche, je n'étais pas sûr de venir frapper. C'est la voiture qui m'a décidé. Avez-vous éraflé beaucoup de Cadillac, ces derniers temps ?

— Seulement la vôtre.

— Carolee, pourquoi ne pas te rhabiller et aller faire un tour, chez Brandy, par exemple ? suggéra Max.

— Carolee, dis-lui de déguerpir ! siffla Kip en se laissant tomber sur le canapé.

Elle s'écarta de Max.

— C'est Max qui a ramené Faith, rappelle-toi. Soyons polis – par respect pour elle.

— Tu es comme ta mère ! cracha Burns, une lueur rageuse dans les prunelles. Une chienne ! Elle ne pouvait pas se passer d'homme. Elle en gardait toujours un en réserve, au cas où.

Max se rua sur Kip, l'arracha du canapé et le traîna dehors.

Livide, Carolee resta muette.

À l'extérieur, Burns débita un torrent d'obscénités, jusqu'à ce que sa voix se casse.

Soudain, Max entendit un bruit.

— Baisse-toi, Carolee ! cria-t-il.

Au même instant, une pierre fracassa l'une des fenêtres de la cuisine.

Par égard pour elle, Max se retint de poursuivre ce crétin. « Bon débarras ! » songea-t-il en écoutant ses pas décroître sur le gravier. Puis il serra les dents en percevant un autre bruit, tout à fait reconnaissable : celui d'une clé sur une carrosserie.

27

Carolee décrocha l'appareil avant la fin de la première sonnerie en priant pour que Max, qui dormait profondément, ne se réveille pas.

— Allô ?

— Ne raccroche pas.

Elle consulta son réveil. Kip avait ruminé sa colère pendant trois longues heures.

— Carolee ? Je t'en prie, dis quelque chose. Je suis désolé. Je ne comprends pas comment j'ai pu me comporter ainsi en un moment pareil.

Elle s'assit dans son lit.

— Ne me punis pas. Il est là ? Il est là, n'est-ce pas ? À côté de toi.

— Je suis couchée, Kip. Max n'est pas là.

— Ne me parle pas sur ce ton ! Pardonne-moi, je perds la tête. Je suis un mufle, un imbécile. Mais je veux que nous affrontions cette crise – et la suite – ensemble.

— J'ai appelé l'hôpital. Sam est au chevet de Faith. Aucun changement à signaler.

— Je sais. Moi aussi, j'ai téléphoné.

Elle se sentait lointaine, détachée, comme si elle ne l'avait jamais connu.

— Tu ferais mieux de dormir, lui conseilla-t-elle.

— Il est là ! J'arrive !

— Il n'est pas question que tu viennes maintenant. Si tu n'es pas fatigué, moi, je le suis.

— Tu es fâchée à cause de la fenêtre.

— Sois adulte, pour changer, riposta-t-elle, sentant de

nouveau la colère monter en elle. Tu as agi comme un gosse gâté, mais je me fiche de la vitre. En revanche, j'espère que Max t'enverra la facture pour sa voiture. Je te verrai demain matin à l'hôpital. Nous nous tiendrons bien, par respect pour Faith. Bonne nuit.

Le combiné lui fut enlevé des mains et remis en place, tandis que Kip continuait de parler.

— Ça suffit, déclara Max.

Il était venu de la chambre de Faith sur la pointe des pieds, sans allumer.

— Tu as tout entendu ?

— Probablement. Repose-toi.

— D'accord. Je suis contente que tu sois là, murmura-t-elle, tout en regrettant que ce « là » ne signifie pas près d'elle, sous sa couette.

Il repartit aussi discrètement qu'il était arrivé.

Max avait proposé de l'emmener chez Brandy. Elle n'avait pas envie de rester seule, mais elle voulait être chez elle. Elle se tourna sur le ventre et enfouit son visage dans l'oreiller. Elle avait eu ce qu'elle souhaitait. Max et elle passaient la nuit sous le même toit, et il était assez près pour lui venir en aide si elle avait besoin de lui.

Elle avait besoin de lui. Tout de suite.

La possibilité qu'il puisse la rejeter se volatilisa aussi vite qu'elle lui était venue à l'esprit. Carolee alla le rejoindre, et il la serra contre lui sous les couvertures.

— Bonjour, Carolee, dit le Dr Lee, qui se tenait en compagnie de Kip à l'entrée de l'aile réservée aux soins intensifs. J'étais justement en train d'expliquer à votre mari que nous avions transféré Faith dans une autre chambre. Elle est toujours à cet étage, mais nous avions besoin de son lit.

— Le Dr Lee, le Dr Lamont et tous les autres vont continuer à s'occuper d'elle, ajouta Kip avec un sourire, le regard empli d'espoir. Je sais où elle est. Je t'y emmène.

— Avez-vous constaté une amélioration ? demanda Carolee au médecin.

Il ôta son stéthoscope et le fourra dans la poche de sa blouse.

— Je pense qu'elle est sur la bonne voie. Sa jambe a dégonflé, nous pourrons sans doute la plâtrer aujourd'hui. Le chirurgien plastique l'a auscultée, et il est satisfait. Bien entendu, le plus gros reste à faire. Il faudra éventuellement consulter à Houston, dans le Texas. Nous avons un spécialiste à vous recommander, là-bas, pour sa mâchoire. Mais le problème n'est pas encore à l'ordre du jour. Le Dr Lamont passera vous voir tout à l'heure.

Kip saisit Carolee par le coude et la guida le long du couloir. Dès qu'elle fut assurée que personne ne les observait, elle s'arracha à son étreinte.

— Je ne t'en veux pas, marmonna-t-il. Un de ces jours, nous rirons de toute cette absurdité. En tout cas, c'est une bonne nouvelle qu'ils aient déplacé Faith.

— Ah, oui ?

Il s'immobilisa, et elle l'imita.

— Et si c'était le signe qu'ils n'avaient plus d'espoir ?

— Mais non ! Elle va mieux.

— Elle doit subir je ne sais combien d'interventions chirurgicales, et elle est toujours inconsciente.

— Nous n'en sommes pas sûrs, rétorqua-t-il en avançant de nouveau.

— Il faudrait savoir. Au début, tu refusais de croire les médecins. À présent, c'est le contraire.

Kip l'ignora et pénétra dans la chambre devant laquelle il venait de s'arrêter. Il s'approcha de Faith, déposa un baiser sur son front. Quelqu'un avait renoué l'écharpe autour de sa queue-de-cheval. Les couleurs éclatantes rehaussaient la pâleur de son teint.

— Coucou, mon trésor. C'est ta maman et ton papa. Nous sommes là pour tenir compagnie à notre fille préférée.

Elle lui caressa les bras, les mains.

— Comment va-t-elle ?

Max venait de pénétrer dans la pièce. Carolee guetta la réaction de Kip. Il eut du mal à dissimuler sa haine, et reporta très vite son attention sur Faith.

— D'après les médecins, son état physique s'améliore. Ils espèrent lui plâtrer la jambe aujourd'hui.

— C'est une bonne nouvelle.

— Qu'est-ce que vous en savez ? riposta Kip en plissant les yeux.

— Je suis passé par là. Parfois, la jambe met beaucoup plus de temps à dégonfler.

— Il a été écrasé par une camionnette et...

— Les malheurs de ton ami ne m'intéressent pas. Je ne sais pas ce qu'il fait là, d'ailleurs. S'il ne s'en va pas, je vais devoir le jeter dehors. Chacun son tour.

— *Kip !* s'écria-t-elle en massant la hanche de Faith, où elle avait cru sentir un frémissement. Pas maintenant.

Et si possible, plus jamais, songea-t-elle. Elle n'osait pas regarder Max, de peur de se trahir devant Kip – de lui laisser voir à quel point elle désirait cet homme.

Max vint se placer derrière Carolee.

— Vous êtes fatigué, Kip, dit-il. Pourquoi ne pas me laisser un petit moment avec Faith ?

— Ça vous plairait, hein ? Vous et ma femme, seuls avec ma fille.

Carolee se tendit, craignant un échange désagréable.

— Je me disais simplement que vous pourriez descendre tous les deux à la cafétéria, répondit Max d'un ton calme. Vous n'avez peut-être aucune sympathie pour moi, mais, moi, j'aime beaucoup Faith, et je ne disparaîtrai pas avant qu'elle ne soit complètement guérie.

Carolee l'aurait embrassé. Elle en avait d'ailleurs terriblement envie. Elle se contenta de sourire.

— C'est une bonne idée, admit-elle. Viens, Kip, je t'offre un café. Max, nous vous en rapportons un ?

— Avec plaisir. Noir, très serré.

Kip commença par refuser de bouger, mais lorsque, du seuil, Carolee le dévisagea d'un air interrogateur, il céda.

Dès qu'il fut seul avec Faith, Max s'installa tout près du lit.

— Et voilà, Faith, nous sommes de nouveau ensemble. Rien que toi et moi. Qu'as-tu envie de faire ? Je pourrais te lire une histoire.

Il la contempla avec désespoir. La fillette semblait rétrécir à vue d'œil. Néanmoins, il enchaîna :

— Je ne vois pas de livres. C'est curieux. J'ai vu ta bibliothèque, je sais que tu adores ça. Nous allons remédier à cela pour que tu aies de quoi t'occuper quand tu te sentiras prête.

Toute la nuit, dans sa chambre, il avait contemplé les ouvrages alignés sur ses étagères, pendant que Carolee dormait, lovée contre lui, la tête sur son épaule.

— Tiens ! J'ai une idée ! Je vais te raconter une histoire. T'en inventer une... Il était une fois une ravissante petite fille dont les cheveux bouclés suscitaient l'envie de tous, d'un bout à l'autre de la contrée. Elle était entourée de gens qui l'aimaient, pourtant, elle ne semblait pas en avoir conscience.

Il scruta son visage. Rien, pas le moindre tressaillement.

S'avouer vaincu n'était pas synonyme de faiblesse. Max souleva la main de Faith, et un autre sentiment l'envahit, pour la toute première fois : une tendresse intense qui le poussait à vouloir la protéger. Peut-être était-ce la raison pour laquelle les pères se battaient comme des lions pour leurs enfants.

— Cette petite fille avait un papa et une maman qui l'adoraient. Et un grand-père. Sa tante Linda, et Brandy, et Ivy et Bill, et tant d'autres la trouvaient extraordinaire.

Il leva son bras, vérifia que la peau n'était pas irritée. Enveloppant sa petite main dans les siennes, il s'accouda sur le matelas. Les yeux de la fillette bougèrent sous ses paupières, et ses cils frémirent.

— Faith ? chuchota-t-il en se penchant davantage. Dis quelque chose, Faith. Aide-moi à t'aider. Les médecins sont très contents de toi. Aujourd'hui, ils vont plâtrer ta jambe, ce qui signifie qu'elle va mieux. Je le sais, parce que j'ai eu un accident, autrefois. J'ai dû attendre plus longtemps que toi avant qu'ils puissent intervenir... Mais j'en reviens à ma ravissante petite fille. Un jour, elle est tombée d'un poney. Étoile – c'est le nom du poney – se sent affreusement coupable. Le grand-père de la petite fille a décidé de le lui acheter, pour qu'Étoile soit là quand elle voudra de nouveau le monter.

Cette fois, il crut déceler une larme. Le cœur de Max se mit à battre plus fort. Fallait-il appeler une infirmière ?

Il décida d'attendre. S'il devait y avoir un miracle, alors, il fallait qu'ils soient tranquilles, seul à seule.

— Et puis, il y a Digger. C'est le chien de la petite fille. Il est noir, il a les yeux qui brillent et il remue la queue sans arrêt. Ils se sont aimés dès le premier jour, quand son grand-père le lui a offert. Je crois qu'il lui manque beaucoup. Mais elle va guérir et, bientôt, elle pourra le retrouver à la maison. Il le faut, parce que Digger est triste ; il mange de moins en moins.

Les semelles en caoutchouc d'une infirmière crissèrent dans le couloir, mais elle ne s'arrêta pas.

— Il y a aussi son ami Max. Il n'a jamais eu d'enfant, mais pour la première fois, il le regrette. Grâce à cette petite fille, il a compris ce qu'il ratait. Il espère rester son ami pour toujours. Il pourrait être une sorte d'oncle, il pourrait l'écouter, lui apporter son aide quand elle en aurait besoin.

L'inspiration lui manquait. Il posa le front sur leurs mains jointes, cherchant ses mots.

— Je suis malheureux, Faith. Je ne sais pas ce que nous réserve l'avenir, mais je crains de mal le vivre si je n'ai plus personne à aimer. Jamais je n'ai aimé quelqu'un de cette manière. Et je crois qu'elle m'aime, elle aussi.

Imbécile ! Ce n'était pas du tout ce qu'il fallait dire.

— Quand tu t'es enfuie, j'ai voulu te rattraper. J'ai enfourché Guy, le grand cheval brun. Tu le connais. Il est un peu effrayant, mais il n'est pas méchant. Nous t'avons suivie, mais en arrivant sur la corniche, je ne t'ai vue nulle part. Ensuite, j'ai entendu un chien hurler. C'était Digger, qui appelait au secours. J'avais très peur, parce que j'avais déjà entendu ça, il y a bien longtemps. Vois-tu, mon père a fait une chute de cheval, comme toi. Tu sais que j'ai grandi dans une ferme et... Bref, mon père était encore plus gravement blessé que toi. J'ai cru que...

Assez !

Entre ses paumes, deux doigts bougèrent.

Max retint sa respiration et leva les yeux sur Faith. Elle avait tourné la tête vers lui et le dévisageait. Elle remuait les lèvres.

— Bonjour, ma puce ! murmura-t-il en se rapprochant d'elle. Dis-moi à quoi tu penses.

— J'ai mal à la bouche, parvint-elle à prononcer. Je suis fatiguée.

— Je sais. C'est ton corps qui lutte pour guérir.

Il ne pouvait atteindre la sonnette sans lui lâcher la main.

— Promets-moi... de pas dire... que je t'ai parlé, articula-t-elle avec difficulté.

Comment pouvait-il le cacher à Carolee ?

— Faith ! Il faut que je le dise à ta maman.

— Je parlerai plus... fit-elle, avant d'avaler sa salive en gémissant. Ils te... croiront pas. Promets-le-moi.

Vaincu, il céda.

— D'accord. Mais pourquoi as-tu fait semblant de ne pas te réveiller pendant tout ce temps ?

— Parfois... je peux pas. Parfois, j'ai... pas envie. Tout va mal.

— Non, tu te trompes, dit-il doucement. Ta famille est auprès de toi et ne cesse de prier pour que tu ailles mieux. Tout le monde t'aime.

Elle ferma les yeux, et il craignit qu'elle n'ait de nouveau sombré dans le sommeil.

— Max... tu m'aimes, toi aussi ?

Des larmes perlaient au coin de ses yeux clos.

S'il aimait la fille de Carolee ? En était-il capable ?

— Oui, Faith. Je te comprends, ça signifie que je dois t'aimer.

Elle fronça les sourcils.

— Je veux dire... je t'aime énormément, ajouta-t-il.

— D'accord, chuchota-t-elle en ouvrant les yeux. Max... quand je pourrai... rentrer à la maison... est-ce que tu... m'aideras ? Tu pourras m'emmener... avant eux et... me cacher ?

28

— Monsieur Wolfe, vous avez de la visite, annonça la voix modulée de Mme Fossie dans l'interphone. Mlle Brandy Snopes et M. Rob Mead. Je leur ai expliqué que vous étiez débord…

— Merci ! interrompit-il d'un ton irrité en poussant de côté une pile de dossiers, l'œil rivé sur ses messages électroniques. Faites-les entrer.

Pourvu qu'on ne lui demande pas de jouer les Cupidon – ou d'intervenir comme arbitre.

Brandy entra la première, et Max en resta stupéfait. Elle était vêtue d'une longue robe en coton gris et d'un cardigan de la même couleur, et avait noué ses cheveux en un élégant chignon au bas de la nuque.

Ses jolis escarpins de daim noir étaient *plats*.

Elle était à peine maquillée et n'arborait qu'un discret rang de perles.

— Ça va ? s'enquit-elle, sourcils froncés.

Max s'empressa de lui sourire. Derrière elle, Rob ferma la porte.

— On fait aller, répondit Max avec sincérité. Tu es magnifique.

— N'est-ce pas ? renchérit Rob. Elle ne cesse de me surprendre.

Max remarqua son costume sombre, impeccablement coupé. Ils formaient un couple saisissant.

— Je cours chez *Opus* pour un essayage. Leurs vêtements sont une merveille. Je n'en ai pas pour longtemps.

Elle sortit sans même un regard pour Max.

Rob et lui demeurèrent silencieux un long moment. Puis Rob approcha un siège du bureau et s'y installa. Les doigts croisés, il se tourna les pouces.

— On pourrait chanter *a capella*, proposa Max. Qu'en dis-tu ? Histoire de se mettre en train…

— Qu'est-ce que c'est que ce délire ?

— J'essayais de te faire rire. Apparemment, ça ne marche pas. Tu es aussi triste qu'un abat-jour.

Rob desserra sa cravate.

— C'est toi qui es venu à moi, lui rappela Max. Je ne t'ai pas invité…

— Je m'en vais…

— Mais non ! Excuse-moi.

— Je ne vais pas t'ennuyer avec mes soucis, tu en as assez avec les tiens, fit Rob en posant les pieds sur la table. Brandy m'a proposé d'aller voir Faith avec elle. Y vois-tu un inconvénient ?

— Je ne suis pas son père – malheureusement –, mais c'est une excellente idée. Elle sera ravie d'avoir de la compagnie. Tu verras, elle est adorable.

Rob inclina la tête de côté, les sourcils en accent circonflexe.

— Quoi ? Pourquoi me regardes-tu ainsi ?

— Tu n'es pas son père *malheureusement* ?

— Je voulais dire que n'importe qui ferait un meilleur père que lui – moi y compris.

— Ah, je vois. Pauvre petite.

Max examina ses mains.

— Oui. Elle a une mère et une famille merveilleuses. Mais c'est Burns qui a tous les atouts en main, et elle a peur de lui.

— Qu'en sais-tu ?

— Elle me l'a avoué.

— Quand ?

— Quelle importance, Rob ? En quel honneur ai-je droit à un interrogatoire ? s'insurgea Max en se levant.

Rob resta où il était, croisant et décroisant les chevilles nerveusement.

— Alors ? insista Max, furieux contre lui-même de s'être ainsi trahi.

— Alors, rien. Je t'ai posé une question, tu y as répondu. Je pense que tu es amoureux de Carolee, et la fillette fait partie du lot. Mais dans la mesure où elle est inconsciente, je me demandais quand elle t'avait parlé, c'est tout.

— Laisse tomber, d'accord ?

— D'accord, mais sois prudent, Max. Fais attention de ne pas souffrir. Les femmes peuvent être cruelles, parfois sans le vouloir. Si Carolee se réconcilie avec Burns, je ne voudrais pas que tu rejoignes la cohorte des blessés.

Aussitôt, Max songea à la soirée à venir. Il l'avait conviée à dîner chez lui pour la première fois, et il avait une décision à prendre. Deux semaines s'étaient écoulées depuis que Faith lui avait parlé, mais il n'était pas sûr de pouvoir continuer à garder le secret. Carolee dépérissait de jour en jour, d'autant que le séjour officiel de Faith à Lake Home arrivait à son terme, et qu'elle refusait d'envisager que sa fille retourne chez son père à sa sortie de l'hôpital.

— Je ne souffrirai pas, assura-t-il. Elle ne se remettra jamais avec lui. Changeons de sujet. Brandy et toi, c'est sérieux, n'est-ce pas ?

— Oui.

Max se rassit, gonfla les joues. Rob rit tout bas.

— Désolé de te décevoir, mais il n'y a rien à discuter.

— Quand je vous ai présentés, j'ai su que vous iriez bien ensemble. Tu as mis tellement de temps à agir que j'avais perdu tout espoir. Félicitations.

— Merci. Cependant, si je suis là, c'est pour te parler d'autre chose. De toi et de moi.

Il posa les pieds par terre et se redressa sur son siège.

— Tu ne vas tout de même pas me répéter – pour la centième fois – que tu aurais dû être capable de déplacer cette camionnette ?

— Non.

Max leva les yeux, et Rob accrocha son regard.
— Je veux évoquer cette journée, et les suivantes.
— C'est du passé. À quoi bon remuer tout cela ?
Rob quitta son fauteuil, arpenta la pièce, marqua une courte pause devant la baie vitrée, revint se planter en face de Max.
— Il s'agit de moi, pas de toi. Je te suis redevable, et je veux mettre les choses au clair afin de pouvoir passer à autre chose. Je t'ai déjà dit que j'avais envie de travailler avec toi. J'aurais dû te préciser que je souhaitais investir dans ta société, et que tu m'apprennes à me rendre utile.
C'était le moment ou jamais de lui rétorquer qu'il n'avait pas besoin d'augmenter son capital, et qu'il ne tenait pas vraiment à l'avoir dans les parages.
— Si tu ne veux pas de moi, il te suffit de me le dire. Je ne quitterai pas la région, et je me chercherai une activité qui en vaille la peine. Pas forcément avec toi.
— Ce que je ne saisis pas, c'est en quoi notre domaine t'intéresse.
Rob eut ce sourire ravageur que les femmes adoraient.
— Tu me prends pour un idiot. N'oublie pas que nous avons suivi nos études ensemble, et que j'ai obtenu, comme toi, un diplôme d'ingénieur informatique. Certes, je manque d'expérience pratique, mais c'était aussi ton cas, quand tu as monté ton entreprise.
— Laisse-moi y réfléchir, Rob. Mais crois-moi, tu tournes le dos à une carrière formidable.
— Je veux partir au sommet de la gloire. Je peux me le permettre. Toi, tu n'as pas eu le choix.
— Tu perçois une commission chaque fois que tu me le rappelles ?
— Non. Mes parents n'étaient pas fortunés. J'ai dû me débrouiller seul, grâce aux bourses scolaires, mais j'ai encore quelques lacunes en matière de mondanités.
Max n'avait qu'une envie : voir Carolee passer la porte de chez lui. Elle était à bout de forces et s'en-

dormirait sans doute très vite, mais il s'en moquait, tant qu'il était avec elle.

— Max ? Tu m'écoutes ?

— Tes lacunes en matière de mondanités, oui, je t'écoute. Où veux-tu en venir ?

— Brandy et moi nous absentons quelques jours. Je ne voulais pas m'en aller sans t'avoir demandé de réfléchir à ma proposition. Je pense que nous formerions une bonne équipe. Par ailleurs, j'éprouve le besoin irrésistible de soulager ma conscience. Laisse-moi finir. Si tu as envie de me frapper, vas-y… Le jour où tu as failli mourir a été à la fois le plus terrible et le plus beau de ma vie.

Max s'agrippa aux bras de son fauteuil.

— Qu'est-ce que tu racontes ?

Rob s'appuya sur le bureau.

— Tu étais mon meilleur ami, le frère que je n'avais jamais eu. J'ai tenté de bouger cette camionnette, en vain. Tout ce que j'ai pu faire, c'est appeler les secours et attendre une éternité qu'ils arrivent.

— Je ne me souviens que de la douleur… et de la peur.

— Ensuite, tu es venu tous les mois sur le terrain en sachant que tu ne jouerais plus jamais, et les gens s'apitoyaient sur ton sort. Tu restais assis sur le banc de touche, et tu m'encourageais dès que j'allais sur le terrain, alors que tu aurais dû être à ma place…

« J'étais heureux, Max. *Heureux*, tu m'entends ? s'exclama-t-il en abattant le poing sur le bureau. Avant même qu'on ne te transporte à l'hôpital, j'avais compris ce que cela signifiait pour moi. Tu étais exceptionnel, et j'étais toujours dans ton ombre, alors que je me considérais comme aussi bon que toi. C'est humain, non ?

Max était incapable de parler.

— J'ai prié pour que tu te rétablisses, mais je n'ai pas prié pour que tu reprennes ta place au sein de l'équipe.

Max était au bord des larmes, et il se demandait pourquoi. Qui était le plus à plaindre, lui ou Rob ?

— Dis quelque chose.

Max secoua la tête.

— Le plus ironique, c'est que j'étais doué. J'ai progressé. Je suis devenu un héros à mon tour, et cela m'a plu. Jusqu'au jour où j'ai commencé à me dégoûter. Tu m'avais toujours soutenu, quand je me sentais perdu parmi tous ces gosses de riches.

— Ce que tu ne savais pas, c'est que je jouais un rôle. J'avais appris à observer les autres, puis à les imiter.

— Et moi, j'étais jaloux, avoua Rob.

— Pour l'amour du ciel, tire un trait sur le passé, veux-tu ? s'emporta Max. Tu as profité de mon malheur pour devenir une star. Tu es un être humain. Et alors ? Tu n'as jamais souhaité ma mort, que je sache ?

— Sûrement pas !

— Tu n'as pas espéré que je passe le restant de mes jours dans un fauteuil roulant ?

— Non, Max.

Ce dernier se leva et fourra les mains dans ses poches.

— Si tu n'étais pas un type bien, tu ne t'en serais pas voulu à ce point. Tu n'es pas un saint, c'est sûr. En fait, tu es même un crétin, mais tu as du potentiel.

Il ne se sentait pas aussi désinvolte qu'il essayait de le faire croire. Le téléphone se mit à sonner, et il appuya sur le haut-parleur.

— Wolfe !

— Bonjour, vous ne me connaissez pas vraiment, je suis Bill, le mari d'Ivy Lester – un vieil ami de Kip et de Carolee Burns.

Max serra les dents. Il ne le connaissait pas du tout, mais Carolee avait parlé de lui en bien, et elle avait bon goût. Ce qu'il ne supportait pas, en revanche, c'était d'entendre Lester faire comme si Carolee était encore mariée avec Kip.

— Bonjour, Bill, marmonna-t-il, sous l'œil intrigué de Rob.

— Je ne suis navré de vous importuner, monsieur Wolfe…

— Max.

— Merci, Max. Ma femme est très émotive, un rien la bouleverse ; elle apprécie énormément Carolee, et elle s'inquiète. Elle craint que Carolee ne prenne une décision qui ne fasse que compliquer sa situation actuelle, qui l'est déjà suffisamment. Je crois connaître Kip mieux qu'Ivy. Nous avons discuté tous les deux, et il m'a convaincu de sa sincérité quant à son désir de récupérer Carolee. Il veut qu'elle soit avec lui quand Faith rentrera à la maison. Il veut recommencer de zéro.

— *Lui*, peut-être, mais vous n'avez pas parlé de ce que veut Carolee. Je ne sais pas si vous êtes au courant, mais j'ai assisté à une scène au cours de laquelle il l'a agressée et menacée.

— Kip a tendance à s'emporter. Il s'est mal comporté, je vous l'accorde. Mais vous n'étiez pas là quand Carolee partait constamment en tournée, le laissant seul avec la petite. Je peux lui pardonner d'avoir fait la bêtise de demander le divorce alors qu'il aimait profondément Carolee, et qu'il l'aime encore. Mais je ne veux pas vous retenir au téléphone. Vous appeler n'a pas été facile. Si je l'ai fait, c'est pour le bien de mes amis. Tout ce que je vous demande, c'est de vous effacer pour donner une nouvelle chance à leur couple.

Max se massa les tempes.

— Merci de m'avoir donné votre avis.

— Si vous disparaissez, Carolee y verra peut-être plus clair.

— C'est à elle que vous devriez en parler. Au revoir, Bill.

Il raccrocha.

— C'est Kip Burns qui l'a poussé, déclara Rob.

— Je pense que Lester a agi en toute bonne foi. Mais comment en être certain ?

— Tu ne vas pas abandonner Carolee ? Tu ne vas pas t'effacer et laisser ce salaud gagner ?

— Non.

— Brandy déteste Kip, il lui fiche la trouille. Elle

pense qu'il pourrait devenir... Non ? Tu ne l'abandonnes pas ?

— Elle ne m'appartient pas, mais je crois que j'ai des chances de parvenir à mes fins. Je ne gagnerai jamais le trophée du Super Bowl, mais peu importe si j'ai Carolee.

Rob esquissa un sourire, puis redevint grave.

— Voilà le Max que j'ai connu. J'ai l'impression qu'elle aussi t'aime... Mais pour en revenir à notre conversation. Comment ça va se passer entre nous, à présent ? Ce n'est pas à moi d'en décider. Réfléchis et tiens-moi au courant.

— Je peux te répondre maintenant. Tu as crevé l'abcès et je t'en remercie. Est-ce que ça t'ennuie si on n'en parle plus pour le moment ?

— Entendu. Merci.

— Brandy a dit qu'elle en avait pour combien de temps ? s'enquit Max, pressé de se débarrasser de Rob.

— Elle est sans doute dans la salle d'attente.

— Elle savait ce que tu allais me dire ?

— Oui. C'est elle qui m'a encouragé à venir te trouver. Elle te connaît bien. Elle m'avait prévenu que ce serait difficile pour toi.

— Écoute-la. Elle est intuitive, et elle se trompe rarement dans ses jugements sur les gens. Vous êtes plus que proches, tous les deux, non ?

Rob eut un sourire penaud.

— Si. En fait, nous nous sommes fiancés ce matin, au petit déjeuner.

Max pressa sur le bouton de l'interphone et pria Mme Fossie de lui envoyer Brandy si elle était déjà de retour. À peine avait-il terminé sa phrase, que la jeune femme surgissait, le souffle court.

— Hé ! Du calme, mon cœur ! s'écria Rob. Pourquoi courir ?

— Je n'ai pas couru ; j'étais assise à côté en train de me ronger les ongles, et j'en ai oublié de respirer.

— Max sait que nous allons nous marier.

— Toutes mes félicitations ! lança celui-ci, soudain envieux de leur bonheur. Rob fera tout pour te rendre heureuse.

— Et réciproquement. Ça marche dans les deux sens, n'est-ce pas, Rob ? fit-elle, radieuse.

Ce dernier acquiesça.

— Max et moi avons eu une discussion constructive. Mais c'est un homme occupé, et nous ferions mieux d'y aller.

— Je vous souhaite beaucoup de bonnes choses, conclut Max.

— Merci, dit Brandy en enlaçant Rob. Avant de partir, je voudrais te confier une ou deux petites choses, ajouta-t-elle.

— Le moment est peut-être mal choisi, risqua Rob.

— Au contraire, c'est maintenant ou jamais. Je ne sais pas ce que Carolee t'a raconté à propos de sa relation avec Kip Burns. Je ne sais pas davantage ce qu'ont pu t'en dire Sam ou Linda.

— Il y a eu des sous-entendus. Rien de précis.

Max jeta un coup d'œil à Rob, pour l'avertir de ne pas évoquer le coup de fil de Bill Lester. Rob hocha imperceptiblement la tête.

— Kip me semble un peu trop impatient de se réconcilier avec Carolee, reprit Brandy. Le revirement a été très brutal. Cela m'effraie, Max.

— Sam semble de cet avis.

Mais Max s'estimait capable de maintenir Burns à distance.

— Je ne crois pas que les raisons pour lesquelles il veut se remarier aient grand-chose à voir avec Carolee ou Faith. Je le connais depuis le lycée, et je ne l'ai jamais beaucoup aimé, mais là, je le trouve carrément bizarre. Il agit comme s'il était désespéré.

« Sans compter qu'il a une maîtresse, ajouta-t-elle en rougissant – elle détestait les ragots. Ce n'est pas une rumeur. C'est une réalité, et je n'ose imaginer ce qu'il pourrait faire après avoir obtenu ce qu'il voulait de

Carolee. Mon petit doigt me dit qu'il n'a pas l'intention de rester longtemps avec elle.

— De toute façon, elle ne lui cédera pas, déclara Max, d'un air convaincu.

— J'espère que tu as raison. Mais il ne la lâchera pas comme ça.

— Je vois deux raisons pour expliquer son comportement. Soit il est assez tordu pour détester l'idée qu'elle puisse être heureuse avec quelqu'un d'autre. Soit il redoute de perdre son emprise sur elle – et sur son compte en banque.

— Dès qu'il a besoin d'argent, il court chez Carolee, dit Brandy. Et elle lui donne ce qu'il lui demande.

— Justement : il doit paniquer à l'idée que ça pourrait cesser.

Brandy frotta le bras de Rob. Une magnifique émeraude scintillait à sa main gauche.

— Si Carolee mourait, il aurait la mainmise sur l'héritage de Faith jusqu'à ses vingt-cinq ans. En revanche, si elle avait un compagnon, cela changerait tout. Elle réécrirait probablement son testament… Je vais être franche avec toi.

Max la scruta, attendant la suite. Elle cligna des yeux, pinça les lèvres, puis se lança :

— Nous pensons tous que Kip a perdu le sens de la réalité. Jusqu'ici, il a toujours eu gain de cause. Pourquoi n'envisagerait-il pas de s'en sortir en faisant du mal à Carolee ?

29

Il n'avait pas acheté de roses. Trop banal, pour une femme comme Carolee Burns, qui avait dû en recevoir des centaines au cours de sa carrière. Max huma le parfum des gardénias qui flottaient dans une coupe en cristal au centre de la table.

Elle avait deux heures de retard.

Elle ne viendrait sans doute pas.

Il poussa une boîte d'allumettes sur le passe-plat en granit. Dès qu'elle s'annoncerait par l'interphone, il allumerait les bougies qui flanquaient les fleurs.

Il serra les mâchoires. Carolee ne viendrait pas.

Garder secrets ses échanges avec Faith lui était de plus en plus insupportable. Pas une heure ne s'écoulait sans qu'il décroche son téléphone dans l'intention d'en parler à Carolee. Puis il se rappelait la menace de la fillette. Il se reprochait alors de se dissimuler derrière le chantage d'une enfant pour ne pas affronter la réalité : Carolee serait furieuse contre lui. Elle en avait le droit.

Elle aurait pu au moins lui téléphoner pour annuler leur soirée. Il y avait trop entre eux pour qu'elle le rejette ainsi, délibérément.

Le saumon qui marinait dans le réfrigérateur serait exquis, une fois grillé sur le barbecue. Nellie et Fritz lui avaient préparé un plat de légumes à réchauffer au micro-ondes. Il avait prévu en outre une salade de pousses d'épinards, du pain frais acheté au marché de Lake Street, un panier de fruits exotiques. Il avait mis le vin blanc à rafraîchir, ouvert le vin rouge pour l'aérer.

Fritz avait proposé de revêtir son tablier blanc et de les servir, mais Max voulait avoir Carolee pour lui seul.

Pourquoi ne pas tenter de la joindre ?

Non.

Le mieux serait de l'appeler, de tout lui raconter. Pour le coup, elle l'enverrait promener. Mais, bon, c'était une grande fille, elle finirait par dominer sa colère.

Le soleil couchant illuminait les fleurs qui débordaient des bacs sur la terrasse. Max fit coulisser la baie vitrée et sortit. Les bras croisés, il s'appuya à la balustrade et contempla le carrefour de Central Avenue et de Lake Street. Avec un peu de chance, Carolee passerait de ce côté et il l'apercevrait.

Brandy avait laissé entendre que Kip pourrait faire du mal à Carolee. Max se raidit, puis s'écarta de la rambarde. Que craignait-il ? Que Kip ait placé un tireur d'élite sur le toit d'en face ? Il n'était pas stupide à ce point. Il savait qu'au moindre incident, il serait le premier soupçonné.

Pourtant, Max était inquiet. Il ne serait vraiment rassuré que lorsqu'elle serait là.

Bill Lester était un garçon sympathique. D'après lui, Kip était sincère. Il le connaissait depuis de nombreuses années. Peut-être une deuxième conversation avec lui serait-elle bénéfique ?

Un groupe de motos démarra dans un vrombissement assourdissant du parking un peu plus bas. Les motocyclistes foncèrent jusqu'à l'intersection, patientèrent au feu rouge, puis bifurquèrent sur la droite dans une envolée de franges de cuir et de cheveux au vent.

De retour dans l'appartement, Max alla coller l'œil au judas de la porte d'entrée. Il ne voulait pas que Carolee sache combien il était anxieux. Quoique... Pourquoi pas, après tout ? Au contraire, qu'elle en prenne conscience !

Paolo, le chat abyssin laissé en prime par les propriétaires précédents émergea d'une chambre et bondit sur la table de la salle à manger.

— Descends de là ! siffla Max. Espèce de félin arrogant et têtu... *Descends de là !*

Paolo s'étira langoureusement, tandis que Max s'approchait par-derrière. La sonnerie du téléphone retentit à cet instant précis.

Max ne prit pas la peine de décrocher. Il se précipita dans le corridor et descendit dans le hall d'entrée, muni de son portable – au cas où Carolee n'aurait pas pu entrer.

Elle se tenait de l'autre côté de la porte vitrée, le regard rivé sur le haut-parleur.

— Bonsoir ! lança-t-il avec un grand sourire. Tu as faim ?

Il lui ouvrit.

— Comment savais-tu que j'étais là ? Il y a des caméras ?

— Oui, mais je ne m'en sers pas, fit-il tandis qu'il l'entraînait jusqu'à son appartement. J'ai senti que tu arrivais, voilà ! Non, je mens mal. Je t'attendais en trépignant comme un enfant avant son anniversaire. Le téléphone a sonné, et j'ai supposé que c'était toi. Tu es superbe !

— J'ai l'impression de sortir d'un combat avec Terminator, mais merci quand même. Quel beau chat ! s'écria-t-elle en s'arrêtant sur le seuil. Tu ne m'as jamais parlé de lui.

— Voici, Paolo, le squatter.

Paolo observa Carolee d'un air renfrogné.

— Je suis chez lui, et il n'a de cesse de me rappeler que je suis son maître à l'essai. Descends de cette table ! Zut ! J'ai oublié d'allumer les bougies. C'est ta faute, le chat !

Il s'empressa de craquer une allumette.

— C'est beau ! s'exclama Carolee, qui était restée clouée sur le tapis persan, à l'entrée de l'appartement. Ce n'est pas du tout ce que j'imaginais, mais ça te convient bien.

Il avait tort d'être à ce point touché par ces compliments, mais il en recevait si peu, ces temps-ci. D'un geste, il l'invita à s'avancer.

— Viens ! J'ai l'impression que tu vas t'enfuir.

— Je ne te fuirai plus jamais.

Tous deux se regardèrent sans bouger. Puis Paolo sauta dans les bras de Max et se frotta contre son menton, et la terre se remit à tourner.

— Tu ne me demandes pas pourquoi je suis si en retard. Tu ne me dis pas ce que tu penses de ma tenue.

Il caressa l'animal en regrettant que ce ne soit pas Carolee qui occupe sa place.

— Tu es en retard parce que tu n'avais pas le choix. Un instant, j'ai eu peur que tu ne me poses un lapin, puis la raison a pris le dessus et je me suis dit que tu ne me ferais pas cet affront. Et je t'ai dit que tu étais superbe, ce qui est vrai. Je ne t'avais encore jamais vue en rouge.

Il admira son épaisse chevelure noire qui, pour une fois, flottait librement sur ses épaules.

— Oh, oui, mon ange, le rouge te va merveilleusement bien !

Elle montra ses cernes du doigt.

— Regarde-moi ça, je suis moche comme un pou.

— Tu es folle ! Tes yeux sont magnifiques, ainsi que tout le reste... Mmmmm, ce rouge !

Carolee souriait.

— Le Terminator n'a guère apprécié. Trop clinquant, à son avis. Ça n'a rien arrangé quand je lui ai annoncé que j'avais rendez-vous, et donc pas le temps de rester avec lui à subir son chantage.

— Kip ? s'enquit Max, enchanté malgré lui. Tu ne lui as pas dit que tu venais me retrouver, j'espère ?

— Je pense qu'il l'a deviné. En fait, je lui ai expliqué que j'étais invitée à dîner. Il m'a traitée de tous les noms, me reprochant d'abandonner ma fille malade pour sortir avec toi. Je t'épargne les détails sordides, ajouta-t-elle en posant son sac sur un guéridon et en ôtant ses sandales à talons. Tu aurais été fier de moi. Je n'ai pas discuté, je suis simplement partie, sachant que j'avais deux heures de retard. Max, j'avais si peur que tu ne sois fâché, que tu aies décidé de t'en aller, ou de ne pas m'ouvrir. Mais quand tu es apparu en bas, j'ai su tout de suite que tu étais heureux de me voir.

— Tu as raison, admit-il, songeant qu'elle ne se doutait pas à quel point. Tu as très faim ?

Elle secoua la tête et s'approcha pour caresser Paolo. Le chat l'honora d'un coup de langue rugueux sur la joue.

— Je n'ai pas faim, répondit-elle en plongeant son regard dans celui de Max.

— Moi non plus. Où avez-vous eu cette conversation ?

— Par bribes, à l'extérieur de la chambre de Faith. Il refusait de s'arrêter de parler quand on rentrait. Il se soucie peu de savoir si elle nous entend ou pas. Si seulement elle se réveillait, on pourrait la ramener à la maison ! s'écria-t-elle, les yeux embués, en se détournant. *À la maison*, répéta-t-elle en haussant les épaules. Kip profite de la moindre occasion pour me rappeler que son séjour chez moi est presque terminé.

C'en était trop. Carolee ne pouvait continuer à souffrir inutilement. Pas plus que Faith ne devait entendre son père insulter sa mère. Cela ne pouvait qu'amplifier sa peur.

Il posa Paolo sur le sol et tendit la main à Carolee. Elle l'accepta sans hésitation et la porta à ses lèvres. Un délicieux frisson le parcourut, et il glissa sa main libre dans la chevelure sombre, avant d'attirer la tête de la jeune femme contre sa poitrine.

Combien de temps demeurèrent-ils ainsi ? Quelle importance ? Cela aurait pu durer toute la nuit, il s'en serait contenté. Enfin, non, pas vraiment…

— Leo Getz m'a rappelée aujourd'hui, murmura-t-elle, les bras serrés autour de sa taille. Je ne sais pas si je te l'ai dit : c'est mon imprésario, mais c'est aussi, et avant tout, un ami. Kip le harcèle pour qu'il m'organise une grande tournée. Un come-back tonitruant, pour fêter ma réconciliation avec mon mari et ma fille. L'idée, c'est d'attirer la sympathie des foules. Nous ne partirions pas avant que Faith soit transportable. Quand j'ai dit à Kip ce que j'en pensais, il a réagi comme la fois précédente. Il a reproché à Leo de m'avoir révélé qu'il avait initié le projet. Il veut que je parte d'ici.

— Il veut que tu sois le plus loin possible de moi.

— Kip m'éloignerait de tout homme qui menace son statut. J'ai l'impression qu'il veut vraiment se remarier avec moi, et que, dans sa tête, je lui appartiens.

— Un peu de vin ?

— Volontiers. Du blanc, s'il te plaît.

Max disparut, puis revint peu après avec deux verres. Carolee s'était installée dans le canapé magenta et contemplait la vue.

— Le ciel est beau. Mais ce tissu jure avec ma tenue.

Qu'elle soit là, chez lui, rendait Max follement heureux.

— C'est un peu osé, mais ça me plaît.

Elle but une gorgée de vin. Son rouge à lèvres laissa une trace sur le bord du verre.

— Délicieux, commenta-t-elle, sans le regarder.

Elle changea de position, et Max retint son souffle. À la façon dont ses seins bougeaient librement sous son chemisier, il doutait qu'elle portât quoi que ce soit en dessous. Il posa brusquement son verre sur la table et vint s'asseoir sur le sol, devant le canapé. Il s'y appuya, la nuque calée contre les coussins, et ferma les yeux.

Sa façon de hausser ses larges épaules, ses gestes à la fois sûrs et doux, la longueur de ses mains, tous ces détails la fascinaient. Elle n'avait pas besoin de le toucher pour le sentir, mais elle savait qu'elle ne le quitterait pas ce soir sans qu'ils se soient aimés.

Elle était très amoureuse de Max Wolfe et aurait dû avoir honte de ne pas maîtriser ses sentiments à ce point. Mais c'était plus fort qu'elle.

Du bout de l'index, elle traça le contour de la pommette de Max, s'aventura jusqu'au lobe de son oreille.

Il semblait incapable de se concentrer. C'était sa faute, et elle en était ravie. Mue par cette audace incroyable qui semblait s'être emparée d'elle, elle plongea le doigt dans son verre, s'humecta les lèvres, puis se pencha pour l'embrasser.

Pendant quelques instants, Max resta où il était, puis il se redressa, la poussa contre les coussins. Il s'écarta pour la contempler. Puis il couvrit son visage d'une pluie de baisers, la dévisageant avec une tendresse infinie chaque fois qu'il marquait une pause. Il glissa la main sous son chemisier, la laissa reposer sous l'un de ses seins qu'il se contenta d'effleurer du pouce.

Tout à coup, Carolee s'arracha à son étreinte, courut à la salle à manger éteindre les bougies. Lorsqu'elle se retourna, il l'attendait à l'entrée du couloir qui menait à une partie de l'appartement qu'elle ne connaissait pas.

Carolee tremblait de désir. Il lui prit la main, l'entraînant vers sa chambre, puis il s'immobilisa pour l'embrasser. Il la serrait étroitement, oubliant sa taille et sa force. Son dos heurta un mur, mais elle n'y prit pas garde, totalement abandonnée. De nouveau, il explora sa peau nue sous son chemisier, lui caressa le dos, le creux des reins ; sa respiration était saccadée. Carolee était tendue comme un arc, tout son corps le réclamait. Enfin, accrochés l'un à l'autre, ils atteignirent leur destination.

— Tu as une cheminée dans ta chambre, fit-elle, trouvant aussitôt sa remarque inepte.

Elle le regarda, et le désir qu'elle lut dans ses yeux ne fit qu'accroître sa nervosité, mais aussi son excitation.

— Et ce lit ! Il est immense ! Mais évidemment, tu es grand... Très grand, ajouta-t-elle en l'examinant de haut en bas.

Elle s'accrocha à l'un des montants du lit et se pencha pour lisser de la main le couvre-lit. Ce faisant, son chemisier remonta, découvrant ses hanches.

— Et toi, tu es très, très voluptueuse, observa-t-il. Mais tu le sais déjà.

Il se tut, alla s'asseoir sur une banquette devant la cheminée, les poings crispés sur les genoux.

— Tu es bien silencieux, soudain. Ça ne fait rien, je parlerai pour deux.

Jamais elle n'avait été aussi excitée.

— Ce n'est pas ça, répondit-il. J'échafaude une stratégie. C'est difficile quand on a du mal à réfléchir.

Carolee s'appuya contre le montant du lit. Max se releva, le front moite. Il s'efforçait de la regarder dans les yeux, mais avait un mal fou à ne pas se laisser déconcentrer par ses seins.

— Tu es fatigué ? s'enquit-elle.

Il s'esclaffa.

— À ton avis ?

— Est-ce qu'on pourrait se coucher dans ton superbe lit de géant ? Mais il faut que tu sois près de moi. J'en ai assez d'être seule. Je croyais m'y être habituée. Et puis, je t'ai rencontré...

Il ferma à demi les yeux et marmonna quelques mots qu'elle ne comprit pas.

— C'est oui, ou c'est non ?

— Je serai heureux de t'y tenir compagnie.

Au comble de la nervosité, elle baissa les stores, s'affaira avec le couvre-lit.

Max ôta sa chemise et la laissa glisser à terre.

Carolee détacha sa ceinture, la jeta sur la banquette, enleva son pantalon de soie.

Max s'avança lentement vers elle, très lentement, tout en continuant de se déshabiller. Ses muscles tressaillirent sous sa peau bronzée.

Le cœur de Carolee battait la chamade. Elle portait un slip minuscule, et Max semblait hypnotisé par ses jambes.

— Tu as des jambes superbes, mon ange, chuchota-t-il.

Elle ne répondit pas, se contentant de regarder ostensiblement son pantalon. Il soupira et l'enleva à son tour.

— Toi aussi, souffla-t-elle. Tu devrais te mettre en short plus souvent.

— Plus maintenant.

Elle se rendit compte qu'elle n'avait jamais vu ses jambes nues – ni ses cicatrices. Elle s'approcha, s'agenouilla, les caressa sur toute la longueur, embrassa doucement l'intérieur de sa cuisse droite.

Il gémit, se pencha sur elle, la débarrassa de son chemisier sans même le déboutonner. Immobile devant elle, le souffle court, il fourrageait fébrilement dans sa chevelure soyeuse.

Assise sur ses talons, vêtue seulement de son slip rouge, Carolee leva les yeux vers lui, vers son visage assombri par le désir. Elle pressa ses seins contre ses genoux, puis se redressa sans hâte, jusqu'à ce qu'elle se retrouve debout devant lui, plaquée contre son torse. Elle s'y frotta doucement, et le feu qui brûlait en elle se concentra entre ses cuisses.

Max la saisit par les épaules et la repoussa.

— Je te désire trop, lui avoua-t-il d'une voix rauque. Je ne crois pas que ça change jamais.

Elle plongea son regard dans le sien.

— Je veux être avec toi, dit-elle sans détour. Je ne vais pas te mentir et prétendre que j'agis sur un coup de tête. Je ne pense qu'à toi depuis... depuis l'épisode dans ton bureau. Quand tu es venu me voir à Lake Home, j'avais très envie de toi, mais j'ai compris que tu préférais me réconforter, sans compliquer les choses.

— Pardonne-moi, murmura-t-il, sourcils froncés. Le moment me paraissait mal choisi pour faire l'amour.

— Il l'était, en effet. J'étais bien dans tes bras. J'ai dormi comme je n'avais pas dormi depuis des mois. C'est moi qui devrais te demander pardon. Je ne sais pas ce qui m'a poussée à agir avec toi comme je l'ai fait. Tu es le seul homme qui m'ait donné l'impression d'être... sexy.

Sur ce, elle tourna les talons et se faufila sous le drap, qu'elle remonta jusqu'au menton.

Max la rejoignit. Il était fatigué, mais pas à ce point. Carolee était du côté de la fenêtre, tout au bord du matelas, immobile, paupières closes. Exprès ou non, elle avait tendance à jouer au chat et à la souris. Et dans la mesure où il était le chat, il trouvait le jeu irrésistible.

Il s'allongea sur le dos, tourna la tête vers elle, les yeux grands ouverts. De combien de temps disposaient-ils avant que l'hôpital ne téléphone, ou que Carolee ne décide de retourner au chevet de sa fille ?

Le drap vert foncé avait glissé, découvrant le haut de ses épaules. Il se hissa sur un coude. L'étoffe moulait ses courbes appétissantes. Il tendit la main, hésita. S'il la touchait, elle risquait de sursauter. Il opta pour un baiser. Elle sursauterait peut-être aussi, mais se ressaisirait très vite.

Il l'embrassa sur l'épaule, puis un peu plus haut, au creux du cou.

Elle ne cilla pas, mais elle retenait visiblement son souffle.

Il posa ses lèvres sur les siennes, et, du bout de la langue, l'obligea à entrouvrir la bouche, tandis que l'une de ses mains s'aventurait sous le drap. Il cueillit un sein dans sa paume, sentit la pointe durcir sous son pouce. Le souffle de Carolee s'accéléra quand il commença à la titiller.

Il fit glisser son slip, chercha son intimité avec ferveur, poussa un genou entre ses cuisses sans cesser de l'embrasser. Elle s'arc-bouta vers lui en gémissant. Le drap glissa de leurs corps moites. Leurs mains se caressaient fiévreusement, s'exploraient, frôlant, pétrissant, tour à tour douces ou brutales, comme s'ils ne pouvaient se rassasier l'un de l'autre.

Les paroles étaient inutiles.

Max se débarrassa de son caleçon et s'agenouilla entre les cuisses ouvertes de Carolee. Écartant les replis de chair tiède qui palpitaient au secret de son corps, il se pencha, y posa la bouche. Elle laissa échapper un petit cri, se cambra vers lui. Il approfondit son baiser et elle agrippa le drap en gémissant, les yeux à demi clos, les hanches se soulevant en rythme. Lorsqu'il sentit qu'elle perdait pied, il couvrit son corps du sien et entra en elle d'un seul coup de reins.

Un instant, ils demeurèrent immobiles, haletants, étonnés presque. Puis, sans la quitter des yeux, Max commença à aller et venir en elle, lentement, profondément, guettant l'instant où elle basculerait. Mais déjà la passion voilait son regard, son corps venait à la rencontre du sien, souple, ondulant, impatient.

La jouissance les prit par surprise, les balaya avec la violence d'un raz de marée, les laissant exténués, leurs deux cœurs battant à l'unisson.

30

La pluie tambourinait sur la terrasse, giclait sous les pneus des rares voitures qui parcouraient encore les rues de Kirkland. Max était resté longtemps éveillé, contemplant à la lumière tamisée de la lampe de chevet le visage de Carolee, qui s'était endormie contre son flanc. Elle bougea, murmura quelques mots indistincts. Le drap froissé était enroulé autour de sa taille, laissant ses seins exposés à la vue. Il s'inclina sur elle et les embrassa doucement.

— Max... murmura-t-elle d'une voix ensommeillée, fais-moi encore l'amour.

Il sourit, agaça le petit bouton rose de la langue, puis se remit sur le dos.

— Qu'est-ce qu'il y a ?

Il croisa les mains derrière sa nuque et se jeta à l'eau.

— J'ai quelque chose à te dire... mais tu vas m'en vouloir.

— Rien de ce que tu fais ne pourra me fâcher. Du moins, pas avant longtemps. J'aurais dû te préciser que j'avais donné tes coordonnées à l'hôpital, au cas où il y aurait du changement.

— Tu as bien fait.

Quoi qu'elle dise, d'ici quelques secondes, elle allait exploser.

Si Carolee n'avait jamais vu Max aussi mal à l'aise, elle trouvait que cela ajoutait à sa séduction.

— Promets-moi... promets-moi de prendre en compte ma position avant de réagir.

Sa position actuelle lui convenait parfaitement.

— Tu ne réponds pas, insista-t-il. Donne-moi au moins une chance.

— Max, finissons-en. Tu commences à m'inquiéter.

— Ce que je vais t'annoncer va te réjouir, mais ça ne t'empêchera pas d'être furieuse.

Elle demeura silencieuse si longtemps qu'il crut qu'elle s'était rendormie.

— Tu dors, mon cœur... ?

— Mmmm ? J'ai mal partout. J'attends simplement que tu me guérisses. Tu connais le remède.

— J'en ai très envie, admit-il en lui mordillant l'oreille. J'espère que nous pourrons reprendre là où nous nous sommes arrêtés.

Carolee se hissa à demi sur son torse et le sentir frémir.

— Il faut à tout prix que tu te débrouilles pour ne pas avoir de discussion avec Kip – ou quiconque d'humeur querelleuse – dans la chambre de Faith.

— Je m'y efforce. Chaque fois que Kip s'énerve, je sors. Il est obligé de me suivre. Pourquoi aborder ce sujet maintenant ?

— Il paraît que lorsqu'on émerge du coma, on récupère l'audition en premier.

— Je sais... Tu crois qu'elle nous entend, c'est ça, Max ? Cela ne me met pas en colère, au contraire, c'est très encourageant.

— Elle entend.

— Tu sembles très sûr de toi.

— Je le suis.

— Max ! s'exclama-t-elle. Regarde-moi. Qu'est-ce que ça signifie ?

Il avait du mal à croiser son regard.

— Il y a deux semaines environ, Faith m'a parlé.

Stupéfaite, elle se redressa.

— Tu te rappelles le matin où je suis arrivé... Tu étais déjà là avec Kip. C'était le lendemain du soir où il était venu te retrouver à Lake Home et s'était montré agressif. Vous vous disputiez, et je vous ai conseillé de descendre boire un café.

— Je m'en souviens.

— Je ne savais pas quoi faire, alors je t'ai imitée, je me suis mis à parler à Faith. Je lui ai proposé de lui raconter une histoire, mais elle en était le personnage principal, entouré de tous ceux qui l'aiment.

Il se tut, lui effleura le dos d'une main timide, comme s'il craignait d'être rejeté. Elle ne bougea pas.

— J'ai ajouté que j'étais son ami, moi aussi, et elle a remué les doigts. Tout à coup, elle a ouvert les yeux. Sa mâchoire la faisait souffrir, mais elle a parlé.

— Mon Dieu ! Qu'a-t-elle dit ? Lui as-tu demandé pourquoi elle avait fait semblant de dormir pendant tout ce temps ?

— Elle m'a expliqué qu'elle était fatiguée et qu'elle avait décidé de se taire. Les conversations dont elle a été témoin la rendent malheureuse. Elle trouve que Kip est méchant avec toi. Il ne fait aucun doute que le sommeil est une forme de fuite.

— Mon pauvre bébé ! gémit Carolee. C'est abominable. Mais ça ne se reproduira plus. Pourquoi ne pas m'avoir avertie plus tôt ?

— Je me doutais bien que tu allais me poser cette question, répliqua-t-il en s'écartant légèrement. Je ne savais pas quoi faire. Faith m'a demandé de garder le secret, et je ne suis pas sûr d'avoir raison de trahir sa confiance aujourd'hui. Si Kip découvre la vérité, je saurai que j'ai commis une grave erreur, parce qu'il exigera de la ramener chez lui immédiatement. Bien sûr, il pourrait engager une armada d'infirmières pour s'occuper d'elle, mais ce n'est pas ce dont elle a besoin. Il faut qu'elle soit entourée de ceux qui l'aiment. Carolee... Faith ne veut plus vivre ni avec lui ni avec toi, parce qu'elle est convaincue que vous ne cesserez jamais de vous disputer à cause d'elle.

Carolee posa la tête sur l'oreiller, tout près de lui.

— Ç'a dû être terrible pour toi de ne rien dire, mais je comprends que tu aies agi ainsi.

— Faith voulait savoir si je l'aimais, moi aussi.

— Que lui as-tu répondu ? s'enquit-elle d'une voix étouffée.

— C'est évident, non ? Je lui ai dit que oui. Je n'ai pas d'enfant, mais Faith a réussi à me conquérir.

— Et réciproquement, fit-elle en pressant sa joue contre la sienne. Cela dit, je continue à penser que je ne fais que te compliquer l'existence et que tu serais beaucoup mieux avec une autre. Une femme avec laquelle tu pourrais fonder une famille.

— C'est toi que je veux, et personne d'autre, riposta-t-il tranquillement.

— C'est tout ce que Faith t'a dit ?

Il poussa un profond soupir.

— Non. Quand elle ira mieux, elle veut que je l'emmène avec moi et que je la cache.

C'en était trop ; Carolee éclata en sanglots. Elle s'arracha du lit et courut s'enfermer dans la salle de bains. Kip et elle s'étaient aliéné leur enfant au point que celle-ci suppliait les autres de la protéger. Seule consolation : Faith avait choisi Max comme confident.

Il frappa.

— Sors, je t'en prie. J'ai une idée. Elle ne plaira sans doute pas à Kip, mais tant pis.

Elle renifla, ravala un sanglot.

— D'un autre côté, enchaîna Max, il ne peut pas se permettre d'apparaître comme un père qui fait passer ses propres désirs avant le bonheur de sa fille.

Carolee se regarda dans la glace. Elle ouvrit le robinet et s'aspergea le visage d'eau froide. Elle respira un grand coup et ouvrit, aucunement gênée par sa nudité.

— Écoute, je sais que j'aurais dû t'en parler plus tôt. J'ai d'ailleurs failli craquer à plusieurs reprises, tellement je te voyais angoissée. Mais Faith m'avait averti que si je la trahissais, elle ne parlerait plus jamais.

— Tu as agi au mieux. Elle avait besoin de temps pour réfléchir. À présent, il faut que je trouve le moyen de la sortir de cet hôpital. Elle a beaucoup progressé, elle peut entamer sa rééducation.

Une profonde tristesse voila son regard.

— Kip a changé. Il adorait Faith – je pense que c'est toujours le cas –, mais il est très perturbé, et je crains que ce ne soit ma faute. Il s'est merveilleusement occupé d'elle. Si tu savais toutes les activités qu'ils ont partagées ! Il n'aurait pas fait ça s'il n'aimait pas sa fille.

Max n'aurait pas remis la médaille du meilleur père à Kip Burns, mais il n'allait pas l'avouer à Carolee.

— Tu as sans doute raison, répondit-il prudemment. Veux-tu retourner à l'hôpital tout de suite ? Lui parler en sachant qu'elle t'entend te fera du bien.

— Avant tout, je veux la sortir de là. Tu avais une idée ?

— En effet. As-tu remarqué un détail particulier dans la conception de cet appartement ?

Elle le fixa d'un air ahuri.

— Personne ne s'en rend compte, c'est pourquoi je l'ai conservé. Il est conçu pour recevoir un fauteuil roulant. Les portes sont plus larges que la normale, le couloir aussi. Les portes des douches se poussent ou se tirent indifféremment, les fonds sont en pente douce. Elles sont équipées de bancs.

— Je ne m'en suis pas aperçue, admit-elle. On n'imagine pas un seul instant que tout a été prévu pour un invalide... Tu veux dire que... Oh, non, Max, je ne pourrais pas t'imposer une charge pareille !

— Bien sûr que si, assura-t-il en l'entourant d'un bras protecteur. J'ai une chambre d'amis. Faith y serait heureuse, avec ses livres, un poste de télévision et sa musique. Digger serait content, lui aussi. Nous sommes entourés de parcs. J'engagerais un service de soins à domicile vingt-quatre heures sur vingt-quatre. Cet endroit conviendrait parfaitement. Elle y serait mieux que chez Kip ou chez toi. Elle pourrait prendre le soleil sur la terrasse, ou descendre se promener autour du pâté de maisons sans la moindre difficulté.

Il entraîna Carolee dans la chambre.

— Toi qui prétends ne rien connaître aux enfants, tu as pensé à tout ça.

— Je ne vais pas te mentir. J'ai beaucoup de tendresse pour Faith, mais je suis prêt à tout pour t'avoir auprès de moi.

Carolee posa la tête sur son épaule et ferma les yeux.

— Kip aura son mot à dire, et ce sera non.

— Pourquoi ne pas au moins tenter le coup ? Tiens ! Je l'inviterai même à passer quand il le désire. S'il essaie de se servir de mon offre contre toi, il passera pour un crétin indifférent au bien-être de sa fille.

— Max, tout ce que je souhaite, c'est qu'elle se rétablisse. Cette solution me paraît idéale. Je vais me battre. Je demanderai à Sam et à Linda de me soutenir.

Il s'assit sur le lit et l'attira près de lui.

— Brandy interviendra aussi. De même que Rob. Sais-tu qu'ils se sont fiancés ?

Elle cligna des yeux, fronça le nez.

— Brandy et Rob… Fiancés… C'est vrai ?

— Oui. Ils sont passés à mon bureau dans l'après-midi ; ils étaient rayonnants. Ils m'ont annoncé qu'ils s'absentaient quelques jours.

— Elle ne m'a rien dit, à moi, sa meilleure amie ! observa Carolee, contrariée.

— Ils voulaient que ce soit discret.

— Ils te l'ont dit à *toi* ! insista-t-elle, le dos très droit. Tant pis pour eux ! Qu'ils le veuillent ou non, ils auront droit à une fête à leur retour.

Max approuva d'un signe de tête enthousiaste, bien qu'il ne soit pas convaincu que ce soit une bonne idée.

— Nous nous occuperons de ça en temps voulu. Tu veux retourner auprès de Faith ?

— Je ne suis pas prête. Linda est là pour quelques heures. Avec Ted Gordon, son ex-mari. Sam prendra le relais plus tard. Quant à Kip, il m'a avertie qu'il ne reviendrait pas avant demain après-midi.

« Cela va peut-être t'étonner, mais maintenant que je sais que c'est une feinte, je suis surexcitée. Je ne peux pas me précipiter à son chevet et la supplier de me parler. Il faut que je sois patiente. Donc, je prends quelques heures de congé.

Elle grimpa dans le lit et s'allongea à plat ventre.

— À quoi penses-tu ? demanda Max, quand le silence lui devint insupportable.

Elle roula sur le dos et lui tendit les bras. Il s'étendit près d'elle, la plaqua contre lui.

— Je pense à tout ce que tu ignores sur mon compte, dit-elle à mi-voix. Peut-être que tu ne voudras plus de moi si…

— Je crains de terribles révélations, la coupa-t-il en l'embrassant sur le bout du nez.

— Tu n'as pas évoqué un éventuel contraceptif cette fois-ci.

— La dernière fois, tu m'as assuré qu'il n'y avait pas de problème. J'en ai déduit que tu prenais la pilule. Mais veux-tu que je t'avoue quelque chose ?

Elle opina.

— Cela ne m'ennuierait pas du tout que tu tombes enceinte. Nous ne sommes plus des adolescents irresponsables. M'occuper de toi, de Faith et de notre bébé ferait de moi le plus heureux des hommes.

L'expression soudain fermée de Carolee, la brusquerie avec laquelle elle s'écarta de lui lui firent l'effet d'une douche froide.

Elle se glissa sous le drap, le maintint serré autour d'elle avant de répondre d'une voix atone :

— Je ne prends pas la pilule. C'est inutile. Je ne peux plus avoir d'enfant, Max. Ce n'est pas moi qui porterai les tiens.

31

Faith attendait avec impatience le retour de tante Linda et d'oncle Ted. Ils étaient descendus boire un café, pour que M. et Mme Lester puissent la voir tranquillement. Elle ne comprenait pas ce qu'ils faisaient là.

Elle avait mal partout. Quand elle était sûre d'être seule, elle bougeait un peu, mais elle devait faire très attention. Heureusement, les infirmières étaient gentilles, elles lui massaient le corps avec du lait parfumé. Elle avait envie de voir sa maman. Son papa, aussi. Et Max. Et grand-père.

Quand elle avait eu ses règles, maman lui avait redonné confiance en elle. Papa ne disait pas souvent du mal de maman, mais il était méchant avec elle quand il croyait qu'elle ne les entendait pas. En plus, il ne disait pas toute la vérité. Il n'était presque jamais à l'appartement. C'était Mme Jolly qui s'occupait d'elle.

— Mon Dieu, qu'elle est maigre ! s'exclama Ivy Lester. Elle a toujours eu un physique un peu… particulier. Tous ces cheveux. Mais là, il ne lui reste que la peau sur les os, c'est à faire peur. Et j'imagine que les cicatrices sur son visage ne vont pas arranger les choses.

— Ivy ! s'écria Bill Lester. Faith n'est pas banale ; c'est une des enfants les plus intéressantes qui soient. De nos jours, la chirurgie plastique accomplit des miracles, et je parie que lorsqu'ils en auront fini avec Faith, tu me supplieras de t'offrir un lifting.

— Un lifting ? Bill Lester, tu m'insultes délibérément. Je n'en ai aucun besoin.

— Bien sûr que non, ma chérie.

— Tu n'as pas l'air sincère, s'indigna-t-elle.

— Comporte-toi en adulte, pour changer. Ce qui m'inquiète, c'est de voir Faith dans cet état. Elle devrait être beaucoup mieux, depuis le temps.

Le nez de Faith la démangeait. Elle n'avait jamais apprécié Ivy. Mais maintenant, elle la détestait.

— C'est Carolee qui devrait songer aux soins esthétiques. Elle pourrait s'offrir une liposuccion. Elle est trop ronde. Je suppose qu'elle compense en mangeant.

« Si seulement je pouvais la jeter dehors ! » pensa Faith. Et sa mère qui croyait que cette femme était une amie. En fait, Ivy Lester était jalouse, parce que sa mère était plus belle et plus intelligente qu'elle.

— Carolee est ravissante, riposta Bill. Elle est naturelle, ce qui est rare.

— Quoi ? Est-ce que ça signifie que je ne le suis pas ?

— Je dis simplement que je n'ai rien à reprocher à Carolee. Et pendant que nous y sommes, mettons les points sur les *i*. Je ne veux plus que tu te mêles de son problème avec Kip. Quand il affirme vouloir repartir de zéro, il est sérieux. J'en suis convaincu. Sa galerie flottante connaît un certain succès, et il s'est ressaisi. Il a besoin de Carolee.

— Je ne comprends pas. Quand ils se sont séparés, tu l'as soutenu. Tu reprochais à Carolee de le négliger, de l'écraser. Ce en quoi tu avais tout à fait raison.

— Non, je me trompais.

— Elle n'est pas faite pour lui. Elle est incapable de le soutenir dans ses projets. Une réconciliation mènerait à la catastrophe.

— Tais-toi et réfléchis deux minutes. Kip a évolué. Il ne cherche plus à faire ses preuves. Tout ce qu'il souhaite, c'est que sa galerie marche et que ses tableaux se vendent. D'accord, il a prétendu qu'il voulait d'autres enfants – nous savons tous les deux pourquoi. Il avait d'autres affaires en train, et c'était le prétexte idéal pour délaisser sa femme. Mais il n'a pas l'intention de remettre ce problème sur le tapis.

— Tu as la mémoire courte, Bill. Certes, il a eu un moment d'égarement, mais tu sais pourquoi ils n'ont pas eu d'autres enfants, et ça n'avait rien à voir avec Carolee.

Faith était mal à l'aise. Elle avait trop chaud, sa chemise de nuit lui collait à la peau. Qu'est-ce qu'ils racontaient ? Papa lui avait dit que maman et lui ne voulaient qu'un seul enfant. Quand elle était plus jeune, il plaisantait en affirmant qu'ils avaient si bien réussi leur petite fille qu'ils ne voulaient pas risquer d'être déçus. Pourtant, à écouter les Lester, il regrettait de ne pas en avoir eu d'autres. Et il semblait persuadé que c'était à cause de maman. Décidément, elle n'y comprenait plus rien.

— Bon sang ! s'exclama Bill.

Son siège racla le sol, et Faith en déduisit qu'il s'était levé.

— Bon sang, ça suffit, Ivy ! Tu m'exaspères. Je ne veux plus que nous abordions ce sujet. Nous avons promis à Kip de garder le secret. Ne lui compliquons pas la vie maintenant.

— Tu as tort de me parler sur ce ton, rétorqua sa femme. Penses-y, mon chéri. Chut ! Voilà Linda.

— Vous arrivez à point, déclara Bill à Linda et à Ted qui entraient dans la chambre. Nous devons partir. Nous espérions voir Kip et Carolee. Je suppose qu'ils viendront plus tard.

— Évidemment, susurra Ivy. Pouvez-vous leur dire que nous sommes passés et que nous sommes ravis de constater que Faith semble aller mieux.

— Je leur transmettrai le message, promit Linda.

Les Lester sortirent enfin.

— Je suis étonnée que Carolee ne soit pas encore revenue, confia Linda à Ted. Peut-être qu'elle s'est endormie, ce qui ne serait pas une mauvaise chose. Je vais me renseigner pour savoir si elle a téléphoné.

La porte s'ouvrit et se referma. Oncle Ted prit la main de Faith dans la sienne.

— Tu vas t'en sortir, mon trésor. Je comprends que tu préfères te réfugier dans le sommeil. Ce que tu subis n'est pas drôle. Moi aussi, j'ai souvent eu envie de me cacher.

Faith songea qu'elle pouvait avoir confiance en lui. Il ne la trahirait pas, si elle lui parlait. Mais elle avait déjà Max. Et elle ne voulait pas prendre trop de risques.

— Personne n'a appelé ! annonça Linda. Je leur ai demandé combien de temps ils pouvaient garder un patient. L'infirmière m'a dit qu'elle n'en savait rien, que tout dépendait de l'assurance. J'ai l'impression que d'ici peu, ils vont vouloir transférer Faith dans une maison de repos. Je n'ose même pas y penser, Ted !

— Viens par ici, murmura-t-il. Faith n'ira jamais dans un de ces établissements.

— Elle a besoin de soins particuliers.

— Elle pourra les recevoir à la maison. Crois-moi, ma chérie, Faith sera entourée de ses proches et elle se remettra.

Tante Linda renifla.

— Si tu le dis. Tu as l'air très sûr de toi. C'est peut-être pour ça qu'avec toi, j'avais un sentiment de... Enfin, bref, ce n'est pas toujours facile de se maintenir au niveau de quelqu'un de très intelligent et de lucide, qui ne s'effondre pas dans les moments de crise.

— Regarde Faith. Elle est trop mince, mais elle reprendra du poids. Elle sera superbe, une fois que les chirurgiens seront passés par là.

— Sûrement. Ted...

— Si tu as souffert de mon attitude quand nous étions ensemble, j'en suis désolé. Je regrette que tu ne t'en sois pas ouvert à moi. Je t'ai toujours trouvée intelligente, et je n'ai jamais cessé de te respecter. Tu me manques, Linda.

Faith retint son souffle. C'était comme au cinéma.

— Crois-tu qu'on pourrait recommencer ? risqua oncle Ted.

Tante Linda poussa un profond soupir.

— Il est peut-être trop tard. C'est ma faute.

— *Peut-être ?* répéta-t-il en riant. C'est le propos le plus positif que tu aies tenu depuis des années !

— Je ne veux plus que tu souffres à cause de moi. Je tiens trop à toi.

— Veux-tu au moins réfléchir ?

Un long silence s'écoula avant que tante Linda ne chuchote :

— Nous verrons.

— Je serai patient. Crois-tu que ce serait une bonne idée de faire écouter de la musique à Faith ?

— Elle baigne dedans depuis sa naissance. Ce serait sans doute bénéfique.

La voix de maman les interrompit, et Faith sourit intérieurement.

— Bonjour, vous deux ! Ted, je suis tellement heureuse que tu sois là. Merci d'être venu. Voici mon ami, Max Wolfe.

— Bonjour, Ted.

— Je voudrais vous dire que je suis vraiment désolé de ce qui vous est arrivé, fit oncle Ted. Vous étiez un sacré bon joueur.

— Merci, répondit Max. C'est toujours agréable de se l'entendre rappeler.

— Faith a-t-elle bougé ? s'enquit maman.

— Non, dit tante Linda. J'aimerais tant pouvoir la serrer dans mes bras et la câliner. Mais avec tous ces appareils…

— Je sais ce que tu ressens, fit maman.

— Elle sera bientôt en pleine forme, intervint oncle Ted. Il est temps que j'emmène ta sœur se détendre, ajouta-t-il. Elle cache bien son jeu, mais elle est à bout.

— Je m'en doute.

— Je la ramène à la maison, déclara oncle Ted.

Dès qu'ils furent partis, maman s'adressa à Max.

— Je me demande ce que ça signifie. La ramener à la maison. L'emmener se détendre. Il n'a jamais cessé de l'aimer, tu sais.

— Tu m'étonnes ! s'esclaffa Max. Tiens ! Je vais soumettre mon idée à Faith. On ne sait jamais, peut-être qu'elle nous entend.

Faith se retint à temps de froncer les sourcils. Max l'invitait à ne plus faire semblant d'être inconsciente – au moins devant maman.

— Tu pourrais t'installer chez moi, enchaîna-t-il. Mon appartement serait l'endroit idéal. Il est tout près de l'hôpital, et il n'y a pas d'escaliers. Ta maman est d'accord. Quant à moi, je serais très heureux de t'y accueillir.

La gorge de Faith se noua. Il tenait sa promesse : il allait la protéger.

— Bientôt, il va te falloir quitter cet hôpital, mon trésor, enchaîna maman. Bien entendu, je m'occuperai de toi – ton père aussi –, et tous ceux qui t'aiment. Il ne nous reste plus qu'à convaincre ton père que l'appartement de Max conviendrait parfaitement.

Ça, songea Faith en ravalant ses larmes, *ce sera impossible*.

— Elle pleure ! s'écria maman.

— C'est une petite fille intelligente, et elle se doute que ce sera difficile de persuader Kip.

— Sam ! s'exclama soudain maman, tandis qu'un bruit bizarre accompagnait l'entrée de grand-père. Max, ferme la porte ! À cause de lui, ils vont nous jeter dehors avant que nous ne soyons prêts.

— Tu parles ! riposta grand-père. Tu n'y es pour rien. C'est moi. Je ne connais pas le règlement. Je suis vieux et sénile, ils me pardonneront.

— Sam, je rêve ! Tu n'as pas fait ça ! renchérit Max.

— Hé si !

Faith perçut un grognement étrange, puis grand-père s'approcha du lit.

— Comment va ma petite-fille préférée ? Tu m'as l'air en pleine forme, et je t'ai apporté une surprise.

— Sam, non ! reprit maman, au bord de la panique.

On souleva le drap, et un petit corps soyeux atterrit près de Faith. Elle faillit éclater de rire.

— Max, surveille la porte, ordonna grand-père. Si quelqu'un vient, préviens-moi.

— Je t'interdis d'être son complice ! gronda maman.

— Trop tard ! rétorqua Max. Je ne l'ai pas renvoyé, toi non plus, d'ailleurs. Rien ne peut faire plus de bien à Faith qu'une visite de Digger.

Un museau humide et froid dans le cou, un coup de langue sur le menton. Digger posa la tête sur son épaule en soupirant d'aise.

— Regardez-moi ça ! clama grand-père. Deux innocents qui dorment paisiblement. Ça va aider Faith.

— C'est très possible, concéda Max. Et maintenant, comme je suis très fatigué, je vais placer un fauteuil contre la porte et m'y installer. Surveillez Digger, qu'il ne fasse pas mal à Faith en bougeant.

32

Sam s'était assoupi dans son siège, la tête appuyée contre le mur. Comme Max somnolait aussi, Carolee ne quittait pas des yeux Faith et Digger – qui paraissait sourire de béatitude.

D'ici une demi-heure, quelqu'un viendrait jeter un coup d'œil sur Faith. Il faudrait que le chien ait disparu. Carolee se frotta les tempes et posa le regard sur le visage hagard de Sam. Il était épuisé. Elle esquissa un sourire. Il n'y avait que lui pour imaginer un pareil stratagème.

Le cœur battant, elle examina ensuite Max, qui dodelinait de la tête. Elle ne se lassait pas de le contempler. S'ils ne pouvaient plus jamais dormir ensemble, que deviendrait-elle ?

Un claquement sec réveilla Sam. Carolee sursauta, bousculant Max, qui se leva aussitôt et poussa son siège.

Ce n'était pas l'infirmière, mais Kip, visiblement furieux.

— Pourquoi aviez-vous bloqué la porte ? demanda-t-il à Max. Qu'est-ce que vous fichez ici, dans la chambre de ma fille – avec mon épouse ?

— Allons en discuter ailleurs, proposa Max.

— Je n'irai nulle part avec vous. Vous êtes un individu violent, j'ai des bleus qui le prouvent.

— Dehors ! ordonna Sam. Pas de scène devant Faith. Ni devant Carolee, d'ailleurs.

— Oh, pardon ! railla Kip. Je ne savais pas qu'elle était trop sensible pour supporter une conversation normale.

Il eut une moue haineuse et ajouta :

— Vous devriez être au lit depuis longtemps, non ?

Digger gémit.

Kip fonça vers le lit.

— Qu'est-ce que c'est que ça ? Un chien ? Et sous le drap, en plus ? Dans un hôpital ? Vous êtes tous complètement cinglés ! J'ai vu ce cabot à Lake Home. Vous m'avez dit que c'était le vôtre.

— Il a dit que Digger était à nous, Kip, intervint Carolee. Calme-toi. Il s'apprêtait justement à partir.

Kip plissa les yeux et s'avança vers Sam.

— Qu'est-ce que c'est que cette histoire ? Vous l'avez acheté pour Faith ? Vous saviez qu'il ne pourrait pas vivre chez moi, que vous seriez obligés de le garder à Lake Home. Comme ça, Faith aurait envie d'y aller plus souvent. Mauvais plan. Sortez-moi cette bestiole de là !

— Ça suffit, gronda Max. Sam ? Sam, qu'est-ce qu'il y a ?

Sam avait blêmi, et il chancelait. Carolee se précipita vers lui et le fit asseoir en douceur. De la poche intérieure de sa veste, elle sortit une fiole contenant de minuscules cachets blancs et en plaça un sous sa langue.

— Ça va, ça va, marmonna Sam, qui respirait déjà mieux.

— Il faut qu'il voie un médecin, expliqua Carolee à Max.

— Tout de suite, répondit-il en pressant sur la sonnette. Ensuite, je téléphonerai à Fritz pour qu'il s'occupe de Digger.

— Passez-le par la fenêtre ! suggéra Kip. Ce sera plus rapide.

— Tais-toi ! s'écria Carolee en le saisissant par le col de la chemise. Le problème, ce n'est pas le chien. Le problème, c'est que tu n'as pas gain de cause.

Max s'éclipsa discrètement, et Kip se réfugia dans un coin, l'air renfrogné.

— Sam, je tiens à ce que tu te laisses ausculter.

— Tu peux compter sur moi. Arrange-toi pour que Digger sorte d'ici discrètement. Et ne quitte pas cet hôpital sans Max Wolfe, tu m'entends ?

— Ne t'inquiète pas pour moi.

— Max, personne d'autre. *Compris ?*

— Compris.

— Votre femme vous trompait, donc vous ne voyez aucun inconvénient à ce que votre fille en fasse autant avec moi. C'est cela, Davis ?

Sam arrondit la bouche.

— Linda me l'a raconté, il y a des années. Elle m'a expliqué comment ça se passait, et comment vous finissiez toujours par revenir – après vos petites escapades.

Carolee fonça sur Kip et le gifla de toutes ses forces. Il leva la main pour riposter, mais la lueur qu'il vit trembler dans ses prunelles l'arrêta dans son élan.

— Tu ne sais rien de rien, siffla-t-elle. Et je t'interdis d'évoquer les affaires privées de ma famille.

— Je n'accepte pas d'ordres d'une femme.

Il était odieux. Elle ravala une nausée.

— C'est bien tout ce que tu n'acceptes pas d'une femme, répliqua-t-elle. Si tu veux rester ici, tais-toi. Mon père est souffrant.

Max revint avec l'infirmière en chef.

— Mon père se sent mal, expliqua Carolee. Il a de l'angine de poitrine et il est très stressé. Y a-t-il un endroit où il pourrait se reposer ? Il faut qu'il s'étende.

— Je n'ai pas perdu ma langue ! glapit Sam. Je m'appelle Sam Davis. Je suis soigné par le Dr Brothers.

— Je le connais, répondit l'infirmière. Je vais vous chercher une civière.

Sam se leva et se dirigea vers la porte.

— Je peux encore marcher. Conduisez-moi là où il le faut.

— Je t'accompagne, proposa Carolee.

— Je n'ai pas besoin de toi. Reste avec ta fille.

La porte se referma sur lui.

— Une fois de plus, l'honnêteté a payé, annonça Max. J'ai avoué à la surveillante que nous avions enfreint toutes les règles en amenant un chien. Si nous repartons avec lui vite fait bien fait, elle ne nous dénoncera pas.

Fritz Archer arriva une vingtaine de minutes plus tard – vingt minutes interminables que Carolee passa à essayer d'ignorer Kip. Il entra avec un grand sourire, jeta un coup d'œil circulaire, et s'assombrit. Ses cheveux noirs étaient en désordre, sa chemise boutonnée de travers. Il tenait à la main deux paquets cadeaux. S'approchant du lit sur la pointe des pieds, il présenta à Carolee une énorme boîte de chocolats.

— Tous les enfants aiment les friandises.

Elle dissimula un sourire. Le pauvre ! Il n'avait pas pensé à la mâchoire immobilisée.

Max le remercia sans même essayer de garder son sérieux.

— Nell avait confectionné ceci pour notre premier petit-enfant, reprit Fritz en exhibant une horrible poupée fabriquée à partir d'un bas fourré de kapok, et coiffée de cheveux en laine noire. Elle portait une sorte de cape ornée de multiples poches.

— Oh, non ! protesta Carolee. C'est trop gentil !

Max, champion de la diplomatie, lui fit remarquer qu'ils n'avaient pas de petits-enfants. Fritz haussa les épaules et posa la poupée à côté de Faith.

— Nell aime prévoir. C'est une poupée vieille dame, précisa-t-il.

— Je me posais la question, murmura Max.

Carolee s'interdit de guetter la réaction de Kip.

— La vieille dame qui a avalé une araignée, celle de la comptine, vous savez…

Il extirpa une araignée en laine de l'une des poches et la fourra dans la bouche de la poupée.

— Beurk ! souffla Carolee.

Max s'esclaffa, et Fritz parut offusqué.

— Qu'est-ce qui vous prend ?

— C'est… mignon, bredouilla-t-il. Je suis sûre que Faith voudra remercier personnellement Nell.

— Sortez le chien ! gronda Kip.

Fritz inclina la tête pour mieux le voir.

— Bonsoir ! Vous êtes le papa de Faith ?

— Oui.

Il claqua des doigts.

— Occupez-vous du chien.

Fritz lui tendit la main.

— Je suis Fritz Archer. Un ami de Sam, Max, Carolee et Faith. Très heureux de vous connaître, monsieur Burns. Vous vous sentez bien ? Vous êtes un peu vert.

Alarmé, Kip se toucha le front.

— Allez, Digger, on y va ! lança Carolee.

Il se redressa, se recoucha promptement.

— Je crains que Sam n'ait pas prévu de laisse.

— J'ai tout prévu ! lança Fritz en en brandissant une.

Surveillant Kip d'un œil méfiant, il attacha Digger, salua tout le monde et s'en alla.

— Qui est ce clown ? Dès qu'elle pourra quitter cet hôpital, je ramènerai Faith chez moi, auprès de gens normaux.

— Viens dans le couloir, Kip, coupa Carolee.

Elle le précéda, et Max ferma le cortège. Quand ils furent tous trois seuls, elle tenta de le raisonner.

— Nous sommes tous deux nerveux, Kip. Nous avons des décisions à prendre concernant l'avenir immédiat de notre fille.

— *J'ai* des décisions à prendre.

Max se raidit, mais Carolee lui fit signe de rester calme.

— Cette fois, je ne céderai pas. Une solution s'offre à nous, et elle me paraît excellente.

Sans émotion, elle la lui exposa. Elle lui décrivit tous les avantages que présentait l'appartement de Max. Faith pourrait avoir Digger avec elle. Elle profiterait du soleil sur la terrasse et n'aurait aucun souci pour se rendre à ses séances de rééducation.

Kip ne prononça pas une parole.

Carolee attendit. Les bras croisés, Max fixait Kip.

— Tu m'as infligé bien des affronts, mais tu ne m'avais encore jamais pris pour un imbécile.

— Ton domicile comme le mien sont mal adaptés à la situation, alors que celui de Max a été conçu pour un handicapé.

— Laisse tomber. Ma fille rentrera chez moi. Si tu veux la voir, tu n'auras qu'à venir avec elle, Carolee.

Max enfonça les mains dans ses poches.

— Je ne peux guère vous en vouloir, Burns. À votre place, je me battrais sans doute, moi aussi. Mais pensez à Faith. Ici, elle pourra être entourée de ses proches.

— Pas question ! trancha Kip.

— Très bien, rétorqua Carolee, je consulterai mon avocat. Tu auras beau essayer, Kip, tu ne parviendras plus à me blesser. Au tribunal, on découvrira à quel point tu nous as détruites, Faith et moi. Par ta faute, tu perdras la garde.

Kip abattit le poing contre le mur. Les dents serrées, il se pencha vers elle.

— Tu peux toujours rêver. Ça ne marchera jamais. J'en sais trop sur toi… Sur vous deux !

Sur ces mots, il retourna dans la chambre.

— C'est toi qui as raison et lui qui a tort, la rassura Max. Tu gagneras.

Il était sur ses talons lorsqu'ils pénétrèrent dans la pièce. Le sourire de Kip donna à Carolee envie de vomir.

— D'accord, dit-il. Pourquoi ne pas installer Faith chez vous, Wolfe ? Puisque, de toute évidence, Carolee a déjà accepté, il ne me reste plus qu'à approuver sa décision. Quand elle y sera avec Faith, je viendrai aussi. Ce sera fort sympathique.

— Non !

La voix déformée de Faith les figea tous trois.

— Vous ne voulez pas de moi. Personne ne veut de moi. Et je ne veux pas de vous !

33

À cause d'elle, ils étaient encore plus fâchés qu'avant. Elle avait beau avoir refermé les yeux et les serrer de toutes ses forces, ils continuaient de lui parler, parce qu'ils avaient compris son jeu. Maman ne s'était pas mise en colère, mais elle était très silencieuse. Max répétait sans cesse à papa de penser à Faith, mais papa s'était encore énervé. Ils étaient sortis dans le couloir.

Quand ils étaient revenus, papa avait dit à maman et à Max qu'il voulait rester seul avec elle. Ils étaient partis. Ils ne voulaient pas s'en aller, mais maman avait dit que, pour l'instant, c'était ce qu'il y avait de mieux à faire.

Un long moment s'était écoulé, depuis. Papa n'avait pas prononcé un mot. Quand il était furieux, il ne parlait pas.

Il siffla, et elle sursauta.

Il se mit à chantonner, ses talons claquèrent sur le carrelage. Il se pencha sur le lit, puis s'éloigna.

Faith serra les poings sous le drap.

Quelqu'un entra.

— Monsieur Burns, vous avez appuyé sur la sonnette ?

— Oui, répondit papa. Faith aurait pu vous appeler elle-même, mais elle nous fait marcher. N'est-ce pas, Faith ?

— Vous êtes sûr que vous vous sentez bien, monsieur Burns ?

C'était Sara, la plus gentille de toutes les infirmières.

— Vous me semblez fatigué. Vous devriez peut-être vous al…

— Je ne suis pas fatigué, j'enrage. Et je ne vous ai pas demandé de conseils.

— Je ne vous en donne pas, monsieur. C'était juste une suggestion.

— Faith, dis quelque chose. Dis quelque chose ! insista-t-il d'une voix trop forte qui l'effrayait.

— Monsieur, je vais devoir…

— Faith. Tu m'as entendu. Regarde l'infirmière. Tout de suite !

La tête lui tournait, mais elle souleva les paupières.

Sara lui sourit – un peu tristement, songea Faith.

— Là ! Pendant tout ce temps, elle a fait semblant d'être inconsciente, dans le seul but de nous voir souffrir. Elle peut entamer sa rééducation dès maintenant, non ? On pourrait déjà commencer ici, en attendant qu'elle quitte l'hôpital. L'argent n'est pas un problème.

— Vous devrez en discuter avec l'administration.

Faith se retint de hurler. Papa se plaisait à raconter qu'il était riche. Cette fois, c'était pour s'assurer qu'elle n'irait pas chez Max.

— Bonjour, Faith, dit Sara doucement. Tout va bien. Surtout, ne t'inquiète pas. Tu dois être épuisée. Nous avons tous pensé que tu avais besoin d'un peu de temps pour réfléchir à tout ce qui t'était arrivé. Le Dr Reilly nous avait prévenus que tu te réveillerais quand tu te sentirais prête. Les médecins savent que tu faisais une fugue quand tu as eu ton accident.

— Elle ne s'enfuyait pas.

— Je me contente de répéter ce qui est inscrit dans le dossier de votre fille. Je vais demander à un médecin de l'examiner. Je suppose qu'il voudra vous parler, ainsi qu'à Mme Burns. Je vais lui téléphoner.

— Je vous le défends ! Faith est *ma*… Vous avez raison, bien sûr. Pardonnez-moi. Ç'a été une épreuve si terrible.

Sara les quitta.

— Depuis combien de temps ta mère fréquente-t-elle Max Wolfe ?

— J'en sais rien.
— Longtemps, tu crois ?
— Je ne sais pas.
— Tu dois bien savoir quelque chose. Secoue-toi, Faith. Ils sont… proches ?
Que répondre ?
— J'ai l'impression qu'ils s'aiment beaucoup. Max est gentil, et il fait rire maman. Avant, elle ne riait jamais. Et elle a recommencé à jouer du piano et à chanter. Je pense que c'est parce qu'il adore l'écouter.
Papa croisa les bras. Il paraissait très tendu.
— C'est bien. Je souhaite que ta maman soit heureuse. J'ai cru qu'elle pourrait l'être avec moi, mais j'ai dû me tromper. Ça t'aurait plu, que papa et maman se remettent ensemble ?
Un frisson la parcourut. Que devait-elle dire ?
— Tu n'es pas obligée de me répondre. J'imagine que ce serait une bonne chose que ta mère épouse Wolfe. Qu'en penses-tu ? Ils t'en ont parlé ?
Elle se détendit un peu.
— Je crois qu'ils… qu'ils sont amoureux. Grand-père aussi. Il m'a dit d'attendre un peu, que maman finirait par m'en parler. Mais, d'après lui, ils vont se marier.
Papa se leva et lui tourna le dos. Il haussa les épaules.
Elle n'avait pas dit ce qu'il fallait. Décidément, elle était trop nulle !
Faith regarda le téléphone sur sa table de chevet et se demanda s'il était branché. Si elle parvenait à joindre Max, il saurait l'aider.
Mon Dieu, s'il vous plaît, si maman vient, faites qu'ils ne se disputent pas !

34

Ignorant les protestations de Sam, Carolee enveloppa ses jambes d'une couverture. Les soirées étaient plus fraîches et, de toute façon, elle avait envie de le dorloter.

— J'ai eu une conversation avec Linda, cet après-midi, dit-il. Elle est passée pendant que tu étais avec Faith.

Une semaine s'était écoulée depuis que la fillette s'était trahie. Elle avait entamé sa rééducation dès le lendemain, mais ses progrès laissaient à désirer. Kip ne la quittait pratiquement pas. Il l'encourageait, se fâchait, s'excusait, la serrait dans ses bras. Il était si gentil avec Carolee que celle-ci en éprouvait un malaise. Il avait même été jusqu'à lui confier qu'elle avait eu raison d'autoriser le psychiatre à voir Faith.

— Rappelle-moi de te raconter l'épisode avec Kip et Digger.

— Que s'est-il passé ?

— Toi d'abord.

Sam brandit un doigt déformé par l'arthrite.

— Tu sais qu'il ne faut pas me contrarier. Alors, Kip et Digger ?

— Kip est venu le chercher ce matin. Il a obtenu la permission de l'emmener au centre de kinésithérapie de l'hôpital, sous le prétexte de remonter le moral de Faith. J'étais sidérée. Mais Faith m'a suppliée de ramener Digger à la maison. Je suis sûre qu'elle n'a pas confiance en son père.

— Elle est épatante !

— Son état ne s'améliore pas comme il le devrait, Sam. Aujourd'hui, ils m'ont dit qu'elle ne mangeait presque rien. Elle refuse de lire ou de regarder la télévision. Elle reste là, immobile, les yeux rivés au plafond, puis elle s'endort.

Sam posa les mains sur ses cuisses trop maigres.

— Il faut intervenir. Je sais ce qu'elle veut, mais elle est convaincue que c'est impossible, alors, elle se punit.

— Mais pourquoi ?

— Tu fais partie de la jeune génération, ma fille. Tu es censée savoir ce genre de choses, non ? Elle est persuadée que tout est sa faute.

Carolee s'assit auprès de Sam.

— J'en ai conscience, mais mon cœur refuse de l'admettre.

— Nous trouverons une solution. Un certain mariage opérerait des miracles.

Elle secoua la tête et contempla le four à bois.

— Laissons cela pour l'instant, suggéra Sam. Mais mon petit doigt me dit que Faith finira par obtenir gain de cause.

Sam était un rêveur. Il l'avait toujours été. Pour une fois, Carolee aussi avait envie de rêver, mais elle n'était pas sûre que ce soit bien de courir après ce rêve.

— Comme je te le disais, j'ai discuté avec Linda, reprit Sam.

Carolee revint sur terre.

— Où est-elle ? Je ne l'ai pas vue depuis des jours.

— Elle est avec Ted, annonça Sam, et leurs regards se rencontrèrent.

Inutile de préciser que le sujet était à éviter.

— J'ai cru qu'elle se fâcherait, mais ça n'a pas été le cas.

Carolee haussa un sourcil interrogateur.

— Tu pensais que j'avais oublié ce que Kip a dit à propos de ta mère, l'autre soir ? Tu l'as giflé. Jamais je ne t'avais vue aussi violente. Tu l'as frappé, parce qu'il avait insulté ta mère. Je vais te dire ce que j'ai expliqué à Linda. Je sais ce que tu as subi dans ton enfance, et j'en suis navré, Carolee. Je regrette de ne pas m'en être rendu compte à l'époque.

Il se tut, poussa un soupir.

— C'est difficile pour moi. La mère de Linda, ma première épouse, souffrait d'une maladie mentale. Il a fallu l'interner. Ils l'ont assommée à coup de drogues et d'électrochocs, au point qu'à la fin, elle ne me reconnaissait plus du tout.

— Sam, murmura Carolee en lui entourant les épaules de son bras, tu n'es pas obligé de me raconter tout cela.

— Si. Je me suis marié avec Ella alors que je l'étais encore avec ma première femme.

Carolee fut interloquée. Il lui fallut plusieurs secondes pour comprendre ce qu'une telle révélation impliquait.

— Ainsi, tu n'étais pas vraiment marié avec maman ?

— Si, mais pas légalement avant la mort d'Ava. Quand elle allait très mal, j'allais la voir. Je ne pouvais rien pour elle, sinon essayer de lui offrir un peu de réconfort. Ce n'était pas sa faute, si elle était malade.

« Ella et moi avons convenu qu'il valait mieux – pour toi et pour Linda – éviter les allers-retours intempestifs. Plutôt que d'être à la maison pendant deux jours, puis de disparaître pendant une semaine, revenir vingt-quatre heures, et ainsi de suite, je m'éclipsais jusqu'à ce que la crise soit finie.

— Je comprends, dit Carolee, qui ne comprenait rien du tout.

— J'en doute. Nous faisions de notre mieux, dans votre intérêt à toutes les deux. Mais ces séparations nous étaient insupportables, à ta mère et à moi.

Il devint si rouge que Carolee lui tâta le front.

— Ne t'inquiète pas, c'est l'embarras. Comment t'expliquer ? J'étais si amoureux d'Ella que je rentrais en douce pour… pour être avec elle. Je repartais ensuite, sans que vous n'en sachiez rien. Avec le recul, je m'aperçois que c'était absurde, mais nous ne nous sommes pas mis à votre place.

Carolee avait à la fois envie de rire et de pleurer. Elle étreignit son père avec tendresse.

— Espèce de démon ! Vous ne pouviez pas vous passer l'un de l'autre !

Sam se mit à glousser, puis se racla la gorge et renifla.

— Je t'en prie, un peu de respect !

— Et Linda ? Comment a-t-elle réagi ?

— Elle l'a moins bien pris que toi. Mais il fallait qu'elle sache la vérité sur la mort de sa mère. Ava cachait ses pilules sous son matelas. Quand elle en a eu suffisamment, elle a tout avalé. Elle a survécu plusieurs jours. Pauvre Ava. Quand je l'ai rencontrée, elle était pleine de vie. Et si belle ! C'est d'elle que Linda a hérité son physique.

En un éclair, Carolee revit le feu de cheminée, le peignoir à rayures de sa mère, entendit son rire... La scène s'était déroulée dans cette même pièce.

— Merci de m'avoir tout dit, Sam. Je suis triste pour Ava, mais contente que la fin ait été heureuse pour maman et toi.

— Heureuse, n'exagérons rien. Nous nous aimions énormément, mais nous nous disputions souvent. Je boirais volontiers un verre d'eau.

Carolee se leva.

— J'ai contacté un avocat.

Sam se redressa.

— Je l'ai engagé. Le moment est venu de me battre.

— Bon sang de bon sang ! s'exclama-t-il avec un grand sourire. Enfin ! Bravo, ma fille. Nous sommes tous avec toi.

Elle lui apporta son eau.

— Je sais.

— Ah, ce téléphone à la noix ! grogna-t-il, comme si elle ne l'avait pas entendu sonner dans sa poche. Remarque, c'est peut-être l'hôpital ?

Elle le sortit et répondit.

— Madame Burns ?

— Oui.

— Êtes-vous seule ?

Un étau se referma autour de sa poitrine. Elle s'humecta les lèvres.

— Non. Qui…

— Ne posez aucune question. Vous êtes avec Sam ?

— En effet.

— Il s'agit d'une affaire grave, Carolee. L'avenir de Faith dépend de toi. Elle est avec moi, et je te surveille. Sois habile. Fais comme si tu étais avec une amie, aie l'air ravie de m'entendre. Compris ?

— K…

— Loupé ! coupa Kip. « Bonjour, Kathleen », ce sera parfait. Vas-y, dis-le pour Faith. *Maintenant.*

Elle sursauta, jeta un coup d'œil à Sam, qui fronçait les sourcils.

— Bonjour, Kathleen, fit-elle en affichant un sourire.

Aussitôt, son père se détendit.

— Excellent ! susurra Kip. Il faut que tu ailles chez toi. Dis à Sam que je suis une vieille amie. Je suis à la recherche d'une partition dont je ne me rappelle plus le titre.

Carolee avait du mal à respirer.

— Prends ton téléphone avec toi. Ne l'éteins pas.

— Bien sûr ! Aucun problème ! J'y vais de ce pas.

Elle rangea l'appareil

— C'est une amie à moi. Ou plutôt, une relation. Kathleen. Je rentre à la maison fouiller dans mes papiers. Elle me demande…

— Ça ne peut pas attendre ? On était en train de parler.

— Tu connais les musiciens ! Quand ils ont une mélodie dans la tête… Repose-toi, Sam. Je reviendrai tout à l'heure.

Ignorant son air furieux, elle quitta le cottage. Digger était sur les marches. L'obscurité tombait, et Carolee avait du mal à y voir clair. Elle trébucha à plusieurs reprises. Elle avait peur. Les motivations de Kip demeuraient mystérieuses, mais elle pressentait un drame.

Le chiot sur ses talons, elle atteignait la rangée d'arbres, quand elle perçut une voix. Kip parlait dans le téléphone. Elle se rendit compte, atterrée, qu'elle en était presque arrivée à se persuader que Kathleen existait réellement.

Dès qu'elle eut collé le combiné à son oreille, Kip l'entendit respirer.

— Arrête-toi, ordonna-t-il. Tu es essoufflée. Reste calme, ou tu risques de faire quelque chose que tu regretteras.

— Kip.

Elle s'adossa contre un sapin.

— Qu'est-ce que tu as raconté au vieux ?

— J'ai répété tes paroles.

— Comment a-t-il réagi ?

— Ça ne lui a pas plu, mais il n'a pas protesté.

— Repars.

Elle sentit qu'il couvrait le micro d'une main. Il devait s'adresser à quelqu'un et il ne voulait pas qu'elle entende. Il avait prétendu que Faith était avec lui, mais c'était impossible. Elle était à l'hôpital.

— Tu es là ? reprit-il, puis, sans attendre sa réponse : J'ai sorti Faith de l'hôpital il y a quelques heures. J'ai signé une décharge. Je leur ai dit qu'il était temps pour elle de reprendre une vie normale à la maison.

— Et ils t'ont laissé faire ? s'exclama-t-elle, blême de rage. Je n'en crois rien. Je les appelle immédiatement. Au revoir, Kip.

— Tu veux lui parler ?

Elle avait les mains moites.

— Oui.

— Faith ! Dis bonjour à ta mère.

— Bonjour, maman, fit la petite d'une voix anormalement aiguë.

— Alors ? Satisfaite ? Tu es chez toi ?

— Pas encore, grommela Carolee. Qu'est-ce que tu fabriques ? Faith n'était pas prête à partir. Ils voulaient stabiliser son alimentation et s'assurer que la rééducation se passait bien.

— Je leur ai promis qu'elle consulterait régulièrement. Tout ça, c'est ta faute ! s'emporta-t-il soudain. Tu m'as menacé, tu as refusé de m'obéir, j'ai été obligé de prendre des mesures. Une femme doit se soumettre à son mari.

— Tu n'es pas mon mari.

— C'est à moi d'en décider.

Il semblait agité, désespéré.

— Tu l'as déjà décidé. Tu as engagé une procédure de divorce.

— Et j'ai changé d'avis, espèce de chienne !

Faith était témoin de cette scène. C'était intolérable.

Digger prit les devants, et Carolee se mit à courir à sa suite, trébuchant sur les pierres, s'accrochant aux branchages. Elle avait la gorge sèche. Elle se précipita dans sa cuisine.

Secouée de sanglots, les jambes en plomb, elle se laissa tomber sur une chaise.

— Carolee ? Carolee ? fit la voix lointaine de Kip. Carolee ?

Elle consulta sa montre. Presque 22 heures. Elle posa l'appareil devant elle et le fixa.

Kip s'était tu.

Affolée, elle saisit le téléphone.

— Je te hais, Kip Burns ! Je ne veux plus rien avoir à faire avec toi. Je vais prévenir la police.

— De quoi ? demanda-t-il d'une voix mielleuse, plus inquiétante encore que lorsqu'il hurlait.

— Je vais leur dire que tu as sorti une petite fille malade de l'hôpital et que tu la menaces.

— Pas du tout. J'ai eu la permission d'emmener ma fille. Tu es hystérique, tu perds la tête. Une fois de plus. Tu as toujours été fragile. Vois un peu dans quel état tu te mets. Regarde-toi. C'est écœurant. Essuie ta figure.

Elle arracha un Kleenex de la boîte et se frotta les yeux. Puis un hurlement lui échappa :

— *Où es-tu ?*

Elle se releva d'un bond, se tourna vers les fenêtres. Tout était silencieux. S'il était à l'intérieur de la maison, elle l'aurait senti. Il était donc dehors. Il s'était caché et il l'observait.

— Tu as eu tort de chercher un compagnon.

— C'est ça, j'aurais mieux fait de rester seule, d'être à ta disposition pour que tu puisses me torturer.

Il n'était pas dans le jardin.

— Cesse de me provoquer, riposta-t-il, avant de prendre un ton rêveur qui la glaça littéralement. Il ne t'aura jamais, Carolee. Max Wolfe est un chercheur d'or. Si tu n'avais pas d'argent, il ne t'aurait même pas regardée.

— Si tu le dis. Je veux voir Faith.

— Tu la verras. Quand je serai prêt. Téléphone à Sam, explique-lui que tu es fatiguée, que tu vas te coucher tôt et que tu iras le voir demain. Seulement, tu n'iras pas, car tu as beaucoup de choses à faire avant de me rencontrer… avec Faith.

— Je ne peux pas faire cela à Sam. Il va s'inquiéter.

— Il ne va pas s'inquiéter, il va bouder parce que tu lui tiens tête. Ça lui passera et il finira par s'endormir.

Max où es-tu ? songea-t-elle, terrifiée.

Deux Stetson, un noir et un marron, étaient accrochés près de la porte. Un jour, elle l'avait taquiné en assurant qu'elle allait devoir installer de nouveaux crochets pour tous les chapeaux qu'il oubliait.

Max.

Malheureusement, cette épreuve – la plus dure qu'elle ait jamais eue à surmonter –, elle devait l'affronter seule.

— Sois raisonnable, enchaîna Kip. Tu m'aimais, autrefois. Tu m'aimeras de nouveau. Je veux que tu quittes cet endroit. Il ne te convient pas. Tu te laisses influencer. Tu n'es plus la même. Ne te fais aucun souci, ma chérie. Tout va s'arranger, et tout ceci ne sera bientôt plus qu'un mauvais souvenir. Aie confiance en moi. Je vais prendre soin de toi.

Kip ne ferait jamais de mal à Faith. Carolee s'efforça de respirer plus calmement.

— Faith a besoin de soins. Ramène-la à l'hôpital, s'il te plaît. Je t'y rejoins.

Il demeura silencieux un long moment.

— Kip ?

— J'essaie d'être patient avec toi. Maintenant qu'elle est de retour parmi les siens, Faith va progresser à toute allure. Elle va déjà mieux. À présent, va rassembler ses affaires. Et les tiennes. Appelle Sam, dis-lui que tu es épuisée. Demain, tu le rappelleras.

— Il a besoin de moi ! insista-t-elle, sentant la panique la gagner.

— Tais-toi et écoute-moi. Tu vas lui écrire un mot dans lequel tu lui expliqueras que Faith et toi prenez des vacances et que tu lui donneras des nouvelles. Demande qu'on respecte ton désir de tranquillité.

Devait-elle téléphoner à la police ? Si elle prenait une telle initiative, et que Kip se vengeait, elle saurait qu'elle avait eu tort. Mon Dieu, que faire !

— Occupe-toi des bagages. Laisse ton portable allumé. Quand tu auras fini…

— Donne-moi ton numéro, je te contacterai.

— Ça te plairait, hein ? répliqua-t-il, narquois. Bien sûr, tu n'aurais pas l'idée de le transmettre aux flics, n'est-ce pas ? Ne t'avise pas de les appeler, ajouta-t-il durement. Imagine ce qui pourrait arriver… par ta faute. Quand tu auras terminé tes valises, préviens-moi. Je t'aiderai à rédiger le message. Ensuite, tu attendras le matin. Je ne sais pas quelle heure exactement.

— Kip, je t'en supplie…

Silence.

— Kip ?

— Au boulot, bébé. Tu n'as pas le choix. Prends tout ce qui te tient à cœur. Tu ne retourneras plus là-bas.

Amène le chien – il hésita brièvement –, Faith le réclame.

Elle monta dans la chambre de la fillette. Digger l'y avait devancé et s'était étalé sur le lit. Elle commença à remplir un sac, puis se figea. Elle s'assit, le visage entre les mains.

Une demi-heure plus tard, elle redescendit. À contrecœur, elle s'empara du téléphone.

— Kip ?

— Tu as fini ?

— Oui. Pourquoi ne pas me laisser voir Faith maintenant ?

— Repose-toi d'abord. Et appelle Sam.

Comme si elle allait pouvoir se reposer !

— Non. Je ne veux pas le perturber.

— Ne discute pas, nom de nom, dépêche-toi !

Mieux valait laisser Sam en dehors de tout cela. Il ne supporterait pas un nouveau choc. Elle s'approcha du téléphone fixe de la cuisine et composa le numéro. Sam répondit immédiatement. Il était d'humeur morose.

— Tu en mets du temps ! Tu m'avais promis de revenir tout de suite.

Avec précaution, elle lui avoua qu'elle était éreintée et qu'elle préférait se coucher. Il ne protesta pas, et elle raccrocha avant de reprendre le portable.

— Parfait ! approuva Kip. Et maintenant, la lettre.

— Je peux l'écrire toute seule, merci.

— Je vais te la dicter.

À quoi bon se rebeller ?

— Ce sera court et précis. Tu as de quoi écrire ?

— Oui, maugréa-t-elle en sortant un bloc-notes et un stylo du tiroir.

— Cher Sam, commença-t-il. Je viens de passer des moments vraiment très difficiles. J'ai besoin d'une coupure pour me remettre de toutes ces émotions. N'essaie pas de me chercher, je ne t'en serais pas reconnaissante.

Au fil des secondes, l'angoisse de Carolee augmentait. Où était Faith ? Que manigançait Kip ? Elle savait qu'il lui préparait un piège, mais elle n'avait pas le choix : elle devait jouer son jeu.

— C'est bon ? s'enquit-il avant de reprendre : Je pars avec Faith. J'en ai parlé à Kip et cela ne lui a pas plu, mais il a accepté parce qu'il sait qu'ensuite, nous serons réunis tous les trois. Laisse Max en dehors de cela, pour son bien et pour le mien. Si tu le mets au courant – lui ou qui que ce soit d'autre –, je ne te le pardonnerai jamais. Je te téléphonerai bientôt.

35

Max arriva de la terrasse à temps pour décrocher.

— Allô ?

Il s'était installé dehors, dans l'obscurité, pour penser à celle qui hantait son esprit jour et nuit.

— Ici Getz, dit une voix bourrue au bout du fil.

— Si vous êtes un télévendeur, je ne suis pas intéressé.

— Vous êtes Max Wolfe ?

Il se prépara à raccrocher.

— Un ami de Carolee Burns ?

— Oui.

— Leo Getz, son agent. Elle m'a parlé de vous.

Cette nouvelle l'enchanta et l'affola à la fois.

— Et réciproquement. Comment avez-vous eu mes coordonnées ?

— Vous figurez dans l'annuaire.

Cette fois, Max se sentit ridicule.

— C'est vrai.

— Elle est avec vous ?

Décidément, M. Getz n'était pas du genre charmeur.

— Non.

Il ne l'avait pas vue depuis qu'ils avaient bu un café chez Nellie et Fritz, samedi soir. La veille, elle lui avait annoncé son intention de rester auprès de Sam, et quand il l'avait appelée dans la matinée, elle lui avait expliqué qu'elle était pressée, et serait occupée toute la journée.

Getz respirait fort et lentement.

— Quelque chose vous tracasse ? s'enquit Max.

— Savez-vous où elle est ?

Il était tard. Cet appel le mettait mal à l'aise.

— Je l'ai eue au téléphone ce matin. Elle était débordée. J'allais tenter de la joindre un peu plus tard. Si vous voulez, je peux lui transmettre un message ?

— Elle n'est pas chez elle. Je viens d'avoir Sam. D'après lui, elle s'est absentée pour quelques jours. Il la croyait avec vous.

Max contempla son reflet dans la baie vitrée. Carolee, absente pour quelques jours ? Un frisson courut le long de sa colonne vertébrale.

— Sam semblait-il inquiet ?

— Non. Je ne sais pas ce qu'elle lui a raconté, mais il l'a pris pour argent comptant.

Cet individu était un inconnu. Qu'est-ce qui prouvait qu'il était bien Leo Getz ?

— Je ne sais pas trop comment vous dire cela, reprit l'homme, mais je me fais du souci pour elle, et j'ai cru comprendre que vous étiez assez proches, tous les deux. C'est le cas ?

Carolee lui avait précisé que Getz habitait New York. L'accent correspondait, et il semblait connaître Sam.

— Je l'espère. Qu'est-ce qui vous inquiète ?

— Son ex-mari m'a contacté cet après-midi. Son discours m'a troublé et j'ai décidé d'en toucher deux mots à Carolee. Sa fille est hospitalisée, mais elle est partie, et ceux qui devraient savoir où elle se trouve n'en savent rien. Je parie que Burns a fait pression sur elle pour qu'elle renouvelle ses contrats et qu'elle en a eu assez.

— Je ne suis pas au courant.

— Kip Burns veut à tout prix que Carolee reprenne ses tournées. J'ai commis l'erreur de lui téléphoner à deux reprises ; j'ai arrêté quand j'ai compris qu'elle ne voulait pas en entendre parler. Mais lui insiste. Vous savez qu'elle a ouvert un compte spécial pour Faith ?

— J'en ai eu vent.

— Burns prétend qu'elle ne l'alimente plus comme avant, et que vu l'inflation, etc.

Max se sentait soudain oppressé.

— Que vous demandait-il de faire ?

— Plusieurs de ses contrats arrivent à échéance. Les bénéfices sont destinés à Faith. Burns veut que Carolee les renouvelle, et vite.

— Et vous n'avez pas pu en parler avec elle ?

— Non. Kip m'a assuré qu'il ferait en sorte qu'elle me téléphone demain. Il ne se rend pas compte que ce genre d'opérations prend du temps.

— J'imagine. Écoutez, Leo, puis-je vous demander de me prévenir si vous avez des nouvelles de Carolee ?

Leo le lui promit, mais il ne semblait guère optimiste.

— Il vaudrait mieux éviter de lui dire que j'ai mis mon nez dans ses affaires, conclut-il.

Ainsi, Kip allait pousser Carolee à joindre Getz le lendemain. Du moins, c'est ce qu'il avait dit. Cela signifiait-il qu'elle était avec lui ? Si c'était le cas, ce n'était pas de son plein gré.

Il ne pouvait rester là à attendre.

Il n'avait rien à révéler à la police – pour le moment.

Une clé tourna dans la serrure de l'entrée et le faisceau d'une lampe électrique apparut. À part lui, une seule personne possédait la clé de son appartement, et encore, elle avait commencé par la refuser sous prétexte qu'elle ne s'en servirait pas.

— Carolee ?

Il s'aventura dans le vestibule. Un sentiment d'euphorie l'envahit.

— Max, murmura-t-elle en ôtant ses chaussures et en se jetant dans ses bras.

— Justement, j'allais t'appeler.

Si Carolee avait remarqué son inquiétude, elle le lui cacha. Chancelante, elle se blottit contre lui. Il l'embrassa sur la tête, et elle s'écarta de lui. Son tailleur noir et son chemisier de soie blanc lui donnaient l'air d'une femme d'affaires. Elle était décomposée.

— Viens t'asseoir. Il est tard, tu sembles épuisée. Tu as dîné ? Veux-tu un café, ou un verre de vin ?

Sans le regarder, elle enleva sa veste et la drapa sur ses bras croisés.

— Rien, merci.

Max fut envahi par une peur indescriptible. Carolee était différente.

— Je suis content que tu sois là.

Surtout, ne pas la harceler, ne pas la pousser dans ses retranchements. Attendre…

— J'ai passé une journée infernale, Max.

Elle secoua la tête et, les yeux baissés, esquissa un sourire faux.

— Je regrette de ne pas avoir été près de toi, murmura-t-il. J'étais au bureau, mais, maintenant que j'y songe, je ne sais pas ce que j'y ai fait.

— Tu ne peux pas savoir combien j'ai pensé à toi.

Une certitude l'assaillit, inébranlable : il ferait tout pour garder Carolee – jusqu'à la fin de ses jours. Mais une prémonition ternissait sa joie. Elle semblait distraite. Elle lui cachait quelque chose. Il la tira par la main jusque dans le salon. Elle laissa tomber sa veste et son sac et s'assit, tête baissée.

Paolo surgit, bondit sur le canapé, s'étira langoureusement, puis posa les pattes sur l'épaule de Carolee et la fixa jusqu'à ce qu'elle tourne la tête vers lui. Satisfait, il alla s'installer sur l'accoudoir. Max s'était perché sur un pouf. Il ne savait plus où il en était.

— Je ne peux pas m'attarder, reprit Carolee en consultant sa montre.

— Je ne sais pas où tu vas, mais je t'accompagne.

Elle soupira, s'adossa aux coussins, la tête renversée. Max vint s'asseoir près d'elle.

— Il n'y a pas de problème avec Faith, n'est-ce pas ?

Carolee le dévisagea, et la tristesse de son regard le bouleversa.

— Elle s'en sortira, dit-elle. J'y veillerai personnellement.

— J'aime cette petite.

Paupières closes, Carolee se pelotonna contre lui.

— Elle aussi t'aime. J'ai vu la façon dont elle te regarde. Tu es son chevalier en armure.

— Ça me convient, fit-il en lui caressant la joue.

— Aujourd'hui, je suis allée à la banque examiner le compte que j'ai ouvert pour Faith.

— En quel honneur ?

Peut-être serait-il forcé de lui parler du coup de téléphone de Leo Getz.

— Parce que j'ai réfléchi au comportement de Kip. Je sais qu'il n'a pas vraiment envie que je lui revienne ; donc, il doit avoir une autre raison pour vouloir se remarier. J'ai pensé qu'il était poussé par la jalousie – la haine même. Il ne veut pas de moi, mais il ne veut pas non plus que quelqu'un d'autre puisse m'avoir.

« Mais ce n'est pas le but de ma visite, ajouta-t-elle, les larmes aux yeux. J'ai essayé de me convaincre que je ne devais plus t'impliquer dans cette histoire.

C'était donc cela !

— Il y a un problème, n'est-ce pas ? souffla-t-il en la prenant dans ses bras. Tu trembles ! Mon Dieu, Carolee, dis-moi ce qui se passe, je trouverai une solution !

— Je tiens à ce que tu saches ce que j'ai découvert, répondit-elle en jetant de nouveau un coup d'œil à sa montre. J'ai besoin de ton aide.

Max la serra avec force.

— Tout ce que tu voudras. Il ne faut plus que tu souffres.

— C'est bête, mais je t'aime de m'aimer. Je n'en reviens pas.

Il l'embrassa sur le front.

— Kip a peur que je ne me remarie, poursuivit-elle. Ça le panique complètement. En tout cas, c'est ainsi que je vois les choses. D'abord, il y a eu son attitude après l'accident de Faith. Il était effondré, bien sûr, mais son désespoir avait quelque chose d'anormal. Il semblait lui en vouloir. Alors, j'ai voulu vérifier si mon intuition était fondée.

— C'est une affaire d'argent, n'est-ce pas ? devina Max.

— Qu'est-ce qui te fait dire cela ?

— Toutes sortes de détails. Ce dont tu me parles, mais aussi ce que j'ai vu de son bateau. Il est énorme. J'ai quelques relations dans le milieu artistique et j'ai posé des questions. Kip organise de grandes expositions sur ce bateau. À l'intérieur, tout est conçu pour que les gens aient envie de dépenser une fortune. Pour l'instant, ça ne marche pas fort. Certaines personnes lui reprochent de leur tendre un piège. Les critiques sont plutôt favorables à l'égard des œuvres de Kip, mais ses tableaux se vendent mal parce que ses prix sont exorbitants. Certains les trouvent par ailleurs sans grande originalité.

— Il avait du talent, autrefois, mais il ne savait pas se discipliner. Max, il a retiré des sommes importantes du fonds de Faith. Il a le droit de se servir sur ce compte pour les besoins de notre fille, mais là... ça dépasse les bornes.

Voilà pourquoi il poussait Getz à le renflouer au plus vite !

— Il devait pourtant se douter que tu ne tarderais pas à le découvrir.

— Il n'y a jamais cru. À mon avis, maintenant, il a peur d'être pris la main dans le sac. Au départ, je lui avais laissé carte blanche et promis d'alimenter le compte régulièrement. Mais si j'ai un autre homme dans ma vie, ça risque de tout changer pour lui, n'est-ce pas ?

— C'est possible.

— C'est même probable. Mon compagnon voudrait s'assurer que mes finances sont en ordre.

— Pas moi, à moins que tu ne me demandes conseil. Ça ne me regarde pas.

Carolee entrelaça les doigts aux siens.

— Mais Kip est incapable d'imaginer qu'un tel homme existe. Il a supposé d'emblée que tu serais comme lui.

— Ma chérie, au risque d'être désagréable, si Faith mourait, le fonds disparaîtrait aussi, non ?

— Oui, chuchota-t-elle.

— Donc, il s'énerve parce que son état ne s'améliore pas. Du moins, ce peut être une possibilité.

— J'aimerais ne pas être sûre que c'est exactement ce qui s'est passé. Non pas que ça fasse une grande différence.

— Tu plaisantes ? s'indigna-t-il en se levant et en l'attirant à lui. Tu ne peux pas lui permettre de dépouiller ta fille.

— Il risque le tribunal, non ? murmura-t-elle distraitement.

— Oui.

— Quand j'ai réalisé que je serais folle de continuer sans toi, je suis venue. J'avais l'impression de rentrer chez moi.

— Où que je sois, tu seras chez toi. Si tu le veux.

De nouveau, elle jeta un coup d'œil à sa montre.

— Qu'y a-t-il, Carolee ? Tu ne cesses de regarder l'heure.

Son téléphone portable sonna dans son sac, et elle s'assit pour répondre. Elle en vida le contenu, cherchant l'appareil avec frénésie, les mains tremblantes.

— Allô ?

Elle pâlit, s'humecta les lèvres.

— Oui... J'ai tout... Je ne lui ai rien dit. Son cœur est trop faible... Non, j'ai tout écrit. Oui... D'accord.

Elle s'empara d'un stylo et d'un bloc-notes.

— Je t'écoute... Oui, oui, c'est bon. Je serai à l'heure.

D'un geste lent, elle éteignit son portable.

— Qui était-ce ?

Elle sursauta.

— Kip.

— Il te terrifie.

— M'aiderais-tu, quel que soit le danger ?

— Évidemment !

Elle se détourna.

— Il faut que ce soit fait à ma façon, Max.

— Qu'entends-tu par là ?

— Si tu n'acceptes pas mes règles, j'agirai seule. Sans toi, mes chances de réussite sont minces. Voilà… Kip a sorti Faith de l'hôpital. Il a plus ou moins menacé de la faire souffrir si je ne lui obéissais pas. Quand j'arriverai à l'aéroport, il ne faudra surtout pas te montrer.

Max ouvrit la bouche, mais aucun son n'en sortit. Il se laissa choir sur le bras du canapé. Elle exigeait l'impossible. Il ne pouvait pas la laisser retrouver Burns sans lui. Rien que d'y songer, il sentait monter en lui une fureur noire.

— Il faut que j'y aille, reprit-elle.

— Je te conduis.

— Il sera là-bas avec Faith, Il m'attend pour que nous partions ensemble. C'est du moins ce qu'il prétend, mais… il ne veut pas de moi, Max.

— Viens. Ma voiture est dans le parking.

— Nous irons séparément.

— *Non !*

— Ne discute pas. Nous ne pouvons pas être ensemble, tu comprends ? J'y serai, tu y seras, mais pas ensemble. Et si je ne t'appelle pas, tu sauras que je n'ai pas besoin de toi.

— Si c'est ce que tu souhaites. Entendu.

— Max… Promets-moi de ne pas intervenir à moins que je ne te le demande.

Il crispa les poings.

— Je t'aime, Carolee. La police devrait…

— Non ! Pas avant que Faith ne soit en sécurité.

— Tu es armée ?

— Je ne sais pas tirer. Je ne veux pas prendre de risques inutiles.

— Très bien.

Elle l'embrassa sur la bouche avec ferveur, puis s'écarta.

— Je file. Rendez-vous au terminal principal. Voici les renseignements.

Elle lui tendit une feuille de papier.

— Gare-toi au quatrième étage. Laisse-moi cinq minutes, puis suis-moi. Je t'en supplie, Max, sois discret. Je ne pense pas que tu aies de difficultés à suivre l'évolution de la situation. Il a choisi un lieu public. Il ne devrait pas y avoir de problème, mais je préfère que tu sois là, au cas où.

Elle enfila sa veste et ses escarpins, ouvrit la porte.

— Attends ! Je ne peux pas te laisser partir, cria-t-il, puis il vit son regard et se ravisa. D'accord, d'accord. Je te suis dans cinq minutes.

36

Malgré l'heure tardive – 23 h 15 –, la circulation était dense sur l'autoroute. Une pluie fine tombait en continu et des jets d'eau sale giclaient sous les pneus des poids lourds.

Les essuie-glaces de Max marchaient à plein régime. Il roulait trop vite, mais s'il y avait eu moins de véhicules, il aurait encore accéléré.

Il consultait sans cesse l'heure au tableau de bord. Il avait plus de cinq minutes de retard sur Carolee.

Kip Burns était fou. Et les fous étaient imprévisibles. Max avait envisagé un instant de demander à Rob Mead de l'accompagner, puis il avait abandonné cette idée : son ami était trop facile à repérer. Déjà que lui…

23 h 52, vol au départ de la Porte A6.

Burns attirait Carolee et Faith dans un filet. Une fois qu'il les aurait sous sa coupe, tout était possible. Max pria pour que Carolee ne s'engage pas dans une action héroïque. *Obéis-lui, ma chérie, je m'occupe du reste. Et surtout, surtout, reste en vie, mon amour.*

Carolee remonta la rampe du parking de l'aéroport. Elle savait ce qu'elle avait à faire. Grâce au soutien de Max, elle se remettait à espérer.

Parvenue au quatrième, elle engagea la Mercedes dans une allée, puis dans une autre, en quête d'un emplacement.

— Un endroit anonyme, avait précisé Kip. Là où l'éclairage n'est pas trop fort. Il ne faut pas qu'on puisse retrouver ta voiture trop vite.

Ils décollaient à 23 h 52. Elle ne connaissait même pas leur destination.

Elle avait reçu l'ordre de se garer, puis de poursuivre à pied jusqu'à l'extrémité de l'étage, dans une zone en construction, pour y attendre Kip.

L'aéroport était calme. Comme d'habitude, à cette heure-ci. Max était conscient de son allure échevelée. Il sentait les regards des employés s'attarder sur lui.

— Allez au diable ! marmonna-t-il en fonçant vers l'aile A.

Alors qu'il passait une porte de sécurité, une alarme sonna et il lâcha un juron sonore. Il dut passer et repasser, vider ses poches, ôter sa ceinture et sa montre, montrer les talons de ses chaussures. Le cœur battant la chamade, il écarta les bras tandis qu'un agent le scannait.

Un groupe de passagers moroses patientait devant la porte A6. Max vérifia le tableau au-dessus du comptoir. On y annonçait un vol pour Minneapolis prévu pour 23 h 48. Rien pour 23 h 52. Carolee s'était sans doute trompée de quelques minutes. Il scruta les alentours, en vain. Elle était invisible, de même que Kip et Faith. Minneapolis… De là, ils pouvaient aller n'importe où dans le monde.

Une hôtesse annonça que la suite de l'embarquement s'effectuerait sous peu. Max en déduisit que les voyageurs des premières classes et des classes affaires, ainsi que les personnes ayant besoin d'assistance étaient déjà à bord.

Il arpenta la salle un moment, se rappela soudain que Carolee lui avait recommandé la plus grande discrétion. Il se réfugia auprès des cabines téléphoniques.

Dans cinq minutes, l'avion décollerait.

Sous les néons, les passagers se dirigeaient vers la passerelle d'un pas las.

Les personnes ayant besoin d'assistance! Nom de nom! Pourquoi n'y avait-il pas songé plus tôt?

— Monsieur! s'écria-t-il en se précipitant vers un agent qui s'efforçait de garder son calme face à un client qui voulait à tout prix passer en première. Monsieur! Je cherche quelqu'un.

L'agent lui adressa un sourire. Max admira son sang-froid.

— Ma femme et ma fille – et mon frère – sont à bord de cet avion. Ma fille a oublié son passeport, et elle va en avoir besoin plus tard.

— Un instant, je vous prie... Je regrette, monsieur, fit-il en se tournant vers le passager, mais il ne reste plus de places en première.

— Ma fille est souffrante! ajouta Max. Elle marche avec des béquilles. Elle a dû embarquer en fauteuil roulant.

— Un instant, monsieur.

L'heure du départ approchait.

— À quoi ça sert de collectionner les points Ciel, alors? vociféra le touriste mécontent. On m'avait assuré que je pourrais voyager en première.

— Je n'ai plus de sièges, monsieur.

— Vous pourriez peut-être vous asseoir sur les genoux de quelqu'un, suggéra Max. Ou demander à quelqu'un de...

Les mots moururent sur ses lèvres. Il marmonna des excuses. L'homme s'éloigna en le fusillant du regard.

— Ça a marché! fit l'agent. Merci. Vous aviez un souci avec votre fille.

Max tapota sa poche.

— Il faut que je lui remette son passeport.

— Béquilles ou fauteuil roulant, c'est ça?

— Oui. Faith. Faith Burns. En compagnie de Carolee Burns et de Kip Burns – mon frère.

— Ce nom ne figure pas sur ma liste, déclara l'agent après quelques secondes. Je vérifie sur l'ordinateur... Non. D'ailleurs, personne n'a eu besoin d'assistance.

— Vous les avez ratés, répliqua Max. Laissez-moi monter à bord.

— C'est impossible.

— Très bien. Allez-y, *vous*. Ou demandez à l'un de vos collègues de le faire. Je vous en supplie !

L'agent le dévisagea d'un air méfiant, mais envoya une hôtesse.

Si la Porsche de Kip était là, Carolee ne l'avait pas vue. Où était-il ? Et Faith ? Plusieurs voitures empruntèrent les rampes en spirale. Certaines s'arrêtèrent au quatrième, d'autres continuèrent de monter. Les passagers étaient sans doute en train d'embarquer. Quant à Max, il avait dû entrer directement dans l'aérogare.

Le cœur de Carolee battait très fort. Elle avait suivi les ordres à la lettre et s'était garée à l'écart. La zone de construction dont lui avait parlé Kip était cernée par des barrières. Câbles et fils électriques tombaient du plafond et serpentaient sur le sol. Une eau boueuse gouttait de la bâche recouvrant les poutrelles.

Les phares d'une automobile apparurent.

Carolee recula en détournant la tête pour ne pas être aveuglée. Le moteur s'arrêta, les lumières s'éteignirent.

Une Porsche gris métallisé.

La portière s'ouvrit du côté conducteur, un homme descendit.

La haute silhouette de Kip s'avança dans sa direction, ses talons résonnaient sur le sol en béton. Il tenait un objet dans la main droite, et Carolee tressaillit. Un déclic. Il avait enclenché le dispositif de fermeture centralisée de la Porsche.

Se glissant entre deux piliers, il se planta devant la jeune femme.

— J'espère que tu n'as pas perdu la tête. Tu n'as pas prévenu les flics ?

— Non.

— C'est bien. N'aie pas peur.

— Où est Faith ?

Il posa la main sur son épaule. Carolee sursauta.

— Dans la voiture. Elle dort. Elle est en pleine forme et impatiente que nous soyons à nouveau réunis tous les trois.

Elle porta la main à sa gorge.

— Comment peut-elle dormir, vu les circonstances ?

— Ce ne sont pas un ou deux cachets qui lui feront du mal. Tu ne voudrais pas qu'elle se réveille et soit effrayée, non ?

— Nous allons manquer l'avion. Va chercher Faith.

Elle voulait la voir, s'assurer qu'elle était en bonne santé.

— Nous ne prenons pas l'avion. Je ne pouvais pas tout te dire, au risque que tu divulgues l'information. Nous partons en voiture. La tienne. Tu as les bagages ?

— Oui, mentit-elle.

Elle n'avait rien pris du tout.

Max devait être dans le terminal, devant la porte A6, à se demander où elle était. Il n'avait aucune raison de revenir ici la chercher.

— Tu as sorti l'argent de la banque ?

Elle lui montra son sac à main. Elle n'avait pas vidé tous ses comptes comme il le lui avait ordonné, mais elle avait prévu de quoi se retourner en cas d'urgence.

— Le chien est avec toi ?

— Non.

Inutile d'éveiller ses soupçons.

— Je t'avais dit de l'emmener, siffla-t-il. C'était important.

— Pourquoi ?

— Parce que. Tout doit se dérouler exactement comme je l'ai prévu. Tu devais amener le chien parce que…

Il tourna brusquement la tête, et elle le vit déglutir.

— Tant pis, reprit-il. Tu n'aurais pas dû, Carolee. Si tu aimais vraiment Faith, tu n'aurais pas songé une minute à me faire ça.

— Qu'est-ce que tu racontes ?

— Tu vas me tuer et faire semblant d'avoir agi en état de légitime défense.

Elle s'écarta, la bouche ouverte, la gorge nouée. Ne pas regarder autour d'elle, à la recherche de Max, lui demanda un effort surhumain.

— Tu as tout manigancé !

Un moteur rugit, se tut presque aussitôt. Kip leva une main menaçante devant le visage de la jeune femme et siffla :

— Boucle-la !

— Kip, s'il te plaît, écoute-moi. Je ne sais pas quelles sont tes intentions, mais je suis sûre que nous pouvons trouver une solution. C'est à cause de l'argent, n'est-ce pas ? Le compte de Faith ? Tu crains que je ne fasse un scandale parce que tu as pratiquement tout dépensé ? Je ne dirai rien. Nous...

— Ferme-la !

Il ricana.

— Je me doutais que tu avais compris. Peu importe, d'ailleurs. Tu avais toutes les chances de ton côté, il ne m'en reste plus qu'une. Finissons-en. Tu m'as menacé : si je ne suivais pas tes instructions ce soir, tu m'accuserais d'avoir volé l'argent de Faith et tu t'arrangerais pour que je ne puisse plus jamais la voir. Tu m'as obligé à la sortir de l'hôpital et tu as organisé ce rendez-vous. Tu m'as expliqué que nous allions partir ensemble, en avion. Mais c'était un mensonge. En fait, tu veux me faire monter dans ta voiture, me conduire quelque part dans la nature et me descendre. Ensuite, tu courras chez les flics en pleurant et en expliquant que c'était un accident. Tu auras eu tout ce que tu voulais.

— Tu es complètement cinglé !

— Je t'ai dit de la fermer !

Il leva le bras comme pour la frapper, mais s'arrêta dans son élan.

— Je serais incapable de tuer une mouche !

— Qui a dit que tu allais tuer quelqu'un ?

Elle regarda autour d'elle. Impossible de s'enfuir : il avait Faith.

— C'est toi. Tu délires.

— Je t'ai raconté une petite histoire. C'est celle que je répéterai aux flics. Dommage que je sois plus grand et plus costaud que toi.

— Kip, ça suffit !

— Baisse le ton. Tu m'as poussé à bout, Carolee. Je ne souhaitais pas que ça se passe ainsi. Je t'aime, mais tu me repousses. Tu veux me détruire et refaire ta vie avec un autre. Il t'a probablement aidée à tout planifier.

— Max n'aurait jamais...

— Ah, oui, Max ! Pauvre Max. Il va être déçu. Il ne récupérera pas ce qui m'appartient.

— Kip, écoute-moi ! Il ne s'est rien passé. Rentrons à la maison et faisons comme si nous n'étions jamais venus ici.

— Menteuse ! Tu m'as toujours pris pour un imbécile. Tu as ruiné mon existence, et je t'ai donné une bonne leçon. Du moins, je le croyais. Mais, apparemment, tu n'as pas encore compris que j'étais plus malin que toi.

— Kip, je suis sincère...

— Moi aussi, bébé. Bouscule-moi. Cogne-moi. Mais ne crie pas avant que je t'aie frappée.

— Monsieur Burns ?

L'hôtesse revint en courant vers Max.

— Vous avez dû vous tromper, monsieur. Il n'y a personne à bord correspondant à votre description.

Max la remercia et pivota sur ses talons tandis que l'agent fermait la porte de la passerelle. Où aller ? Que faire ?

Parvenu devant l'escalator menant au parking, il s'immobilisa et relut le papier que lui avait donné Carolee. Il y avait eu un changement de programme. Burns avait réussi son coup et détenait Carolee et Faith. Et Max n'avait aucun moyen de savoir quelles étaient ses intentions.

Il inséra sa carte de crédit dans l'appareil de paiement. Il était désemparé. Le mieux serait de se rendre directement à Lake Home, de mettre Sam au courant, puis de prévenir la police. Et de prier.

Il courut jusqu'à sa voiture, s'y engouffra et démarra. Tout en se dirigeant vers la rampe de sortie, il baissa sa vitre. Décidément, l'aéroport était très tranquille, à cette heure de la nuit.

— Je ne peux pas te frapper ! protesta Carolee.

— Tu n'as pas hésité quand j'ai traité ta mère de putain.

Elle l'agrippa par les revers de sa veste et essaya de le secouer.

— C'est un mensonge !

— De toute façon, quelle importance ? D'après ce que Linda m'a raconté, ton père était un bigame débauché.

Carolee le lâcha, écœurée.

— Laisse-moi partir. Laisse-moi emmener Faith et je ne ferai pas d'histoires. Tu pourras t'en aller et vivre ta vie. Je sais ce que tu as en tête. Tu veux qu'on se batte et...

Elle ne put achever sa phrase. Sans prévenir, il la prit par la taille et la hissa sur un muret. Les bâches claquaient dans son dos, aspergeant ses cheveux d'eau boueuse. Le vent sifflait dans les échafaudages.

Carolee tenta de s'agripper à lui, mais il l'empoigna par les poignets et la poussa en arrière. Elle jeta un coup d'œil vers le sol, quatre étages plus bas.

Kip libéra un de ses poignets, et elle hurla.

— Je n'ai rien fait de ce que tu m'as demandé, cria-t-elle. Je n'ai ni les bagages de Faith ni les miens. Je n'ai pas vidé les comptes en banque. Je n'ai pas écrit de mot à mon père. *Je n'ai rien manigancé contre toi !*

Kip émit un cri bestial en se penchant sur elle.

Max émergea de l'allée, et ses phares éclairèrent une Porsche gris métallisé. Il connaissait cette voiture. Au même instant, il aperçut un véhicule dans son rétroviseur.

Aussitôt, il mit ses feux de détresse et appuya sur le klaxon. Il aurait préféré ne pas attirer ainsi l'attention, mais il fallait absolument qu'il remonte au quatrième.

Crissement de pneus.

Max n'attendit pas de savoir si le conducteur s'immobiliserait à temps. Il fit demi-tour et accéléra, au cas où sa victime déciderait de le suivre.

Il se gara entre deux voitures et éteignit ses phares. Une voix d'homme résonna, furieuse, mais fut bientôt noyée par le ronronnement d'un autre moteur. Le silence revint au bout de quelques secondes. Tapi dans l'ombre, Max tenta de localiser la Porsche.

Son imagination lui avait peut-être joué un tour.

Il descendit de la Cadillac en prenant soin de ne pas claquer la portière, et se dissimula derrière un pilier, à sa droite, pour continuer ses recherches.

Son regard tomba sur le véhicule de Carolee. Il se courba en deux et s'en approcha silencieusement. Personne.

C'est alors qu'il repéra la Porsche – un peu plus loin, à l'écart, près d'une zone en construction. Il fila sans bruit dans cette direction, toujours courbé.

À l'intérieur, un léger mouvement attira son attention. Pas à pas, il s'avança. Sur le siège passager, paupières closes, se trouvait Faith.

Les doigts de Kip s'enfonçaient cruellement dans la chair de son poignet. Une automobile avait quitté le parking, et il y avait eu une brève altercation entre deux étages. Kip avait plaqué la main sur la bouche de Carolee jusqu'à ce que le silence revienne.

Il l'arracha du muret, et elle s'effondra sur le sol. Il se jeta sur elle.

— Débats-toi, ordonna-t-il entre ses dents serrées. Ça va marcher… C'est toi qui m'as attiré dans ce guet-apens.

Carolee lutta, le repoussa, planta les ongles dans son visage, le gifla.

— J'ai toujours su que derrière tes airs sages, tu cachais un tempérament de feu, susurra-t-il.

Il roula sur le dos, l'entraînant avec lui, et la coinça entre ses jambes.

Elle le frappa. Un flot de bile lui monta dans la gorge. Sa vue se brouillait. Elle le cribla de coups de poing sur la figure. Kip se débattit. Elle avait les genoux écorchés, les paumes en sang. Ses cheveux lui collaient au visage et dans le cou.

Un objet dur, enveloppé dans un chiffon, fut poussé dans sa main droite. C'était un pistolet. Kip lui emprisonna la main, fit glisser un bout de l'étoffe, s'assurant que c'était bien elle qui tenait la crosse.

Il allait l'abattre. En état de légitime défense.

— C'est l'arme que j'ai achetée quand tu as commencé à partir en tournée, lança-t-il d'une voix rauque où perçait un accent de triomphe. Tire, bébé. Vas-y, tire !

Tandis qu'il se moquait d'elle, il veillait à ce que le revolver ne soit pas dirigé vers lui.

Carolee se défendit avec l'énergie du désespoir. Il effectua une rotation soudaine, atterrit lourdement sur elle.

Elle se cabra, et il ricana. Puis il pointa le canon sur le cou de Carolee.

Son propre cri lui déchira les tympans. Une bouffée d'adrénaline fusa dans ses veines, et elle parvint à détourner l'arme de sa cible.

Elle sentit le doigt de Kip appuyer sur son propre index coincé sur la détente. Le coup de feu se répercuta dans tout le bâtiment.

Souriant, il leva leurs mains jointes, la gueule noire de l'arme visant la tête de Carolee. Folle de terreur, elle remonta brutalement le genou droit entre les cuisses de Kip.

Un gémissement lui parvint. Faith ? Non, ce n'était pas Faith. C'était Kip qui se tortillait sur elle.

Apercevant le pistolet par terre, elle tenta de le saisir, et réalisa que Kip ne pesait plus sur elle. Max l'avait empoigné par les cheveux, indifférent à ses glapissements.

Max avait une arme. Il l'enfonça dans le ventre de Kip et le maintint de côté pendant qu'il vomissait.

Des voix, de plus en plus fortes. Des bruits, de plus en plus distincts. Des pas précipités.

Plusieurs hommes en uniforme surgirent, revolver au poing. Kip, à genoux, se tenait le bas-ventre, tandis que Max continuait de lui tirer les cheveux et de le bourrer de coups impitoyablement.

37

Faith émergea de la salle de bains, enveloppée dans un peignoir, une serviette en turban sur la tête. Elle était encore trop mince, mais se débrouillait de mieux en mieux avec ses béquilles. Elle était à Lake Home depuis trois semaines.

Debout près de la fenêtre, Carolee regardait les feuilles rouges et jaunes voleter devant la véranda éclairée.

— L'hiver approche, murmura-t-elle. Je n'ai pas vu passer l'été et l'automne.

— À quelle heure est-ce que Max va arriver ? demanda Faith d'une voix un peu essoufflée.

Ses mâchoires étaient à nouveau mobiles, mais elle les remuait avec précaution. Dans quelques jours, elles partiraient pour Houston.

— C'est à toi de me le dire, répliqua Carolee, tandis que son cœur s'emballait. C'est toi qui l'as invité derrière mon dos. Et pour dîner, en plus !

— Je t'ai promis de m'occuper de tout.

Carolee lui sourit.

— Tu es têtue comme une mule. Tu sais bien que c'est impossible, dans ton état. Quand bien même tu aurais l'habitude de cuisiner, tu es encore faible. Assieds-toi, s'il te plaît.

Faith se laissa tomber sur la banquette, sous la fenêtre, et attira sa mère à ses côtés.

— Maman... J'ai tellement besoin de toi, et tu fais tout ce que tu peux, pourtant je n'ai pas été gentille avec toi. Je me sens perdue. Parfois, je suis en colère, la seconde d'après, je suis triste. Et quelquefois, quand je suis seule, j'ai peur que tout le monde ne m'abandonne.

— Tu as subi de rudes épreuves, mon trésor. Mais ne t'inquiète pas, je serai toujours là, la rassura Carolee en caressant la longue cicatrice qui lui barrait le front. Quant à grand-père, s'il le pouvait, il monterait sa tente dans ce salon. Tu as une famille qui t'aime – y compris ton père.

— Je ne crois pas que papa soit capable d'aimer quelqu'un. Dans le journal, ils ont dit qu'il avait l'intention de te tuer. Si je n'ai rien fait quand il m'a sortie de l'hôpital, c'est parce qu'il m'avait menacée de choses horribles.

Son menton trembla, et elle ravala un sanglot.

— Tout ça, c'est à cause de moi. Parce que tu pensais à mon avenir et que tu avais mis de l'argent de côté pour moi, et que papa s'est servi de ces économies pour s'acheter un bateau. Je crois qu'il va aller en prison – et pour longtemps.

— J'espère pour lui qu'il se fera soigner pendant son séjour là-bas... Je t'avais interdit de lire les journaux. Il n'y en a pas dans la maison. Où les as-tu trouvés ?

— C'est un secret.

Carolee n'insista pas, mais elle devinait la réponse.

— Tu n'as pas revu Max depuis des siècles, maman ! reprit Faith, tandis que Digger venait s'écrouler à ses pieds. Il me manque, et à toi aussi, j'en suis sûre. Quand il rend visite à grand-père, tu t'en vas. Il te cherche, je l'ai vu. Et il a l'air si abattu !

— Je l'ai revu, mais pas comme je le voudrais. J'ai été débordée, et il a sa vie.

Faith s'accrocha au bras de sa mère.

— Maman, tu sais ce que c'est qu'un martyr ?

— Oui, bien sûr.

— Eh bien, tu te comportes comme une martyre. Tu n'as pas le cran de te remarier – au cas où ça se passerait mal. D'après moi, tu l'évites.

— Faith, ça suffit. Tu adores Max…

— Toi aussi.

— Je te prie de ne pas m'interrompre. Tu ne peux pas m'obliger à éprouver pour lui les mêmes sentiments que toi.

Faith dénoua la serviette sur sa tête, et une cascade de boucles jaillit dans tous les sens.

— C'est bête ce que tu dis, maman. Nous n'avons pas *du tout* les mêmes sentiments.

Digger déposa un caillou par terre, joua avec quelques instants, puis cacha son trésor sous un coin du tapis.

— Est-ce que tu es amoureuse de lui, maman ?

— Oh, Faith ! soupira-t-elle, médusée par le sang-froid de sa fille.

— Alors ?

— Je… Oui. Je l'aime. J'espère que tout finira par s'arranger. Mais il ne faut pas me presser, ma chérie. D'accord ?

Faith se leva et s'approcha de son lit. Elle revêtit une robe longue en coton bleu.

— Très bien, déclara-t-elle enfin. Max sera là dans une heure.

Carolee opina.

— Je descends voir ce que nous avons à manger.

— J'ai déjà commandé le repas. Une pizza. On va nous la livrer. Mme Archer a apporté une belle salade et une tarte pendant que tu étais sortie.

— Tu as sollicité Nellie ?

— J'ai voulu la payer, mais elle a refusé. J'en ai profité pour la remercier pour la poupée, et je lui ai dit qu'elle avait sa place sur mon lit.

— Où sont les bestioles qu'elle avait dans les poches ?

— Elle les a mangées ! s'exclama Faith en riant. J'essaie d'être plus excentrique. Je voudrais être plus intéressante.

— Je t'aime, ma chérie. Tu es l'enfant la plus intéressante que je connaisse.

— Merci, mais je ne suis plus une enfant. Ah ! Ces cheveux... !

Elle se dirigea vers la glace et entreprit de les démêler avec un gros peigne. Dix minutes plus tard, elle se déclarait satisfaite.

— Je suis belle. Attends un peu que le médecin du Texas ait complètement réparé ma mâchoire. Si je continue comme ça, tout le monde m'enviera. Max me le répète sans arrêt. On y va ?

Faith ne ratait pas une occasion de citer Max, et s'arrangeait pour mettre en valeur ses qualités.

Carolee précéda Faith dans l'escalier.

— Tu peux m'aider à mettre le couvert, maman ?

Carolee attendit les ordres. Elle sortit chercher des feuilles d'érable, les essuya soigneusement avec un chiffon en papier, et Faith les disposa dans une coupe en argent en annonçant :

— Ça, c'est le centre de table.

Carolee fit ensuite ce que sa fille lui demandait.

— Quand as-tu préparé tout cela ? s'enquit-elle en brandissant une serviette en papier décorée d'une feuille d'automne.

— C'est un secret.

— Sam, souffla Carolee.

— Il vaut mieux laisser la salade au réfrigérateur, non ?

— Oui.

— Il y a du cidre, du lait, et du vin pour Max et toi, évidemment. Maman, promets-moi de sourire. Tu es si jolie quand tu souris !

— Je ferai de mon mieux.

— Et tu joueras du piano pour Max. Quand il t'écoute, il a l'air si heureux !

Il *avait* l'air heureux. À présent, chaque fois qu'elle s'asseyait devant le clavier, le désespoir l'envahissait. Elle revoyait Max assis près d'elle, attentif, tendre.

— Non, je préfère attendre que la situation soit éclaircie.

— Si !

— Cesse de geindre, Faith. Tu ne peux pas décider à la place des autres.

Elle fit la grimace, et Carolee en déduisit que son intention était de lui montrer à quoi elle ressemblait quand elle la réprimandait.

Un ronronnement de moteur leur parvint, suivi d'un crissement de pneus sur le gravier. Carolee s'agita.

— Il est trop tôt ! La pizza n'est pas encore arrivée !

Faith fronça les sourcils.

— Ce n'est pas la voiture de Max. Tu crois que papa...

— Ce n'est pas non plus celle de ton père, coupa Carolee. D'ailleurs, il ne prendrait pas ce risque. Il a été libéré sous caution, avec l'interdiction absolue de nous approcher. Il ne peut se permettre la moindre erreur.

Ivy Lester entra sans frapper, les cheveux emmêlés par le vent. Elle portait un long manteau en mohair orange et rose sur une jupe et un col roulé assortis.

— Salut, vous deux ! lança-t-elle en se passant la main dans les cheveux. C'est la tempête, dehors ! Carolee, il fallait à tout prix que je te voie. Faith, je te serais reconnaissante de nous laisser seules un instant.

— Je peux aller dans la cuisine. Ou m'asseoir sur les marches et les monter une par une. Qu'est-ce que vous préférez, Mme Lester ?

— Faith n'ira nulle part, intervint Carolee. Qu'as-tu à me dire, Ivy ?

Celle-ci aperçut la table.

— Tiens ! Vous attendez de la visite ?

— Dis-moi ce que tu as à me dire et va-t'en.

Les yeux bleus d'Ivy s'embuèrent.

— C'est possible, maintenant que je sais que tu ne veux plus de Kip. Nous nous aimons lui et moi. Si je le perds, je perdrai le seul homme au monde auquel j'aie jamais tenu...

Faith se dirigea péniblement vers le canapé et s'assit.

— J'irai droit au but, enchaîna Ivy. Je t'en supplie, retire ta plainte. Explique-leur que les choses ont dérapé, que tu es aussi coupable que Kip – que tu l'avais menacé de lui prendre Faith.

Carolee chercha une chaise à tâtons derrière elle et s'y laissa tomber.

— Kip est coupable. Il a avoué. En admettant que je le veuille, je ne pourrais pas renverser la situation.

— Si ! glapit Ivy. Dis-leur que tu as tout inventé. Que tu as incité Kip à te rejoindre à l'aéroport. C'est le papa de Faith. Quelle sorte de mère peut accepter d'être responsable de l'emprisonnement du père de sa fille ?

— Tu t'inquiètes de Kip. Qu'en pense Bill ?

Ivy s'assit à son tour.

— Tu m'offres un verre ?

— Non. Tu conduis.

— Décidément, tu as toujours été une garce de première. Bill ne m'est plus rien depuis des années. Celui qui compte, c'est Kip. Ce n'est ni sa faute ni la mienne si tu as fait passer ta carrière avant lui. Kip est un homme, il a des besoins et des désirs, et j'étais là au bon moment. Si tu déclares au tribunal que toute cette histoire n'est qu'une plaisanterie qui a mal tourné, je ferai en sorte qu'il quitte Seattle et qu'il n'y revienne jamais.

— Il n'en est pas question, rétorqua Carolee, impitoyable. Qu'est-ce qui te fait croire qu'on ne m'interrogera pas sur le fait que Kip a failli me pousser du quatrième étage du parking, ou qu'il m'a pointé un revolver sur la tempe ?

Un bruit de pas résonna sur la véranda. Carolee alla ouvrir à Max. À en juger par son expression, elle comprit qu'il voulait l'embrasser. Elle s'écarta pour qu'il puisse apercevoir Ivy.

— Entre, je t'en prie !

Sans la quitter des yeux, il franchit le seuil.

— Bonsoir, Max ! lança Faith. On mange une pizza. Elle va être bientôt livrée.

— Formidable ! approuva-t-il en ôtant son Stetson. Je vois qu'Ivy se joint à nous.

— Pas du tout ! répliqua Faith. Elle est venue parler à maman. Maintenant, elle doit s'en aller.

En d'autres circonstances, Carolee aurait reproché à sa fille son manque de courtoisie. Pas ce soir.

— Max ! gloussa Ivy. Pouvez-vous convaincre Carolee de pardonner à Kip afin de lui épargner cette épreuve détestable ?

Il accrocha son chapeau auprès des deux autres.

— Vous n'avez vraiment aucun amour-propre. Et vous n'êtes pas très maligne. Cessez donc d'utiliser Carolee à vos fins. C'est vous qui avez parlé de moi à Kip, n'est-ce pas ? Vous le préveniez chaque fois que Carolee et moi étions ensemble. Pourquoi ? Je suppose qu'il traînait les pieds pour vous supplier de quitter Bill et de l'épouser ? Vous avez dû vous imaginer qu'en apprenant que Carolee avait un ami, cela le rendrait furieux et qu'il s'en détacherait ? Étrange logique. Malheureusement, c'est le contraire qui s'est passé. Il s'est mis à lui accorder toute son attention, et à s'éloigner de vous. Vous auriez dû comprendre qu'il cherchait simplement à arrondir les angles parce qu'il craignait qu'elle ne découvre qu'il avait puisé dans le compte en banque de Faith.

— Ivy, il est temps d'y aller. Notre pizza ne va pas tarder, intervint Faith.

Carolee posa l'index sur ses lèvres en la fixant d'un œil sévère.

— Très bien, minauda Ivy. J'ai compris le message.

— Tu n'es pas une amie, dit Carolee. Tu es hypocrite et manipulatrice. Tu traînais autour de moi dans le seul but de collecter des informations contre moi, afin de t'insinuer dans les bonnes grâces de Kip.

— Elle était tout le temps à l'appartement ! s'écria Faith. Elle venait voir papa, elle disait qu'elle était son amie.

— Je *suis* son amie. La meilleure amie qu'il ait jamais eue, la seule maîtresse qu'il ait jamais désirée.

— Assez ! gronda Max.

— Depuis quand ? voulut savoir Carolee.

Ivy avança le menton.

— Neuf ans. Les neuf plus belles années de nos vies. Max, seriez-vous assez aimable pour me raccompagner jusqu'à ma voiture ?

Max n'avait aucune envie de se plier à cette requête, mais Carolee l'y encouragea.

— Emmène-la, s'il te plaît.

— Il ne t'aime pas ! lâcha Ivy juste avant de sortir. C'est moi qu'il aime !

— Tant mieux ! Moi non plus, je ne l'aime pas.

— Je te hais ! ajouta Ivy. Kip aussi. Tu l'as mené par le bout du nez avec tout ton fric. Il n'a pas besoin de toi. Nous nous en sortirons. C'est pour moi qu'il a subi une vasectomie. Il ne voulait pas que j'aie le moindre problème.

Cette révélation changeait tout ; elle ne pouvait que redonner confiance à Carolee. Elle évita le regard de Max, mais son demi-sourire le remplit d'espoir.

La pizza arriva enfin, et tous trois se mirent à table.

— Oublie-la, conseilla Max à Carolee, tandis qu'elle les servait. On ne sait jamais si elle ment ou pas.

— En d'autres termes, elle n'a peut-être pas eu une liaison avec Kip pendant neuf ans, et donc, je ne devrais pas me sentir mal à ce sujet, c'est ça ? Je comprends mieux un certain nombre de choses, maintenant. Mais ce qui me blesse, c'est que leur relation dure depuis si longtemps. Je croyais qu'il m'aimait comme je l'aimais. Finalement, ils se méritent l'un l'autre.

— Reprends un peu de salade, maman ! proposa Faith.

Carolee l'embrassa sur le front.

— Merci, ma chérie, dit-elle sans pour autant se resservir. Tu as bien mangé. Tu n'as plus faim ?

— Non, merci.

Faith jeta un regard suppliant à Max, comme pour lui demander de faire en sorte que tout aille bien.

— Tu es fatiguée, Faith. Tu t'es beaucoup dépensée, aujourd'hui, et ton dîner était très réussi. À présent, j'aimerais que tu montes dans ta chambre. Repose-toi un peu. Je viendrai t'aider à te déshabiller.

Faith se leva aussitôt, s'empara de ses béquilles et se dirigea vers l'escalier. Max ne put dissimuler son étonnement : il s'attendait qu'elle proteste.

— Je crois que je vais lire. Viens, Digger !

Max connaissait mal les méandres de l'esprit féminin, mais là, pas de doute, Faith les laissait seuls pour qu'ils puissent discuter.

— Dieu merci, je ne pense pas qu'elle ait tout saisi ! fit Carolee dès qu'elle entendit la porte de la chambre de sa fille se refermer.

Max ne répondit pas, mais il était à peu près certain du contraire.

— Nous ne nous sommes pas vus depuis un moment, reprit Carolee. Comment vas-tu ?

— Très bien, mentit-il. Il commence à faire froid. On prévoit un hiver particulièrement froid.

— Tu fais du ski ?

— J'en ai fait, j'espère m'y remettre cette saison. Et toi ?

— Pas depuis mon enfance.

— Tu devrais recommencer. Tu verras, c'est comme le vélo, ça ne s'oublie pas… Carolee… je t'aime.

Elle détourna la tête.

— Pas autant que moi. Mais c'est impossible.

— Bien sûr que non ! Je t'aime… Je n'en peux plus de vivre sans toi.

Elle se leva, emporta la vaisselle à la cuisine.

— Si nous vivons ensemble, il faut que ce soit pour toujours. Je ne supporterai pas un nouvel échec, déclara-t-elle en revenant.

— Ça marchera, assura-t-il en se levant pour s'approcher d'elle. Nous serons l'un avec l'autre, nous formerons une famille pour Faith.

Elle le contourna et s'immobilisa un peu plus loin.

— Je l'espère. Tu ferais un père merveilleux, mais Faith ne sera jamais que l'enfant d'un autre.

— Tu as entendu ce qu'a dit Ivy.

Carolee ferma les yeux et croisa les bras étroitement.

— Oui, murmura-t-elle. Faith et moi partons pour Houston dans deux jours. Nous serons sans doute absentes plusieurs semaines.

Il faillit lui demander s'il pouvait les accompagner, mais se ravisa. Ç'aurait été une erreur.

— Tu m'appelleras de là-bas ? Que nous puissions parler de tout cela ?

— Nous devons en parler, dit-elle. Je ne supporterais pas que nous ne le fassions pas.

38

Novembre. Il neigeait.

Le cœur de Carolee battait la chamade. La fermeture Éclair de sa parka remontée jusqu'au menton, ses mains gantées dans les poches, elle quitta l'immeuble de Max. Les rues étaient immaculées, les branches nues des arbres se découpaient sur le ciel plombé.

Elle remonta la pente, ses boots grinçant à chaque pas. Elle connaissait assez mal ce quartier. L'Hôtel de Ville se dressait à sa gauche. Une voiture de police passa devant elle, et elle aperçut le commissariat, au rez-de-chaussée du bâtiment. Elle ne pouvait plus voir une patrouille sans penser à Kip.

La neige étouffait tous les bruits. Un coureur intrépide la croisa, tourna à gauche. Carolee offrit son visage aux flocons.

Devant l'entrée de l'Hôtel de Ville trônait un banc en pierre sur lequel était assise la statue en bronze d'un homme en train de lire. Mais celui qui l'intéressait, juste à côté, était en chair et en os.

Max ne l'avait pas remarquée. Elle l'observa de loin. Il passait par là chaque jour. Il le lui avait dit au cours de l'une de leurs interminables conversations, pendant son séjour à Houston. Il devait se demander pourquoi il n'avait pas pu la joindre la veille. Elle était arrivée à Seattle avec Faith, mais elle ne l'avait pas prévenu.

Faith s'était levée aux aurores en suppliant Carolee d'aller le trouver. C'est pourquoi elle était là. Depuis peu, il avait cessé de la presser de s'engager. Peut-être avait-il changé d'avis ?

Le vent glacé traversait le tissu son pantalon. S'il ne l'aimait plus comme avant... Elle préférait ne pas y penser.

Max leva les yeux et aperçut une jeune femme en parka rouge et pantalon noir. Il avait froid, mais son sang se mit à bouillonner dans ses veines.

Elle s'était immobilisée, mais elle regardait dans sa direction. Il aurait juré qu'elle était intimidée.

Il ouvrit la bouche pour crier sa joie, puis se rappela qu'elle avait horreur des démonstrations en public.

Soudain, Carolee se mit à courir, elle faillit glisser mais retrouva son équilibre de justesse.

— Max ! Max !

Il était tellement absorbé par cette vision qu'il en demeura cloué sur son banc. Quand elle fut devant lui, il se leva d'un bond, la souleva dans ses bras en la faisant tourner dans les airs.

— Bonjour, espèce de monstre ! J'étais fou d'angoisse. Pourquoi ne m'as-tu pas dit que vous rentriez ? Je serais allé vous chercher à l'aéroport.

Ils restèrent blottis l'un contre l'autre.

— Je voulais te faire la surprise, murmura-t-elle en plongeant son regard dans le sien. Et je ne voulais pas t'obliger à prendre la route par un temps pareil.

— Aaaaaah ! cria-t-il en renversant la tête en arrière. Embrasse-moi, sinon...

Les lèvres de Carolee étaient douces et fraîches.

— J'ai l'impression que tu me cherchais. Ai-je raison ?

Elle rit.

— Oui. Je n'ai pas eu de mal à te trouver. Tu m'avais expliqué que tu venais souvent par ici, et Brandy et Rob m'ont dit qu'ils t'avaient vu partir.

Rob et Brandy avaient mis les menaces de Rob à exécution et acheté un appartement dans le même immeuble que Max. Ils avaient prévu de se marier dans quelques semaines.

— Je marche beaucoup. Je réfléchis aussi beaucoup. Comment va Faith ?

— Plutôt bien. Elle reprend des forces. Dieu soit loué, elle ne montre aucun signe de traumatisme après ce que lui a infligé Kip ! Mais je sais que ce n'est pas gagné. Je l'ai laissée chez Rob et Brandy.

Il fronça les sourcils.

— Vraiment ?

— Je ne voulais pas qu'elle m'accompagne. J'avais peur qu'elle se fatigue. Tu lui manques, Max.

Un sentiment de bonheur intense le submergea.

— Elle est épatante.

— Qui est cet homme ? demanda Carolee en indiquant la statue.

— Robert Frost.

— Ah ! En pleine lecture. Il doit souffrir, en hiver.

— En fait, il écrit. *The Road Not Taken*[1].

L'expression de Carolee se fit songeuse. Elle connaissait ce poème.

— Deux routes, murmura-t-elle. Il a pris celle qui était la moins fréquentée.

— Et c'est ce qui a fait toute la différence. Ainsi va la vie. Les choix se présentent quand on s'y attend le moins. À nous de prendre une décision. On opte pour une voie, et on ne saura jamais ce qui se serait passé si on avait opté pour l'autre... Il me semble qu'il faut savoir prendre des risques, de temps en temps. Pas toi ?

— Je ne sais pas, avoua-t-elle.

— Pourquoi ne m'as-tu pas averti que tu rentrais ? insista-t-il.

Elle détourna la tête.

— Je craignais ta réaction. Cette séparation m'a paru si longue. Je me disais que si je surgissais comme ça, de nulle part, je... je verrais sur ton visage si tu voulais encore de moi.

1. *The Road Not Taken* : la voie délaissée.

— Jusqu'à la fin de mes jours, chuchota-t-il en l'étreignant.

De grosses larmes roulèrent sur les joues de Carolee.

— Pourquoi, Max ? Je t'ai déjà tellement fait souffrir.

— C'est vrai, acquiesça-t-il en riant. À cause de toi, je suis tombé au fond du gouffre au moment où je croyais enfin aller mieux. Et toi ? T'ai-je blessée ?

Elle ébaucha un sourire.

— Évidemment ! Je m'en sortais très bien, jusqu'au jour où tu es apparu pour me rappeler ce que c'était que de désirer un homme, puis d'en tomber amoureuse.

— Alors ? C'est à toi de prendre la décision.

— Ce n'est pas juste, grommela-t-elle. Nous avons parlé de tes besoins et de ma capacité ou non à les combler. Je pense que nous avons autant de chances que n'importe qui d'avoir un enfant, mais je ne supporterais pas que tu deviennes amer. Je te connais, tu ne me reprocherais rien, mais je saurais que tu es déçu et pourquoi.

Max, qui la tenait toujours serrée contre lui, s'écria soudain :

— Dis donc... C'est difficile à croire, mais quelqu'un nous épie.

Elle essaya de se retourner, mais il la maintint fermement.

— Ce n'est pas Faith. Elle sait qu'elle ne doit prendre aucun risque.

— Nos amis l'ont amenée. Elle vient de descendre de voiture, et ils font semblant de ne rien voir. Quelle subtilité !

— Elle pourrait tomber ! s'affola Carolee.

— Je ne le pense pas, mais, reste ici, je vais la chercher.

Le cœur gonflé d'espoir, Max courut jusqu'à Faith. Il se planta face à elle, les mains sur les hanches.

— Je crois savoir que tu avais l'interdiction de sortir par ce temps.

Les cicatrices sur son visage s'estompaient. Sa mâchoire était complètement réparée. Elle était jolie – et affichait une expression espiègle.

— C'était trop dur, avoua-t-elle avec un sourire timide. Brandy et Rob ont faim, moi aussi. Ils m'emmènent manger au *Carillon Point*. Ensuite, on ira faire des courses au centre commercial de Bellevue Square.

Carolee les rejoignit.

— Tu n'es pas en état ! protesta-t-elle.

— Je sais. Je prendrai un fauteuil roulant. Comme la dernière fois, tu t'en souviens, maman ?

— Mmm...

— Mais avant d'y aller, j'ai préféré m'assurer que vous n'alliez pas encore tout gâcher. Vous êtes trop bien ensemble. Maman a besoin de toi, Max.

— *Faith !*

— Tu sais que c'est la vérité ! Quand elle croit que je dors, elle pleure. La nuit dernière, elle s'est couchée avec un de tes chapeaux.

Max effleura la joue écarlate de Carolee.

— Si les hommes pleuraient, je pleurerais aussi.

Faith pinça les lèvres.

— J'ai failli craquer, avoua-t-il en se tournant vers Carolee. J'étais effrayé à l'idée que tu pourrais ne plus vouloir de moi. Pouvons-nous rentrer chez moi et parler ?

Faith tira sur la manche de sa veste, et il se pencha pour recevoir son baiser.

— J'y vais. Prends soin de maman. Et toi, maman, prends soin de Max. Je vous appelle avant de rentrer.

Elle regagna la voiture de Rob. Au volant, ce dernier agita la main en guise de salut.

— Elle nous appelle avant de rentrer ? répéta Carolee.

— Ah, les enfants, de nos jours ! Ils sont beaucoup plus délurés que nous à leur âge. J'ai froid, pas toi ?

— Je suis gelée.

Allongés l'un près de l'autre devant le feu de cheminée, leurs têtes calées sur les coussins du canapé, Carolee et Max savouraient le silence. Il lui tenait la main et la portait fréquemment à ses lèvres. Ils ne s'étaient même pas embrassés.

— C'est la peur qui nous a dominés, n'est-ce pas ? dit Max, d'une voix mal assurée. Dès le début. Chacun à notre façon, nous nous sommes dérobés. Nous n'osions pas nous lâcher, nous laisser porter par notre amour, parce que nous craignions de ne pas être à la hauteur. Et que la perspective d'un échec nous effrayait.

— C'est une version simplifiée, mais tu as raison, c'est pour cela que j'ai autant hésité. Ça, et le fait que j'étais tellement amoureuse que j'avais l'impression de ne plus maîtriser mes sentiments.

— Je t'aime, Carolee.

Ils avaient baissé les stores. Carolee contempla les ombres des flammes qui dansaient sur le plafond.

— Je… tu m'as demandé si je voulais un enfant, et je t'ai répondu que oui, sans doute, reprit-il. Je n'y avais jamais vraiment réfléchi. Un jour, j'ai parlé de mon père à Faith. Je lui ai raconté qu'il s'était blessé en tombant de cheval, comme elle. Je ne suis pas entré dans les détails. À vrai dire, c'était un homme aigri, qui détestait le monde entier – en particulier ma mère et moi.

— Non…

— Je t'en prie, laisse-moi finir. Je n'en ai jamais parlé à quiconque. Dans notre entourage, les gens étaient un peu au courant, mais ils étaient loin de tout savoir. Mon père voulait beaucoup d'enfants. Des fils, pour l'aider à la ferme. Fermier est un métier difficile, peu rentable. Mais j'étais fils unique, et mon père l'a reproché à ma mère. Quand il se fâchait, il l'insultait et cassait tout ce qui lui tombait sous la main. Et il m'en voulait parce que… parce que j'étais son unique fils.

Carolee lui entoura la taille du bras et posa son visage sur sa poitrine.

— Il s'est mis à boire. Bon sang, ça fait cliché, mais c'est pourtant la vérité ! Plus il buvait, plus il devenait méchant. Il a fini par battre ma mère. Elle était toute menue et… Il s'en est pris à elle, alors qu'elle n'y était pour rien. J'étais déjà plus fort que lui, à l'époque. Je l'ai frappé et menacé.

« Quand il s'est relevé, j'ai vu son regard. Vide. Lui qui ne savait déjà plus à quoi se raccrocher, voilà qu'il ne pouvait même plus prétendre être le chef de la famille… Il est sorti. Il a pris le chien et l'un des chevaux. Ma mère m'a supplié de le suivre. J'ai commencé par refuser, puis j'ai cédé.

« J'ai entendu le chien hurler. C'était horrible, pire que les coyotes par une nuit de pleine lune…

Carolee le serra plus étroitement et il sentit qu'elle pleurait.

— Papa s'était réfugié dans un bosquet. Il avait attaché une corde à la branche d'un arbre et fait un nœud coulant autour de son cou. Ensuite, il a dû donner un coup de cravache au cheval, qui est parti au galop. Et mon père est mort pendu, les pieds à dix centimètres à peine du sol.

Max se tut, épuisé.

— Aucun enfant ne devrait souffrir, murmura Carolee. J'aimerais pouvoir remonter le temps et réconforter Max, l'adolescent. Lui dire qu'il n'a rien à se reprocher. Mais c'est en toi. Tu ne pourras jamais oublier.

Max se ressaisit.

— Si je t'ai raconté cela, c'est pour que tu comprennes pourquoi j'ai tardé à désirer fonder une famille. Si nous avons un enfant ensemble, j'en serai enchanté, mais nous avons déjà Faith. Si tu ne peux pas en avoir et que nous en voulons un, nous pourrons envisager une adoption. Et même plusieurs, si tu le désires. Je crois, en effet, que je serai un bon père. Faith en tout cas a l'air d'en être convaincue.

Elle sourit.

— Dis quelque chose, je t'en prie. N'importe quoi. Non, dis-moi que tu m'aimes et que tu veux vivre avec moi.

— J'en ai assez de réfléchir, répondit-elle. Je prends la route avec toi, et j'espère que ce sera la bonne. D'accord ?

— Est-ce que cela signifie que tu...

— Oui, probablement. Mais pour l'heure, laissons-nous porter.

Max ravala un cri de joie.

— Ne bouge pas, ordonna-t-il. J'ai quelque chose pour toi.

Il se précipita dans sa chambre, sans allumer. Très vite, il fut de retour. Il s'assit en tailleur auprès de Carolee.

— Qu'en penses-tu ?

Elle se hissa sur un coude.

— Un clavier ?

— Il ne te plaît pas ! J'en étais sûr. Tu ne joues que du piano. Mais je n'osais pas l'acheter tout seul. Zut ! Je parie qu'il est trop tard pour l'échanger.

— Je l'espère, répliqua-t-elle en riant. Quelle surprise ! C'est formidable ! Mais... pourquoi ?

— Eh bien, voilà, commença-t-il, penaud, en se frottant le visage, je pensais que ma cour durerait longtemps, que tu viendrais souvent, et que tu jouerais pour moi. Satisfaite ?

— Oh oui, monsieur Wolfe ! Très satisfaite !

— Juste un petit morceau, avant que je t'emmène au lit ?

Elle examina attentivement le clavier.

— Tu vas m'épouser, oui ou non ? insista-t-il.

— Il y a de grandes chances pour que j'accepte.

— Tant mieux. J'ai envie de toi. Mais d'abord...

— Que veux-tu entendre ? Dépêche-toi, je suis fatiguée.

Max s'esclaffa.

— Femme cruelle ! Le soir de notre rencontre, tu as joué un air sans paroles. J'étais aux anges, parce que j'avais l'impression que tu me regardais.

— En effet. Tu étais déjà venu auparavant.

Carolee plaqua un accord, et Max ferma les yeux. Elle se pencha vers lui, réclama ses lèvres. Ils s'embrassèrent longuement.

Enfin, elle s'écarta et reprit le morceau. Peut-être trouverait-elle enfin les paroles adaptées à cette mélodie intimiste. Elle avait déjà essayé, en vain. Seul, le titre lui était venu à l'esprit. Ce fut Max qui chuchota :

— Je te reconnais dans le noir. Et tu me reconnais.

Carolee posa le clavier près d'elle et se leva.

— Viens, murmura-t-elle en lui tendant les mains. Il fait assez noir pour le vérifier.

Découvrez les prochaines nouveautés de la collection

Amour et Destin

Des histoires d'amour riches en émotions déclinées en trois genres :

Intrigue ***Romance d'aujourd'hui*** ***Comédie***

Le 4 novembre *Comédie*

Méli-mélo de Jill Mansell (n° 5555)

Bath n'est pas une ville très gaie en hiver. Et quand la vie ne ressemble pas à ce que vous aviez imaginé, il y a de quoi déprimer... C'est la conclusion à laquelle sont arrivées Liza, Prune et Dulcie, qui ruminent régulièrement leurs malheurs devant un plat de spaghettis. À la veille du nouvel an, toutes trois décident de prendre leur destin en main et s'arment de bonnes résolutions...

Le 12 novembre *Romance d'aujourd'hui*

Pour les yeux d'une autre de Patricia Kay (n° 6329)

Étudiants, Adam et Natalie tombent éperdument amoureux l'un de l'autre, en dépit de leurs différences sociales. Lorsque Adam annonce à son père son intention d'épouser Natalie, il apprend à son grand désespoir que celui-ci s'est engagé à ce qu'il épouse la fille de son associé. Adam renonce à Natalie. Il la retrouve par hasard douze ans plus tard, et sait que ses sentiments n'ont pas changé...

Le 19 novembre *Romance d'aujourd'hui*

En souvenir du passé de Sandra Kitt (n° 6418)

À la mort de Stacy, une vieille connaissance, Deanna, jeune femme noire d'environ 35 ans, se retrouve avec un drôle d'héritage sur les bras : une enfant de six ans. Malgré son travail accaparant, elle accepte de s'occuper de la petite Jade jusqu'à ce la justice lui trouve une famille d'accueil. En attendant, il lui faut assumer son nouveau rôle de maman. Patterson, le fils de la nounou de Jade, saura-t-il l'aider ?

Le 26 novembre *Intrigue*

Quand tombent les masques de Susan Wiggs (n° 6419)

Sandra et son mari, le sénateur Victor Wislow, ont eu un accident de voiture au cours duquel Victor est mort. S'agit-il d'un accident ou Sandra a-t-elle tué son mari ? Les soupçons pèsent sur elle. Décidée à commencer une nouvelle vie ailleurs, Sandra rénove sa vieille maison de Paradise afin de la vendre, avec l'aide de Mike Malloy, un entrepreneur du coin. Cela suffira-t-il à effacer le passé ?

Ce mois-ci, retrouvez également
les titres de la collection

Aventures et Passions

Le 4 octobre

Une passion en Louisiane de Katherine Sutcliffe (n° 6208)

Louisiane, 1853. Juliette a grandi en France dans un couvent, loin de ses parents. À leur mort, elle hérite de la plantation Belle Jarod. Le meilleur ami de son père, Max, la ramène chez elle avec la ferme intention de lui faire épouser son fils bon à rien, Tyler. Mais Juliette ne l'entend pas de cette oreille, d'autant qu'elle est attirée par le séduisant Chantz Boudreaux qui, comme elle, méprise l'esclavage...

Le 11 octobre

Le seigneur du crépuscule de Susan Wiggs (n° 5020)

Une foule dense se presse sur l'esplanade de St. Paul. Soudain des cris s'élèvent : un pickpocket vient de se faire prendre et la foule comprend que la jongleuse est de mèche avec lui. Adrian, un homme sombre et farouche, passe par là et doit s'interposer pour éviter à cette étrange créature, jolie mais vêtue de haillons, de se faire lyncher. Instantanément, Lucy s'attache à son protecteur...

La maîtresse de l'espion de Jane Feather (n° 6210)

Angleterre, 1550. La jeune veuve lady Pen, servante de la princesse Mary, sœur du roi mourant, ne croit pas que son fils soit mort-né, contrairement à ce que lui a annoncé sa belle-mère. Prête à tout pour découvrir la vérité, elle fait appel à un espion, Owen d'Arcy, qui accepte de l'aider à la seule condition qu'elle le renseigne sur les intentions de Mary par rapport au trône. Leur marché conclu, ils enquêtent dans les bas-fonds de Londres et bravent ensemble tous les dangers. Ce qui tisse inévitablement des liens très forts entre eux...

Le 25 octobre

La belle de l'Ouest de Catherine Hart (n° 6358)

À bord d'une diligence en route pour le Texas où elle doit épouser son fiancé Kirk, Megan se fait arrêter puis enlever par des bandits. Il s'agit d'une sombre histoire de vengeance : Blake compte récupérer le domaine dont son cousin Kirk l'a injustement dépossédé quelques années auparavant... en utilisant Megan comme appât. Mais avec une demoiselle qui n'a pas la langue dans sa poche et n'entend pas se laisser faire, l'affaire ne s'annonce pas de tout repos...

6216

Composition Chesteroc International Graphics
Achevé d'imprimer en Europe (France)
par Brodard et Taupin à La Flèche
le 4 septembre 2002. 14531
Dépôt légal septembre 2002. ISBN 2-290-32081-1

Éditions J'ai lu
84, rue de Grenelle, 75007 Paris
Diffusion France et étranger : Flammarion